JN048962

岩波講座　世界歴史　3

ローマ帝国と西アジア　前三〜七世紀

岩波講座

世界歴史

03

ローマ帝国と西アジア

前三～七世紀

岩波書店

第3巻【責任編集】大黒俊二
林　佳世子
【編集協力】南川高志

目次

コラム｜*Column*

ダキア
ドナウ川
モエシア
リ ク ム
トラキア
黒 海
アボヌテイコス
ビテュニア・エト・ポントゥス
コンスタンティノープル
ニコメディア
ニカイア
アンキュラ
(アンカラ)
マケドニア
テッサロニケ
ペルガモン
アシア
ユーフラテス川
アカエア
エフェソス
アプロディシアス
アンティオキア
アテネ
コリントス
ミレトス
シリア
スパルタ
ロードス島
パルミラ
ベリュトス(ベイルート)
キプロス島
ダマスクス
クレタ島
イェルサレム
ユダエア
キュレネ
アレクサンドリア
アラビア・
ペトラエア
ペトラ
エジプト
テプテュニス
ヘルモポリス
ナイル川
ミュオス・
ホルモス
紅
海
コプトス

ハドリアヌスの長城
エボラクム（ヨーク）
ブリテン島
ロンディニウム
（ロンドン）
カルクリーゼ
自由ゲルマニア
ライン川
コロニア・
アグリッピナ
（ケルン）
モゴンティアクム
（マインツ）
大西洋
ドナウ川
ウィンドボ
（ヴィー
ガリア
アウグストドゥヌム
（オータン）
ブルディガラ
（ボルドー）
ルグドゥヌム
（リヨン）
アルプス山脈
アクィレイア
パンノ
ローヌ川
ネマウスス
（ニーム）
ラヴェンナ
ナルボ
（ナルボンヌ）
マッシリア
（マルセイユ）
ルシタニア
ヒスパニア・
タラコネンシス
コルシカ島
ローマ
オスティア
ネアポリス
（ナポリ）
ポン
サルディニア島
バエティカ
イタリカ
ウクビ
ガデス
（カディス）
シチリア島
カルタゴ
ヌミディア
アフリカ・プロコンスラリス
マウレタニア
タムガディ
レプキス・マグナ
ローマ帝国
0
400
800 km

アラル海
ヤクサルテス川
カスピ海
オクソス川
ニサ
マルヴ
バルフ
ヒュルカニア
パルティア
バクトリア
ハマダーン
アラコシア
スサ
エラム
ペルセポリス(イスタフル)
ペルシス
インダス川
ペルシア湾
インド洋

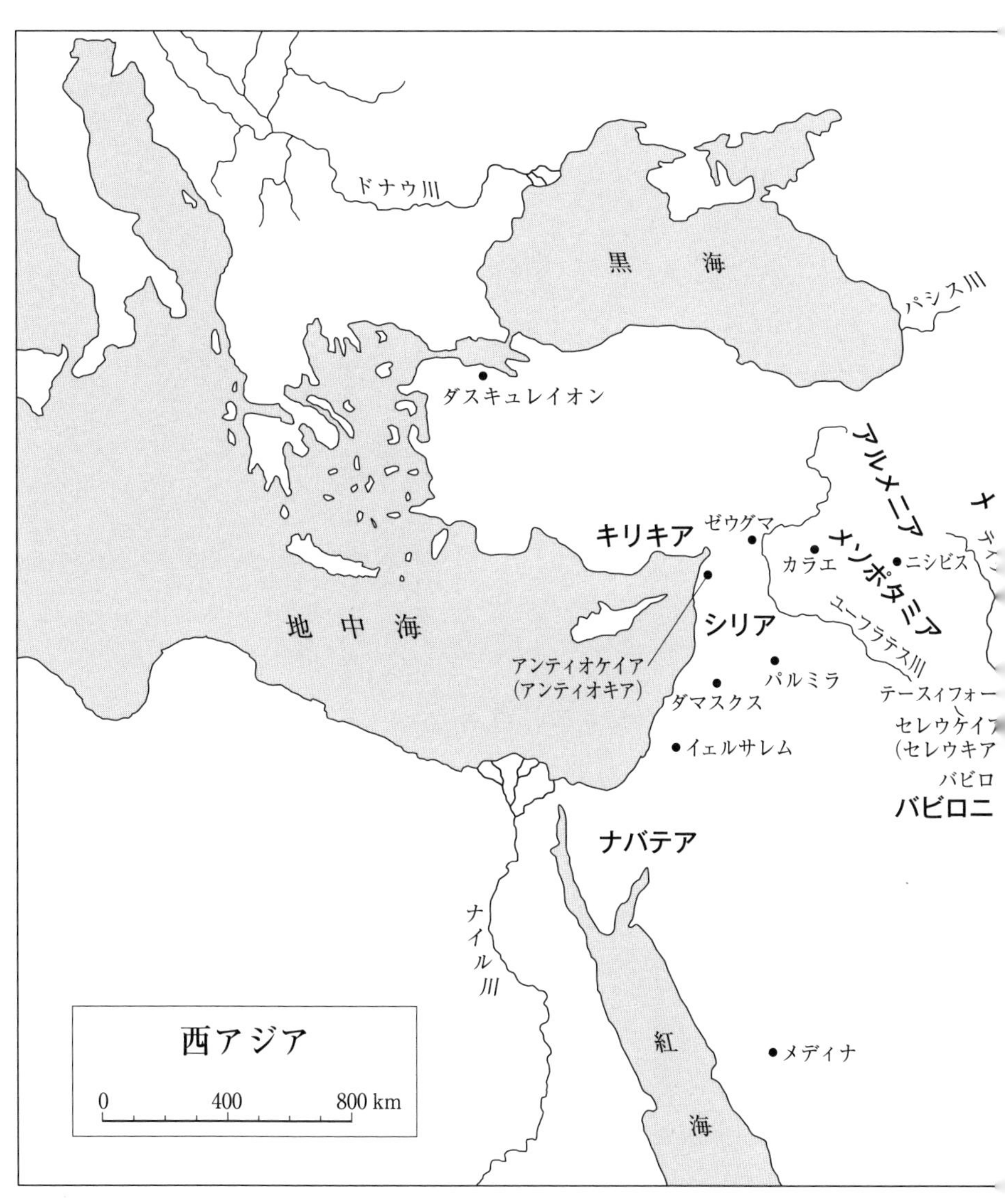

ドナウ川
黒　海
パシス川
ダスキュレイオン
アルメニア
キリキア
ゼウグマ
カラエ
メソポタミア
ニシビス
ユーフラテス川
シリア
地　中　海
アンティオケイア
(アンティオキア)
パルミラ
ダマスクス
テースィフォー
セレウケイア
(セレウキア
イェルサレム
バビロ
バビロニ
ナバテア
ナイル川
紅
海
メディナ
西アジア
0
400
800 km

〈凡　例〉

本巻では、名称等の表記について、以下のような原則に従っている。

一、西アジアの地名・人名等の表記に関しては西アジア言語の発音による表記を優先的に使用し、初出時に括弧書きでギリシア語やラテン語の表記を添える。

二、ローマ帝国に関わる地名・人名等の表記については、原則としてラテン語の発音で記すが、慣例としてギリシア語が用いられている場合は、例外としてギリシア語の発音で表すものとする。

三、ギリシア語とラテン語の長母音を表すための音引は使用しない。ただし、慣例を重視して、長音表記が一般的である場合は、例外として音引を付すこととする。

四、ギリシア語を片仮名で表記するにあたっては、φ, θ, χ と π, τ, κ を区別しない。ラテン語の場合も ph, th, ch と p, t, c とを区別しない。

五、ラテン語を片仮名で表記するにあたっては、cc, pp, ss, tt は小さい「ッ」で表し、ll, rr は小さい「ッ」を略す。

ただし、慣例を重視して、「エフェソス」や「ニカイア」のように原則に従わなかった場合もある。

展　望　*Perspective*

展望 | *Perspective*

ローマ帝国と西アジア
——帝国ローマの盛衰と西アジア大国家の躍動

南川高志

一、ローマ帝国と西アジアの歴史

ローマ帝国の捉え方

古代ローマ人の国家は、紀元前三世紀に故地イタリアから外部へと拡大して帝国化し、紀元二世紀には東は現在のイラク、西はモロッコ、北はイングランド北部、南はエジプト南部に至る広大な支配領域を持つに至った。このローマ帝国の形成、発展、繁栄の時代に、その活動域の東部で絶えず緊張関係を持ったのが、西アジアに展開した大国家、アルシャク(アルサケス)朝パルティアと、三世紀の前半にアルシャク朝に代わったサーサーン朝ペルシアである。ローマ帝国と西アジアの大国家とは、接する地方の支配権をめぐって抗争しただけでなく、様々なレヴェルで直接・間接に交流も持った。両者の関係は、五世紀の初めにローマ帝国がその領土の西半地域において帝国としての機能を終えた後も、帝国領東半地域を受け継いだ東ローマ帝国との間で七世紀まで継続した。こうしたローマ帝国と西アジア大国家の歴史や両者の関係は、古代世界の歴史的意義を考える上で基軸となるといって過言でなかろう。本巻は、このローマ帝国と西アジアの歴史を正面から扱う。

さて、ローマ帝国の歴史は、古代ギリシア人の歴史とともに語られることが多かった。古代ギリシアとローマは合わせて「古典古代」と呼ばれ、築かれた文明も「古典文明」と呼ばれてきたのである。また、地中海が主な活動の場であったということで、古代ギリシア・ローマ時代の西洋世界を「地中海世界」と呼んだり、ローマ帝国を「地中海帝国」と称したりすることもある。事実、一九六九―七〇年刊行の『岩波講座 世界歴史』第一期の古代ギリシア・ローマを扱う諸巻は「地中海世界」と括られており、二〇世紀末に刊行された同第二期でも、第四巻が「地中海世界と古典文明 前一五〇〇年―後四世紀」と題されて、関連論文を収録している。

しかし、二〇世紀後半以降、「古典古代」「古典文明」については、ルネサンス以来の伝統的なヨーロッパ人の価値観に偏っているという批判がたびたびなされてきた。また、ギリシア人やローマ人の活動に地中海が大きな意義を有したことは疑いないものの、「地中海世界」の含意するところにはやはりヨーロッパ特有の偏りがあるだけでなく、地中海から遠く離れた地域、例えばケルト人、ゲルマン人の世界を含んでいない点も問題であろう。

そもそも「地中海世界」とは、わが国学界の有力な考え方では、単に地中海周辺地域の歴史というだけでなく、ある時期に現れ消滅した独自の価値を有する歴史世界として定義されており、歴史学上の概念である。そして、この概念に拠れば、ローマ帝国はその担い手ないしそれ自体と位置づけられ、周囲の広大な地域を磁場のようにそのうちに巻き込んで統合した強大な存在であった(弓削 一九七七)。しかし、ローマ帝国を「地中海世界」ないし「地中海帝国」とし、広範囲にわたって甚大な影響を及ぼした存在であると十分な検証なしに前提とすることは、地中海から離れた地域の独自の歴史的展開を軽視することで中世世界への移行が十分に説明できなくなるだけでなく、ローマ帝国の影響力を過大評価し、誤った歴史的意義を与えてしまう恐れがある。また、これに関連して想起すべきは、ローマ帝国史の研究や帝国の歴史的意義に関する理解が、近世以降のヨーロッパの政治や思潮に大きく影響されて成立・展開してきたことである。

こうした点を考慮し、本巻ではローマ帝国を、従来の「古代ギリシア・ローマ文明」として括られてきた捉え方から外して、同時代的な横の地域的つながりを重視し、西アジアの大国家との関係性にも配慮して理解しようと試みる。本巻で扱うローマの歴史は、古代ローマ人の歴史ではあるが、それはイタリアの古代史や古代イタリアの拡大・発展の歴史と同じではない。ローマの「帝国」としての歴史である。首都ローマ市やイタリアを中心に構想されてきた伝統的なローマ史ではなく、世界史的意義を持つ帝国ローマを叙述する試みである。そのため、この「展望」の叙述も「問題群」「焦点」のテーマも、西アジアとの関係や比較も意識しつつ、「帝国」的視角からなされている。さらに、本巻では、ローマ帝国の説明に際して、「帝国」をめぐる議論で必ず持ち出されてきた「支配―被支配」「支配―従属」といった二項対立の図式に回収されないように、「問題群」「焦点」のテーマを配した。属州住民やマイノリティ集団の主体的な活動や地域支配の重層性、ジェンダーの観点から見える社会の様相、上層市民の芸術や技術に留まらぬ広角の「文化」など、帝国に生きた人びととその活動の持つ多様な実態が浮かび上がるよう努めた。これらの試みは、「古典古代」「地中海」に拘泥しないところと合わせて、『岩波講座 世界歴史』の第一期、第二期とは異なる、本巻の大きな特色といってよいだろう。

「展望」の叙述内容

まず、この「展望」の叙述内容について説明しておきたい。本講座各巻冒頭の「展望」は、その巻で扱う時代と地域の全体を通史的に論じるとともに、続く「問題群」「焦点」を配置した意味を示すことを任務としている。本巻でもこれに従い、ローマ帝国と西アジア二大国家の歩みや関係を政治史を中心に辿り、その叙述の中で、紀元前三世紀から紀元七世紀までの歴史的展開について考察すべき課題を、時折研究史にも触れながら指摘していく。そして、関連する箇所で「問題群」「焦点」の諸論文に言及することにしたい。

最初にローマ人の国家が帝国となり拡大していく過程を、次いで完成した大帝国を、さらに帝国の変容と衰退を、順次説明する。また、それぞれの説明では西アジアの両大国家の歴史を絡めて論じる。扱う時期は前三世紀から後七世紀までとなる。前三世紀は、ローマがイタリア半島を制圧して半島外へと領土を拡大し、帝国化し始めた世紀であるとともに、現イラン・イスラーム共和国の北東部、トルクメニスタン西南地域でアルシャク朝が興った時期でもある。

一方、後七世紀は、ローマ帝国領の東半地域で帝国を継承していた東ローマ帝国が、イスラーム勢力によってシリアからエジプトに至る領土をすべて奪われ、バルカン半島でもアヴァール人、スラヴ人、ブルガール人に侵攻され、イタリア半島での支配領域もランゴバルド人の攻勢にあって、もはや「帝国」の体をなさなくなった時期である。同じ七世紀、西アジアでも長らく君臨したサーサーン朝がイスラーム教徒勢力に滅ぼされた。七世紀は、イスラーム教徒勢力という新しい歴史ファクターが世界史に登場し、また旧ローマ帝国領西半地域にはフランク王国の西ヨーロッパ支配に繋がる動きが始まり、その動静に対応して旧ローマ帝国領の東半でも、東ローマ帝国が「ビザンツ帝国」へと脱皮していくことになった、世界史上に記憶されるべき世紀である。

さらに、本「展望」最終節では、「ローマ帝国の記憶と表象」を論じる。近世以降に「よみがえった」ローマ帝国を現代世界まで観察し、「帝国」ローマの歴史的意義を問う。

以下の叙述は、筆者の専攻分野のためにローマ帝国中心になっており、また本巻全体でもローマ帝国史に偏るが、本巻の主題に関して執筆できる研究者の数を反映しているとご理解いただきたい。本「展望」のローマ帝国と西アジアとの関係の叙述もローマ側から眺めたものとなるが、本巻では「問題群」の三津間論文が西アジア史の専門家の視角から西アジア大国家の歴史やローマ帝国との関係を説明しており、参照されたい。

気候と風土

古代ローマ人が国を建てたイタリア半島、そして最初の段階でローマが領土を獲得していった地中海沿岸の地方は、一般に夏は高温で乾燥し、冬は湿潤で温暖な気候であり、平均して年間の降水量も少ないところである。こうした地中海性気候の地域がローマによって征服され、ローマ帝国領となった。地中海という共通の条件のもとで発展してきた諸地域が、ローマ帝国の統治下で経済的・文化的に統合され、歴史上独自の価値を持つ一つの世界、「地中海世界」が生まれた。従来はこのように説明されてきた。

確かに、ローマ人は地中海を「我らが海」と呼んだ。そして、ローマ帝国の支配がもたらした「ローマの平和」の時代、地中海を通じた人とモノの移動、文化の伝播などが活発に行われた。しかし、ローマ帝国の政治体制が皇帝政治へと移行する前後から、ローマ人は地中海沿岸地域とは気候や風土の異なる地域に領土を獲得していった。アルプス山脈の北へと進み、ライン川やドナウ川の河口地帯まで、さらには海を渡ってブリテン島へ、ドナウを越えてトランシルヴァニア(現ルーマニア)まで、帝国の直轄領としたのである。

森林の広がる世界へローマ帝国は拡大した。新たに帝国の属州となったガリア・ゲルマニア・ドナウ沿岸地方では住民の数が増えていった。二〇〇〇年に発表された研究に拠れば、初代皇帝アウグストゥスが没した紀元一四年のイタリアの人口は七〇〇万人、イベリア半島は五〇〇万人、ガリア・ゲルマニア地方は五八〇万人、そしてドナウ川沿岸地方は二七〇万人と推測されている。それが、いわゆる「アントニヌスの疫病」が流行する前、マルクス・アウレリウス治世の一六四年では、イタリアが七六〇万人でやや増えた程度であるのに対して、イベリア半島は七五〇万人に増加し、ガリア・ゲルマニア地方では九〇〇万人まで大幅に増え、ドナウ沿岸地方でも四〇〇万人と増加している(Frier 2000)。イタリアから離れた地域にもローマ風都市が数多く誕生し産業も発展して、イタリアに物資を輸出するほどになった。また、イタリアの文化を受け入れながらも、在地の文化との融合から独自の様式を生み出してもいった。こうした点を考慮すれば、最盛期や衰退期のローマ帝国を、「地中海」によって単純に性格規定することは適切ではなかろう。

また、前三〇年にローマ帝国領となったエジプトは、地中海沿岸といっても極度に乾燥する地域で、人々はナイル川に生活を負っており、その両岸の緑地で暮らしてきた。そうした事情は、西アジアの地域にも共通するものがある。西アジアの諸地域のうち、現在のイラク共和国に属する地域は、イランやトルコと接する山岳地域、乾燥する平原地帯、そしてほとんど雨が降らず厳しい乾燥地帯である南部の平野部に分けられる。ティグリス川とユーフラテス川が流れる平原地帯と平野部が、古代文明を生み出したメソポタミア(両河川地方)である。一方、本巻で扱う西アジアの大国家が誕生したのは、このイラクに隣接するイラン・イスラーム共和国の地であったが、その本拠はイラン高原であって、これはイラクとは異なる、冷涼な気候である。アルシャク朝が誕生したのはイラン北東部であり、サーサーン朝はハカーマニシュ(アカイメネス)朝の故地ペルシス地方から発した。イランの南部である。このように、西アジアといっても気候・風土は実に多様であった。

人類の発生以来、気候と風土は人々の生活を大きく規定してきたが、人々は自然環境に適応したり果敢に挑戦したりしながら、生活空間とその中身を発展させてきた。ローマ帝国の統治下にある諸地域は、地中海性気候の地域ばかりでなく、雨の多い寒冷な森林地帯も含まれる。西アジアでもひどく乾燥する地域と冷涼な地域とがあり、まさに多様である。こうした風土・環境で生きた人々が、多様な生活様式を生み出したことは当然である。この「展望」では扱えないが、それぞれの地域の風土・環境に即して文化・文明そして国家の成長・発展を考究することは、今後もっと進められるべき研究課題であろう。例えば、二〇〇〇年に刊行されたペレグリン・ホーデンとニコラス・パーセルの共著(Horden & Purcell 2000)は、地中海史の総合的把握を生態学の手法を持ち込んで試みた意欲作で、古代史研究にも示唆するところは大きい。しかし、本巻が注目したい大切な論点の一つは、そうした特色を持つ諸地域、様々な自然環境の下で生きた多様な人々に対して、「帝国」「大国家」がどの程度影響を及ぼし、人類史上の特筆すべき時代の性格を形成したか、ということである。

二、ローマ帝国の形成と西アジア

ローマの帝国化

ローマの歴史は、紀元前一〇〇〇年頃にイタリア半島に南下した古代イタリア人が、半島中部のラティウム地方に建てた都市に始まる。都市国家ローマは、前六世紀末に王を追放して貴族が主導する共和政体を樹立した後、周囲の勢力と争いながら支配領域を拡大して、前四世紀後半にはラティウム地方の覇権を掌握した。次いで、数度にわたるサムニウム人との戦争に勝利して南へと支配地を広げ、前二七二年には南イタリアのギリシア人都市タレントゥムを陥落させて、イタリア半島を統一したのである。

南イタリア征服後、ローマは西地中海地域に大きな影響力を持つ北アフリカのフェニキア人都市カルタゴとシチリア島をめぐって対立し、前二六四年戦争となった。この「第一次ポエニ戦争」で、ローマは慣れない海での戦いにも勝利し、前二四一年の戦争終結後、巨額の賠償金やシチリア島を獲得した。さらに、カルタゴの混乱に乗じて、前二三八年にはサルディニア島とコルシカ島も領土に加えた。ローマは、イタリア半島外に初めて領土を得、公職者を送って「属州」として統治し始めたのである。

その二〇年後、カルタゴは雪辱を果たさんとし、再びローマと戦争になった(第二次ポエニ戦争)。カルタゴの将軍ハンニバルがアルプスを越えてイタリアに侵入し、トラシメネス湖畔の戦いやカンナエの戦いでローマ軍を破ったので、ローマは国家存亡の危機に陥った。だが、ハンニバルは諸都市をローマから離反させることに失敗し、やがて補給を絶たれ、イタリア支配を維持できなくなった。そして、ローマ軍がカルタゴ本国を攻撃したために救援に戻り、前二〇二年のザマの戦いで敗れた。ローマはこの戦争にも勝利し、ついに西地中海地域の覇権を握るに至った。

ところで、この戦争中、ローマはハンニバルと結んだマケドニア王国とも戦争となり、東地中海地域にも介入し始めた。前二世紀に入ると、マケドニア王国の王ピリッポス五世やセレウコス朝のアンティオコス三世と戦って勝利をあげた。当初ローマは戦勝後に「自由」を宣言してバルカン半島から撤兵していたが、次第に露骨な征服政策を進めるようになった。前一六八年に第三次マケドニア戦争を勝利で終えると、マケドニア王国を滅ぼして複数の共和国に分割し、ローマに味方しなかったギリシアの諸勢力に圧力をかけた。ギリシア北西部のエペイロスでは町が破壊され、住民が奴隷として売られたのである。

ローマの攻勢は続いた。前一四九年にマケドニア王の子を僭称するアンドリスコスの軍がマケドニアを支配すると、これを破ってマケドニアを属州にし、次いで挙兵したアカイア連邦を打ち破り、連邦の中心だった有力都市コリントスを徹底的に破壊して、ギリシア本土を属州アカエアとした。同じ時期、ローマはカルタゴに開戦を余儀なくさせてこれを攻め(第三次ポエニ戦争)、前一四六年、ついに都市カルタゴを破壊した。ローマの地中海周辺地域制圧はさらに進み、前一三三年にはイベリア半島でローマに抵抗していた要衝ヌマンティアを降伏させ、半島での大規模な騒擾(そうじょう)を押さえ込むことに成功した。

こうして、前二世紀の後半に、ローマは地中海周辺地域の西部においても東部にあっても最強の勢力となっただけでなく、支配されていない国々にも著しい脅威となったのである。これらの地域では、人々はローマの了解を得ずに自らの意志で行動することはできなくなった。この時点で、ローマ国家は「ローマ帝国」となったとみなすことができよう。

帝国とローマ帝国主義

いま、前二世紀の後半、共和政体をとるローマ国家が「ローマ帝国」となった、と書いた。この「帝国」とは、「皇帝が統治する国」という意味ではなく、歴史学上の概念である。「帝国」の概念については、吉村忠典が日本、中国、ヨーロッパの文献を精査し、和製漢語として出来た「帝国」が empire の訳語として用いられたために日本では混乱が生じたが、西洋では「皇帝」と empire とは別である、と明示した。吉村はさらに、近代の概念的枠組みを適用したのではローマの「帝国」としての支配の本質を捉えられないとした上で、ローマの政治指導者たちが諸地域の指導者層をパトロネージで統合して広域支配を確立したものとして帝国を捉え、その観点からも帝国成立を前二世紀としている(吉村 二〇〇三)。

ローマは急速に支配地域を拡大したが、そのためには兵士の大動員が必要であった。この点については、次のように説明されている。共和政ローマ国家では、民会(市民総会)で選出された公職者が統治したが、パトリキなど有力家系出身者から構成され「権威」を持つ元老院が強い影響力を保持した。パトリキは宗教や法を扱う血統貴族であるが、このパトリキとプレブス(平民)との間に生じた「身分闘争」が前四世紀に終結し、パトリキとプレブスの上層とが融合して形成されたノビレス(ないしノビリタス)と呼ばれる新しい政治指導層が、公職を独占し元老院の中核をなすようになり、政策を決定し国家を導くようになった。この政治体制の成立が、兵士の大動員を可能にしたのである。

また、ローマ人を拡大へと突き動かした社会的な動因についても論じられた。共和政末期の政治家キケロは、ローマ人の戦争遂行の理由を、自分たちがただ平和のうちに生存するためだと述べているが、今日のローマ史研究の基礎を築いた一九世紀ドイツのテオドール・モムゼンも、ローマによるイタリア統一を高く評価した上で、対外戦争はイタリアを守るための戦いであると位置づけた。実は、ローマ市やイタリアが外部勢力の攻撃対象になったのは、共和政期では前四世紀初めのガリア人の攻撃とハンニバル軍のイタリア侵攻しかない。けれども、ローマには積極的に征服を進める意志があったわけではないという学説は、二〇世紀に入っても維持された。ローマ人は国家の防衛と信義で結ばれた同盟者らの保護を掲げ、「正当な戦争」を打ち出すことで支配を正当化しようとしたと説明されたのである。

だが、一九七〇年代後半のキース・ホプキンズの研究は、ローマが引き起こした戦争の結果の重大さを強調し、ローマ人の社会は軍事的性格が強く、能動的に戦争を起こしたと説いた(Hopkins 1978)。同じく、ウィリアム・ハリスも、戦争経験は貴族の子弟の教育の機会として位置づけられ、公職選挙に勝つために戦勝による名誉を得ることが最も重要だったとし、そうした社会と政治のシステムが帝国形成を積極的に推進したと論じたのである(Harris 1979)。

日本の学界では、如上のモムゼン的な理解は「防衛的帝国主義」、ハリス的な理解は「好戦的帝国主義」と紹介され、後者の征服戦争の結果の重大性やローマ人の好戦性との見解は、ベトナム戦争の悲惨さやアメリカの撤退という一九七〇年代の世界情勢を反映していると指摘されている(手代木 一九七八、長谷川 二〇〇一)。ローマの拡大と帝国化をめぐるこうした諸研究は、ローマ人自身の「正義論」から離れて、ローマ社会の性格と莫大な数の死者や隷属者を出した帝国形成のリアルな過程とを見つめ直した点で重要である。ただ、帝国化と帝国支配の実相や意義は、征服戦争の解明で済むものではなく、戦争後に支配下に入った人々の「隷従」の日々を観察することでようやく実相を知り意義を考察することが可能となる。さらに、長いスパンで観察することで、「支配—従属」という二項対立では捉えられない被征服者たちの変容や主体性も看取できるようになると思われる。

西アジア世界の変動とアルシャク朝パルティアの台頭

ローマ帝国が成立した前二世紀の後半、西アジアでもハカーマニシュ朝以来の強大な国家が勢力を拡大させた。アルシャク朝パルティアである。アレクサンドロス大王の死後、後継者たち(ディアドコイ)の争いを経て、シリア以東の広大な西アジアの地は大王の武将の一人セレウコスの統治下に入った。しかし、前三世紀の半ばには領内各地で自立の動きが強まり、アフガニスタン北西部を中心とするバクトリア地方にはギリシア系の王国が成立した。小アジア北西部のペルガモンでは、エウメネス一世がセレウコス朝から離反して王国を建てた。イラン高原南西部のペルシス地方やトルクメニスタン西南部でも自立の動きがあり、後者では、前二三八年、遊牧民パルニ族がパルティア地方に侵入して建国した。始祖のアルシャク(アルサケス)の名をとってアルシャク朝パルティアと呼ばれる。

セレウコス朝王国の再拡大を図ったアンティオコス三世が前一八九年のマグネシアの戦いでローマに敗れると、セレウコス朝からの離反はいっそう進み、アルメニア、ナバテア、コンマゲネなどの地域で独自の国家形成がなされるようになった。前一六七年にはユダヤで、セレウコス朝に対する反乱が生じた。指導者ユダのあだ名にちなんでマカベア戦争と呼ばれるこの事件は、ユダが戦死した後、その後継者たちが独立を獲得し、王朝(ハスモン朝)を打ち立てた。セレウコス朝の勢力がますます減じていくと、アルシャク朝が西進して前一四八年にはメディア地方を占領し、前一四一年以降、メソポタミアも支配下に入れるようになる。セレウコス朝はシリアにその領土を限るようになり、西アジアの覇権はアルシャク朝が握ったのである。

こうして、ローマとアルシャク朝は、ほぼ同じ頃に広大な地域を支配する大国家となったのである。前二世紀のうちは両者の間に弱体化したヘレニズム国家が残っていた。しかし、前一世紀になり、ローマがセレウコス朝を滅ぼしてシリアをその支配領域を加えると、両者は直接相対することになる。

三、ローマ皇帝政治の成立

帝国化の影響

帝国形成の過程でローマが戦勝によって得た戦利品や富は膨大で、前二世紀中葉からイタリアのローマ市民は租税の支払いを免除されるようになった。しかし、敵から没収し国有化した土地を占有し、奴隷を用いた商品作物栽培などを行って利益を上げたのは元老院議員を中心とする一部の有力者たちであり、兵士として戦った人々、とくに中小農民たちはひどく疲弊していた。第三次ポエニ戦争前の前一五一年と戦争後の前一三八年には市民の徴兵忌避が生じ、徴兵を強行しようとした最高公職者コンスル(執政官)を護民官が拘束する事態も生じた。農民たちが弱体化するとローマの国防力が危機に陥るため、前一三三年に護民官に就任したティベリウス・グラックスは、中小農民に公有地を再分配して救済し、ローマの軍事力を再建しようと試みたが、その改革は元老院の有力者の反対で失敗に終わった。

一〇年後の前一二三年、今度は弟のガイウス・グラックスが護民官となったが、ガイウスは、土地の再分配よりも兄を死に追いやった元老院勢力に対抗しようとした。元老院を抑えるために騎士身分の者を登用したのである。元老院議員も騎士身分もその始まりは同じで、騎兵として戦う地位の者であったが、元老院議員の生業を農耕者と定めた前二一八年のクラウディウス法などを通じて、両者は次第に異なる存在とされていった。ガイウスはこの騎士身分を、元老院議員に代えて不法所得返還訴訟の審判人としたのである。さらに、彼は首都民衆へ安価で穀物を供給する法を定め、イタリア都市への市民権付与やアフリカへの植民政策なども進めようとした。しかし、やがて民衆の支持を失い、元老院の反対勢力の攻撃を受け、内戦状態の中で自殺に追い込まれた。その後、前一一一年に制定された土地法は、有力者が占有している土地の大部分について私有地と認めたので、土地の再分配による中小自作農民の救済はできなくなってしまった。

グラックス兄弟の改革の後、前二世紀の末頃に起こった戦争でローマ軍はしばしば敗北した。この頃政界に登場したガイウス・マリウスは、ノビレスではない家系出身の「新人」政治家でありながら、軍指揮で才能を発揮して評価を得、前一〇四年から五度連続してコンスルに選出された。そして、市民が国家を守るために自ら武装して従軍するそれまでの都市国家的原理とは異なる措置を執った。「マリウスの兵制改革」と呼ばれるもので、自分では武装できない無産の市民たちを将軍が武装させて訓練し、ローマ軍兵士としたのである。この措置の後も一般市民から兵士徴募はなされており、一挙に制度が変化したわけではなく、その意義に疑問を呈されることもあるが、個人の負担でのローマ軍の編成が始まった点は看過できない。徴募された兵士は国家のためではなく将軍のために戦うという、兵制の根本理念の変化が明確となったからである。将軍は有力政治家でもあったので、退役する自軍の兵士のために政治家として法案を通過させ、彼らを植民に送り出すことができた。兵士たちが除隊後に農民となり、土地所有者として暮らしていけるようにしたのである。将軍のおかげで有産者として暮らせるようになった兵士は、将軍に恩義を感じその政治活動の強い支持者となった。

さて、グラックス兄弟の改革は、国家をどのように運営するかで大きな対立軸を形成した。国政の元老院集団指導体制を維持しようとするグループと、兄弟の改革事業を引き継ぐ形で、民会を中心に活動し民会立法で政策を実現しようとするグループの対立である。前者は「オプティマテス」、後者は「ポプラレス」と呼ばれるが、決して政党ではなく、所属者の出自も同じである。前者に「閥族派」、後者に「民衆派」という訳語を与えることの不適切さは学界では周知のことであり、また後者だけが民衆の支持を必要としていたわけでもなかった。しかし、この両者の対立軸は、後に出現する一人支配=皇帝政治の性格を考える上で重要であり、単なる派閥の争いと解してはならないだろう。

両グループの対立は、前二世紀末に始まったポントス王国の王ミトリダテス六世との戦争に絡んで激化した。先述のマリウスとその部下であったスラとが争い、流血の闘争となった。マリウスはポプラレスの、スラはオプティマテスの首領である。勝利したスラは前八二年末にディクタトル（独裁官）になり、元老院中心の体制を維持しようとした。けれども、前七九年に彼が自ら引退して翌年死亡すると、争いが再燃した。

個人の独裁権力掌握へ

王を追放し共和政を樹立したローマでは、公職者を同僚制とし任期などに制限を設けるなど、特定の個人に長期間権力が集中しないような制度が整えられていた。しかし、帝国化したローマは都市国家的な体制ではもはや運営できなくなり、前一世紀には社会的声望と軍事力を握った個人の指導する体制へと大きく転換していく。それを最も早く示した人物が、スラの部下として頭角を現したオプティマテスに属するポンペイウスであった。

彼は、若くして戦功を上げ凱旋式を挙行し、マグヌス（偉大な人）の添え名も与えられた。前七一年には史上稀な二度目の凱旋式を挙げたが、このような個人の活躍と栄誉をオプティマテスの面々は喜ばなかったため、ポンペイウスは民会に訴えざるをえなくなり、前六七年の民会で護民官の提案による立法で地中海の海賊討伐のための大権を手に入れ、作戦に成功した。この時、ポンペイウスはプラエトル（法務官）相当官の副官一五名を自分の裁量で選ぶことを認められた。共和政の国制では市民の選挙で選ばれた者だけが公職に就きえたから、一個人がプラエトル相当官を勝手に選んでよいという措置は破格のものだった。彼は翌年にも民会でミトリダテス六世打倒の戦いの大権を得て勝利を収め、前六四年にはセレウコス朝を滅ぼして、シリア・パレスティナ地方をローマの領土に加えた。

だが、やはりオプティマテスは彼を支持しなかったので、前六〇年、彼はポプラレスの政治家カエサルとスパルタクス反乱の鎮圧で活躍したクラッススの三人で密約を結び、元老院を無視して国政を動かそうとした。いわゆる第一回三頭政治の成立である。

この密約によってカエサルは前五九年のコンスルになり、ポンペイウスの退役兵への土地配分や彼の東方での政策を承認するとともに、自分のコンスル終了後の任地としてガリアを得た。そして、五年間の軍指揮権を得て、翌五八年からガリアでの征服戦争を始めたのである。このような長期間の軍指揮権付与は異例だが、ポンペイウスもローマ市にいながら属州ヒスパニア総督となって代理人を派遣するという、先例なき権限を得ている。

彼らは、前五五年にはカエサルの命令権をさらに五年延長するなどしたが、前五四年にカエサルの娘でポンペイウスの妻であったユリアが死に、翌五三年にクラッススが東方、アルシャク朝への遠征で敗死すると三頭政治は急速に崩れた。ポンペイウスは元老院の保守派に合流してカエサルと対立し、前四八年に両者は内乱に突入した。そして、ピリッピでの戦いでカエサルが勝利し、ポンペイウスは逃亡先のエジプトで暗殺されたのである。

カエサルは戦勝後、急速に個人の権限と権威を高めようとした。コンスルやディクタトルに連続して就任し、インペラトル(大将軍)を添え名として常に名乗ることや単独の国庫使用権、元老院で二人のコンスルの間に席を占め常に最初に発言する権限を永続的に持つこと、護民官の帯びた神聖不可侵性などが認められた。赤紫色の凱旋式服と勝利の月桂冠とを常に身につけ、国家宗教の最高神官にも就任した。その誕生日は国家の祭日にもなったのである。そして、ついに前四四年には、終身のディクタトルとなった。

カエサルが実際に「王」となることを欲していたかどうかは定かでない。だが、周囲にそのように思われるところまで彼の権限と権威は高まっていたのである。共和政を擁護しようとする者たちにとってカエサルは脅威となり、前四四年三月、ついに彼をポンペイウス議堂で襲い殺害してしまった。だが、その後の混乱の中から、翌年にはカエサルの私的相続人であるオクタウィアヌスと、カエサルの部下であったアントニウスとレピドゥス、彼ら三人による「国家再建三人委員」の政治(第二回三頭政治)が始まり、カエサル暗殺者を倒して元老院の保守派を圧伏した。さらに、前三六年にレピドゥスが失脚すると、残るアントニウスとオクタウィアヌスの対立が激しくなって内戦となったが、オクタウィアヌスがプトレマイオス朝エジプトの女王クレオパトラ七世と同盟したアントニウスを破って、前三〇年、ローマ国家の唯一の実力者となった。

アウグストゥスの政治体制

オクタウィアヌスは、内戦終了後、保持していた戦時の大権を国家に返し、前二七年の一月、元老院からアウグストゥスの尊称を与えられた。彼はコンスル相当命令権も与えられ、一〇もの属州の統治を委ねられたが、これらの属州の総督はアウグストゥスであるものの、彼自身はローマ市にいて、実際に属州に統治にいく代理の者を自らの裁量で任命した。この措置は、先述の海賊討伐の際や第一回三頭政治時のポンペイウスの先例に倣ったものであった。加えて、アウグストゥスは神聖不可侵など護民官の権限をその職に就任せずとも保持するとともに、前二三年には元老院管轄の属州の総督の人事にも介入できる「上級」のコンスル相当命令権を手にし、前一八年にはコンスルに就任しなくともコンスルの職権を保持できるようにした。

このように法的権限を集中的に保持することで、アウグストゥスは多くの属州を統治し、全ローマ軍の最高指揮権を持ち、元老院・民会を招集して主宰、法案を提出するとともに拒否権をも行使できた。自身の管轄する属州だけでなく、元老院管轄の属州の人事にも介入でき、コンスルや護民官という公職に就任しなくてもその公職に含まれる権限を保持・行使しえた。公職者選挙で候補を「推薦」し、民会での選挙を主導した。アウグストゥスは国制上の諸権限を一手に握っただけでなく、前一二年には「大神官」となって国家宗教の最高職に就き、前二年には「国父」の称号を得て、ローマ人が最も重視する社会通念である「権威」の点でも抜きん出た存在となった。「皇帝」という新しい職位ができた訳ではないが、こうしてアウグストゥスは、まさにその名に値する地位に達したのである。そのため、彼は一般に初代ローマ皇帝とされ、その統治からローマは帝政に移行したとみなされている。ところが、アウグストゥス自身は共和政を再興させたようなポーズをとり、あくまで元老院の第一人者、元首(プリンケプス)として政治に臨んだため、その統治は矛盾する性格を持つことになった。同時代人には共和政の回復と考えた者もいたのである。

ローマ皇帝政治とは

「王」を忌避し、元老院に集う人々が集団指導する体制が続いてきたローマに、王政と同様の独裁政治体制が誕生したことは歴史上画期となる重大事である。この事態の理解のため、学界では皇帝権力の本質をめぐって実に様々な学説が唱えられてきた。アウグストゥスの政治体制を「元首政」と呼んだモムゼンは、皇帝権力の本質をアウグストゥスが得た法的権限にあるとし、とくに前二七年に多数の属州を統治するコンスル相当命令権を得たことを重視した。今日でも、この年にローマ皇帝政治が成立したと一般に解されている。

これに対して、ローマ社会に特有の法制度外の保護・被保護関係(クリエンテラ関係)で説明する学説も提示された。共和政時代の政界は、クリエンテラ関係に基づく卓越した地位と権力を有した氏族を核とする「党派」によって取り仕切られていたことが、プロソポグラフィー研究によって明らかにされ、カエサル暗殺後の権力闘争を経てオクタウィアヌスが諸党派をまとめ上げて政権を樹立した経過が活写されたのである。その立場では、皇帝政治の成立は、内乱時にイタリアや帝国領の西半地域がオクタウィアヌスに忠誠を誓った前三二年となる。ローマ皇帝権力の本質は「権威」とされ、アウグストゥスはすべてのクリエンテラ関係をまとめ上げた最大の保護者、最高の権威者と解釈されたのであった。

これらの学説に対して、二〇世紀後半になると批判が次々提示された。モムゼンはアウグストゥスの創始した「元首政」を皇帝と元老院との間で分かたれた二元統治と解釈し、後期ローマ帝国の皇帝独裁体制「専制君主政」と明確に区別したが、この区別や後期ローマ帝国の歴史像に対して急速に批判や修正が進んだ。皇帝政治の本質をクリエンテラ論に基づいて党派や「権威」で説明する学説に対しても、その基盤であるマティアス・ゲルツァーの学説が批判された。ノビレスが公職を独占し共和政ローマは有力氏族による寡頭政治体制で動いていたとの理解は、二〇世紀初頭のゲルツァーの学位論文(Gelzer 1912)の研究を基礎にしていたが、これに対してファーガス・ミラーが根本的な批判を展開した。ミラーは、立法のためのトリブス民会やコンティオ(市民集会)で政治家が演説し市民たちを説得したことに注目して、ローマ市民は有力者にただ受動的に従ったのではなく、政治に能動的に参加した点を重視した。そして、当時すべての成人男性が選挙や立法のために投票を行えたのであり、ローマ共和政は一種の民主政と考えることができるとしたのである(Millar 1998)。

ホプキンズも、ゲルツァー的理解には合わない研究を発表した。彼は、共和政後期の元老院議員家系の社会的再生力を検討し、ゲルツァー説の強調点であった有力氏族家系による公職独占のイメージとは逆に、元老院議員の家系では公職就任が可能な年齢まで生き残る男子の相続人を得ることが容易でなく、頻繁に家系の断絶が生じていたとしたのである(Hopkins 1983)。さらに、皇帝によるクリエンテラの独占もリチャード・サラーが批判し、皇帝以外のパトロネージ関係の存続とその重要性を説いたのであった(Saller 1982)。

ミラーとホプキンズの研究はゲルツァー学説の根幹部分を問い直しており、一時ローマ共和政の基本的性格を再考する議論が高まった。コンティオの重要性や共和政ローマの「政治文化」の特性に注目するなど研究は進展を見たが、ミラー説を批判してノビレスの影響力の強さを改めて確認する見解が次々提示されるなど、現在も議論が続いている。

ところで、これまで紹介してきた諸学説は、ローマ皇帝政治の本質を共和政の制度や社会的基盤から説明しようとしたものであった。また、党派の分析による研究は、アウグストゥス政権の成立を「イタリアの勝利」と結論した。しかし、今後の皇帝政治の研究は、共和政の制度や社会的基盤からの探求ではなく、「帝国」の観点から考えることが主となるべきだろう。帝政期の全過程を通じて皇帝の実際の機能とその性格、そして歴史的意義を分析する作業である。その先駆的試みとして、ゲルツァー学説の批判を始める前にミラーが大著で示唆した点が重要である（Millar 1977）。ミラーは、ローマ皇帝が常に受動的な存在であったと指摘した。皇帝は積極的で強力に統治を行ったのではなく、役人の諮問を受けてようやく法的な判断を行い、住民からの訴状や請願など働きかけを受けて初めて救済などの行動を起こしたのであった。彼の研究は、単に最高政治家の様態を明らかにしただけでなく、帝国を統治するということはどういうことかについて示唆を与えた点で貴重である。この研究を踏まえて、帝国と属州民との間のコンセンサスを強調するクリフォード・アンドーの研究（Ando 2000）など、スケールの大きい成果もその後に出されている。

ただ、「帝国」の観点からの考察には留意も必要である。皇帝政治の進展を考える際、一般にタキトゥスやスエトニウスの史書、あるいはカッシウス・ディオの『ローマ史』などを用いることが多いが、これら皇帝に近い人々が描いた等身大の皇帝像が、果たして帝国史に位置づけるにふさわしい皇帝像であるのか考えるべきではないか。タキトゥスらが皇帝を批判的に描いた時代に、帝国領内では皇帝を父や神のごとくに理解し、「救済者、建国者」として崇める動きが活発になされていたからである。これも同じローマ皇帝なのである。皇帝を、ローマ市やイタリアから離れて、「帝国」の観点で考察するには、碑銘など多様な史料を動員し、属州を広く巻き込む分析が求められよう。

四、帝政期のローマ帝国と周辺地域

紀元前後のローマ帝国領の動向

さて、皇帝政治が開始された頃、ローマ帝国領の内外の状況はどうだったのだろうか。

ローマが帝国化した前二世紀後半、イタリア半島外の直接支配地は、西は南フランスやイベリア半島南部、かつてカルタゴ支配下にあった北アフリカ、東は旧マケドニア王国領とギリシア本土、そして小アジア西部であった。前一世紀になると、ポンペイウスがシリア・パレスティナ地方を帝国領にし、ローマの影響力は北はコーカサス地方、東はユーフラテス川方面にまで及ぶようにもなった。さらに、オクタウィアヌスがプトレマイオス朝を滅ぼして、エジプトを支配下に入れた。オクタウィアヌスはアウグストゥスとなって後、イベリア半島の全体を支配下に置こうとし、前一九年までに盟友のアグリッパが平定した。こうして、皇帝政治開始の初め頃までに、地中海を取り囲む地域はほぼローマ帝国の直接支配するところとなった。

ローマ人はこれでも拡大行動を止めなかった。故地イタリアと気候風土の大きくは変わらない環地中海地域だけでなく、生活条件の著しく異なるヨーロッパ内陸部にも支配領域の拡大を図ったのである。アルプスの北の大地をローマ帝国領とする大きな一歩をなしたのは、第一回三頭政治時代のカエサルであった。カエサルは、現在のフランス中部から北部にかけての地域を広くローマ帝国の支配下に置くことに成功した。この「ガリア遠征」の期間中、敵を追ってローマ軍はライン川に到達した。また、前五五年と前五四年の二度にわたってブリテン島にも渡り、イタリアを遠く離れた「極北の地」の情報を得る成果を上げた。

アウグストゥスは、前一二年頃より親族のドルススに命じてライン川からさらに北東に軍を進めさせた。ローマ軍はゲルマニアへ深く侵攻し、エルベ川まで到達したという。ドルススの兄ティベリウスが率いるローマ軍は、ライン川から東へ、ドナウ川から北へと二方面から、現在のボヘミア地方(チェコの西部)に居住するマルコマンニ人の領域に侵攻する準備を進めた。しかし、ボヘミアへの侵攻計画は、すでに支配下に入れていたバルカン地域での反乱によって進めることができなくなった。加えて、ライン川から東にゲルマニアに侵攻したドルススの後継司令官ウァルスが率いる二正規軍団が、後九年にアルミニウス率いるゲルマニア人の連合軍によって殲滅(せんめつ)された。いわゆる「トイトブルクの森の戦い」と呼ばれる事件であり、アウグストゥスにたいへんな衝撃を与えた。その後、ドルススの息子ゲルマニクスがアルミニウスを戦いで破るなどしたが、もはやゲルマニア全土を征服するという計画は現実味を持たなくなった。こうして、ヨーロッパ内陸部は、ライン川、ドナウ川を越えた北東地域までは帝国の直接支配地とはならなかったのである。

アウグストゥスは、帝国領の東半地域については、属州の外側に従属国家を配置し、外部勢力から直接圧力をかけられることを避けようとした。帝国領の東方に位置するアルシャク朝パルティアは、すでに前一世紀に入ってから西へと支配領域を拡大し、拠点もエクバタナ(現ハマダーン)とテースィフォーン(クテシフォン)に移動させていた。そして、アルメニアやユーフラテス川の流域周辺で、ローマの勢力圏とぶつかったのである。両国の関係については、ローマ側の史料で判明することが多いが、それによれば、前五三年にクラッスス率いる遠征軍がカラエで敗北して彼自身も死んだことや、前三六年のアントニウスの遠征も不成功に終わったことなど、ローマ側敗北の印象が強い。だが、前三〇年代初頭にはアルシャク朝側も敗北を喫しており、一方的にローマ側の劣勢という訳ではなかった。そして、アウグストゥスの時代、彼は戦いではなく外交的な手段でアルシャク朝と交渉し、奪われた軍旗を取り戻すとともに、王家と交流してアルシャク朝の王フラハート(フラアテス)四世の四人の王子を招いてローマに滞在させ、アルシャク朝宮廷に王に仕える女性奴隷を送るなどしたのである。この女性ムーサはその後、自身の息子を王にするためにフラハート四世を殺害した。

アルシャク朝とローマとの関係のあり方に大きな影響を受けるのは、アルメニアをはじめとする周辺の国家であった。アルシャク朝は、周辺の諸部族の国家を、征服するよりも宗主権を認めて存続させたため、ローマの東進によって微妙な立場に立たされる国が出てきたのである。中でも、アルメニアのあり方が両者の間で最も深刻な問題となった。

ケルト人、ゲルマン人の問題

ところで、カエサルがガリアに侵攻した時、ローマ軍に対抗した勢力はガリア人（ガリー）と呼ばれた人々が中心だったが、それ以外に「ゲルマーニー」と呼ばれた人々もいた。ギリシア語やラテン語の史料では、帝国辺境地帯やその外側に住む人々はケルトイやケルタエ、あるいはゲルマノイ、ゲルマーニーと表記されている。これらの人々については、今日一般に、ガリア人を含む前者は「ケルト人」、後者は「ゲルマン人」と説明される。

ケルト人については、ドナウ川流域の先住地からヨーロッパ各地に広がり、前四世紀初めにはローマ市に来寇してローマ国家を存亡の危機に陥れたことがあり、西はイベリア半島、東は小アジアにまで拡大した、と説明されてきた。ヨーロッパの鉄器時代の文化であるハルシュタット文化とラ゠テーヌ文化の担い手とされ、ヨーロッパ連合（EU）による欧州統一の進展期には「ヨーロッパの基層」「ヨーロッパの最初の民族」としても注目された。

しかし、二〇世紀末頃から、イギリスの考古学者の一部がこの「ケルト」という集団の捉え方に疑問を呈するようになった。大陸からブリテン島へのケルト人の移住が疑われたことに始まり、ケルト人の起源や分布、その名称の始まりや近世以降の扱いなどが論じられた。そして、「ケルト」概念を認めない学者と擁護しようとする学者との間で激しい論争となり、論争は現代ヨーロッパにおける「ケルト」エスニシティの問題と絡んで学界の外にも広がったのである。ケルト概念否定論者は、ブリテン島にはケルト人と呼ばれる居住者は古典文献資料上には存在せず、考古学的証拠もケルト人の大陸からの移住を証明しないという。また、近世以降にケルト系（Celtic）という言語上の範疇ができ、やがてそれを話す人々を「ケルト人」、その文化を「ケルト文化」と呼ぶようになった、とみている。

「ゲルマン人」の方も、古代民族の呼称として今日一般に用いられているが、難しい問題を孕んでいる。現代ではインド゠ヨーロッパ語族のゲルマン語派に属する言語を話す人々などと定義しているが、古代では「ゲルマニアに居住する人々」以外に詳しい定義は困難である。ローマ人がゲルマニアの人々を自分たちに敵対する他者として明確に認識したのは、後述するように、四世紀後半に生じた「民族大移動」の後の混乱期であると考えられる。それ以前は、帝国属州外の居住者という曖昧（あいまい）な定義を出ない存在だった。

ところが、この「ゲルマン人」は、その実際の系譜とは別に近世ヨーロッパの歴史の中で「民族」として構築されていき、とくに一九世紀のナショナリズムの高揚期にドイツ「民族」の起源と系譜に重ねられ組み込まれた。そして、言語学や考古学が動員されてその原住地や移動のルート、広がりや文化などが研究されたが、やがてナチズムがその政治主張に組み込んで利用するに至ったのである。第二次世界大戦後には、ナチズムに対する反省を踏まえての新しい「ゲルマン人」研究が進められてきている。

古代の民族誌記述には、今日の語族や民族の概念、そしてそれに基づく区別や分類がなかったから、ケルトイなどの呼称で指示された人々は、「北の方に住む人々」「未開の人々」といった漠然とした意味で集合的に捉えられた可能性が高い。特定の固定的な集団ではなく、エスニシティやアイデンティティの多様性と可変性を有した集団であろう。

皇帝政治が始まった頃、これらの人々の居住地域はすでにローマ帝国の属州になっていたり、属州ではなくとも帝国の影響が及ぶ領域には組み込まれていたりした。注意すべきは、これらの人々が居住する地域と属州との「境」である。現代の歴史地図では、帝国領は通常ライン川とドナウ川という大河、そしてローマ人が築いた防壁・防柵（リメス）によって国境線のごとく区分されているように描かれるが、近現代の国境のような「線」として捉えるべきではない。ローマの軍隊はこれらの大河に沿って配置されていたが、それは平時の属州との出入りをローマ帝国の都合のよいように管理するために配置されたのであった。平時においては、属州外の居住者を厳しく排斥するための「壁」ではなかったのである。属州ではない「自由ゲルマニア」でも、ライン川の東側二〇〇キロメートルほどの地点まではローマの日常生活物品が行き渡っていたことが、考古学調査の結果で判明している。帝政前期には大規模な外部集団の属州への移住が幾度もみられた。境界域とおぼしき辺境地域やその彼方にも、「ローマ人の世界」が広がっていたと考えることができるのである。

ローマ帝国領のさらなる拡大と維持

アウグストゥスが世を去って三〇年ほど後の紀元四三年、クラウディウス帝の派遣した軍がブリテン島に侵攻し、島の南東部を占拠、属州の成立を宣言した。軍はそのまま島の西と北へ進軍し、一世紀の後半には現在のイングランドとウェールズの大方の地域を支配下に置いた。スコットランド北部まで征服地が広がることはなかったが、恒常的にイングランド北部に属州の北限を置くことになった。二世紀の初めにはトラヤヌス帝がドナウの北、ダキア人の居住地を占領して、この地を属州とした。ローマ帝国の威望はドナウ川の河口や黒海北岸にまで及んだ。

東方では、アウグストゥスの死後、ローマ・アルシャク朝間の友好関係は薄らいでいき、紛争が生じて戦争ともなった。主な係争問題はアルメニア王国の帰属である。現在のアルメニア共和国と異なり、古代のアルメニアはアナトリア高原とイラン高原の間に位置する広い地域であった。セレウコス朝のアンティオコス三世がローマに敗北したのち、ほどなくしてアルメニアはセレウコス朝より独立して王国を建てた。前一世紀前半には王国は強大化して領土を広げたものの、ローマがポントス王ミトリダテス六世と戦う中でローマ寄りにならざるを得ず、その属国となって生き延びることになった。しかし、アルシャク朝が勢力を増して西進すると、アルメニア王国は動揺し始めた。

後一世紀中頃、ネロ帝の治世にアルメニア王位をめぐってアルシャク朝とローマとの間で戦争となった。将軍コルブロの活躍でローマがアルシャク朝に勝利した後、六四年には両国の間で講和がなされ、ネロによってアルシャク朝の王弟ティールダート(ティリダテス)がアルメニア王の王冠を授けられた。これ以降、王はアルシャク朝の人物であっても、アルメニア以西はローマの支配権の下に入ることになったのである。

その後も、アルメニア問題は幾度も再燃した。アルメニアを支配下におこうとするローマは、一一四年にトラヤヌスス帝がアルメニアを制圧して属州を宣言し、遠征を続けてアルシャク朝の首都の一つ、テースィフォーンを陥落させたが、その後反乱が背後で生じて、メソポタミアの占領地は次のハドリアヌス帝が放棄した。一六〇年代にアルシャク朝がアルメニアに侵攻した際には、マルクス・アウレリウス帝が同僚のルキウス・ウェルス帝に遠征させ、再度テースィフォーンを陥落させるなど勝利を収めて、アルメニアを勢力圏内に留めている。さらに、二世紀末の皇帝位をめぐる内戦の時、セプティミウス・セウェルス帝は政敵ニゲルを支援したとしてアルシャク朝領に侵攻し、テースィフォーンを陥落させ、オスロエネやメソポタミアなどを制圧して、新属州メソポタミアを設置した。こうして、三世紀の初めまではローマがアルシャク朝に対し優位に立っていたといってよかろう。

五、皇帝政治の進展

皇帝政治の定着

ローマ帝国国内の状況の説明に戻ろう。アウグストゥスが構築した統治体制は、彼が七六歳近くまで長命であったこともあり、帝国に浸透した。彼は、アシアやアフリカなど治安にあまり問題がない属州には共和政時代と同様に元老院に総督(プロコンスル)とその副官や財務官を派遣させ、自身の管轄とされた属州には、彼の一存で代理人を総督として派遣した。アウグストゥスの管轄属州で、治安に問題があるガリア、ヒスパニア、シリアなどの地域には軍が必要なため、自身の代理人を各軍団の司令官として派遣した。属州総督も軍団司令官も原理的にはアウグストゥスの代理人であったが、元老院管轄属州の総督と同様のローマ国家の公職者と考えてよい。アウグストゥスは、軍が必要な大きな属州にはコンスル経験者の元老院議員を充て、小規模属州の総督には次位のプラエトル職の経験がある元老院議員を派遣した。さらに小さな属州や皇帝領の財務管理官には、騎士身分の者を任用した。事実上私領としたエジプトについては、例外的に属州総督も駐屯軍の司令官も騎士身分の者を充て、元老院議員が許可なくエジプトに入ることを禁じた。

アウグストゥスが後一四年に世を去ると、元老院での証言を経て神格化され、「神君アウグストゥス」となった。暗殺後にカエサルが神格化され、「神君ユリウス」となった先例に従ったのである。その後、政治的な事件は多々生じ、皇帝を輩出する家柄が変化したものの、一世紀の末までに「皇帝」の存在は自明のものとなった。皇帝行政・皇帝裁判が発展する陰で、民会での公職者選挙は早くも第二代皇帝ティベリウスの治世に元老院に移され、法制定も一世紀末で消滅した。元老院での議論に代わる「皇帝顧問団」の機能が発展した。

ただ、民会はともかく、元老院が意義を失った訳ではない。共和政時代のような働きはなくなったが、元老院に集う者たちは、皇帝政治の実際の担い手として帝国統治に携わったのである。アウグストゥスは、エジプトのような例外はあるものの、重要な職務を彼の元老院の同僚たちに委ねた。ローマ社会では統治の要職に当たる人物には社会的権威が必要であり、元老院議員以外に適切な人材はいなかったからである。アウグストゥスの創始した体制を「元首政」と呼んだモムゼンは、「皇帝と元老院の二元統治」と定義したが、「皇帝と元老院議員の共働による帝国統治の実施体制」と定義するほうがより適切だろう。

紀元一世紀の政治動向

ローマ皇帝は法で定められてはおらず、いわば私人であった。アウグストゥスの権力と声望は、私的な相続人である養子ティベリウスに引き継がれた。彼はアウグストゥスが世を去った時、五〇代後半の年齢であった。アウグストゥスの娘ユリアと結婚し、後四年にはクラウディウス氏族ネロ家の家長からユリウス氏族カエサル家の養子となっていた。また、前一三年と前七年にコンスルに就任しており、前六年以降、護民官の職権を保有し、後一三年には属州統治のためのコンスル相当命令権も与えられ、元首の継承者たる準備は済んでいたのである。ただ、アウグストゥスは前四年、ティベリウスに実子がいたにもかかわらず、その弟ドルススの息子ゲルマニクスをティベリウスの養子にさせた。ゲルマニクスの母親はアウグストゥスの姉オクタウィアとアントニウスとの間に生まれた娘であった。アウグストゥスは、ティベリウスの次の皇帝候補も定めたのであるが、いずれにしても血縁を重視した判断だった。

第二代皇帝となったティベリウスの態度は、周囲の者たちには不明瞭で不気味だった。その治世の前半は皇帝権力の仲介者である近衛長官セヤヌスの横暴、後半は皇帝自身による恐怖政治であったが、三七年の彼の死までの間に、アウグストゥスが定めた政治システムは動かぬものとなった。アウグストゥスが後継者と期待したゲルマニクスは一九年に謎の死を遂げたが、その子のガイウス(カリグラ)がティベリウスの死後に皇帝となり、カエサルとアウグストゥスの家系が継続した。ガイウスは乱れた政治を行い、四一年に暗殺されたが、共和政復活の策動があったとの伝えはあるものの、近衛兵がガイウスの叔父でゲルマニクスの弟クラウディウスを担ぎ出して皇帝とした。クラウディウスは、兄ゲルマニクスの娘で姪の小アグリッピナと結婚し、彼女の息子ネロを養子にした。クラウディウスが五四年に毒殺されると、このネロが即位したが、ネロはゲルマニクスの孫であると同時に、その父親はアウグストゥスの姉オクタウィアの孫でもあった。こうして、帝国の最高指導者の地位は、アウグストゥスとティベリウスの家系の結合であるユリウス・クラウディウスの家系で私的に継承された。元首=皇帝の位は「王朝」で相続されたのである。

ところが、六八年にネロ帝に対する反乱が生じて彼が自殺に追い込まれると、皇帝位を争う内乱となった。そして、アウグストゥスやティベリウスの家系出身者ではない皇帝が誕生した。六九年に決着が付いた内乱で勝利したのは、イタリアの都市レアテ出身のフラウィウス氏族に属するウェスパシアヌスであった。彼の父親は騎士身分の徴税請負人であったが、彼は母方親族を通じて支援を得て元老院議員としての公職を歴任し、ネロ帝末期の六七年にユダヤでの反乱の鎮圧軍総司令官となって、東方で大軍を擁していた。

アウグストゥスの家系ではない新皇帝のために、「ウェスパシアヌスの命令権に関する法律」が作られ、それまでの皇帝と同じ国制上の権限をウェスパシアヌスに与えることが定められた。しかし、皇帝を決めたのは戦争であり軍事力であった。半世紀ほど後に歴史書を書いた元老院議員のタキトゥスは、これを「帝権の秘密」としっかり認識したのである。加えて、この内乱の重要な意義は、国家の最高指導者がもはや故地ローマ市の貴族家系の出身者である必要がないことを明示したことであった。

ウェスパシアヌスは皇帝として実務を懸命にこなし、その後は長子ティトゥスが継いだが、彼は早くに没し、その弟ドミティアヌスがフラウィウス朝第三代皇帝となった。彼は有能な行政者である半面、元老院を無視して政治を行うところがあり、また「主人にして神」と自称するなどしたため、反対行動を呼び起こした。疑心暗鬼になったドミティアヌスの統治は恐怖政治に陥り、九六年に皇帝は暗殺されてしまった。暗殺者たちはイタリアの古い家系出身の貴族ネルウァを皇帝に擁立したが、その統治はたちまち動揺し、窮地に陥ったネルウァは、家系的つながりの全くないイベリア半島属州都市出身のトラヤヌスを養子にし共同統治者として、九八年に世を去った。

二世紀の政治的安定

単独皇帝となったトラヤヌスの治世以降、帝国は政治的安定を得て、繁栄期を迎えた。二世紀には養子縁組を通じた帝位継承が連続したため、政治的安定の理由として養子制による優れた皇帝の登位が語られたことがあったが、これはたまたま帝位継承時に実子男性がいなかったという偶然に過ぎない。事実、マルクス・アウレリウス帝は息子コンモドゥスを早くに共同統治者にした。実子による帝位継承が一番自然なことであった。

この時代の政治的な安定は、イタリア地方都市や諸属州から中央政府に参画してきた新しい政治勢力――R・サイムのいう「新しいローマ人」――を、皇帝が政治的伝統を勘案して温和な形で帝国統治に参加させ、全帝国の有力者に支えられた皇帝政治体制を構築したことで実現できたと筆者は考えている(南川 一九九五)。諸皇帝自身が「新しいローマ人」の象徴であった。

一世紀の後半から始まっていた元老院議員の公職就任順序の固定化も進んで、公職序列(クルスス・ホノルム)ができあがり、皇帝が帝国統治に必要な人材を安定的に供給できるようになった。このことは、元老院議員側から見れば、特別な理由がない限りこの順序に反する恣意的な人事を皇帝が行うことが難しくなったことになる。

二世紀前半、ローマ帝国は対外的に優位に立っていた。そうした状況下で、移動を前提としていた正規軍団は次第に辺境地帯に駐屯するようになり、退役兵士の補充も駐屯地の周辺でなされるとともに、除隊した兵士たちは出身地に戻ることなく、駐屯地の近くの民間人居住地に留まるようになった。補助軍団で勤務した者は、退役とともにローマ市民権を与えられたが、同じように陣営の近くで暮らし、その子を正規軍団兵として供給する役割を果たした。ローマ軍の駐屯地やその周辺に成立した民間人居住地は都市に成長していくケースも多数あり、退役兵がその有力者となることもあった。ローマ軍ではラテン語が重要であったから、軍関係の場所は、ローマ風の生活様式が属州に広まる役割も果たした。

ただ、安定と繁栄はアントニヌス・ピウス帝の治世まででであった。一六一年に即位したマルクス・アウレリウスの治世は、全く違った状況となった。即位後まもなく始まったアルシャク朝との戦いのために派遣したローマ軍が東方から伝染病を持ち帰ったが、天然痘とされるこの伝染病は瞬(またた)く間に帝国全土にひろまって、多くの人命を奪うパンデミック(感染症の世界的流行)となった。さらに、一六〇年代後半になるとドナウの北の諸部族が属州に侵攻し、これを北へ押し返そうとするローマ軍との戦い、マルコマンニ戦争が生じた。マルクス・アウレリウスはこの戦争を前線で指揮し、一八〇年、ついにドナウ河畔の戦地で病死した。

パンデミックと戦争という二つの難局を乗り切るためにマルクス・アウレリウスは苦闘したが、とくに戦争遂行のために、彼は軍指揮の強化を図らねばならず、それまでの公職序列から逸脱する措置を行った。騎士身分の人物を「編入」という特別措置で、元老院公職序列の途中の段階、例えばプラエトル職経験者と同じ位置に置き、軍団の指揮を担わせたのである。さらに、有能さを示した者はコンスルとし、コンスル経験者でないと担当できない数軍団が駐屯する重要属州の総督にも任用した。マルクス・アウレリウスは元老院の伝統と権威に十分に配慮した皇帝であったが、それと難局を切り抜けるための政策とは別であった。この措置は、次の世紀にさらに展開して、アウグストゥスの創設した皇帝と元老院議員との共働としての皇帝政治「元首政」を打ち崩すこととなる。

六、帝国最盛期のローマ社会

ローマ帝国の社会層構造

ローマ帝国は一般に、帝政開始以降の二〇〇年間ほどがその最盛期であったと考えられている。本節では、この時期の帝国社会の様相について、いくつかの重要点を説明しよう。

アウグストゥスが創始した政治システムは、共和政時代の元老院主導の体制を大きく変えたが、社会変革ではなかった。ローマ社会で政治指導する人々は、共和政時代と変わらず、土地所有を富の源泉とした元老院議員たちだったのである。ただし、アウグストゥスは社会身分を整える措置を次々行った。彼は、カエサル時代に増加した元老院議員の定数をスラの時代の六〇〇名に戻すとともに、元老院議員の資格を定め、一〇〇万セステルティウス以上の財産を有する由緒正しいローマ市民とし、国家の公職をこの元老院議員のみに開いた。これにより、最上の政治支配層としての元老院議員身分が明示された。

ガイウス・グラックスの改革時から元老院と対立軸に置かれてきた騎士身分は、財産額四〇万セステルティウス以上という従来からの定めが適用されたが、アウグストゥスは下級公職たる二〇人委員や護民官に立候補することで、騎士身分の者に公職経歴を開き、元老院に入ることを可能にした。また、彼は自らが管轄する小さな属州の総督や皇帝領の財務担当者、軍団の幕僚や補助軍団の司令官など、皇帝の「私的領域」に属する役職には騎士身分の人材を積極的に用いた。このため、事実上、公職経歴には元老院議員と騎士身分の二つが存在することになった。

帝政期の騎士身分は、「騎馬」からすっかり離れ、共和政期の徴税請負や金融業での活動も弱まって、都市の有力者から前記のような公職者まで、様々なカテゴリの人々を内包していた。しかし、公職者となる者が軍務を経て行政職に進む経歴を歩んだ点が注目される。彼らは軍務経験を重ね行政の実務を担当するために統治の現場を知り専門性が高く、属州総督や軍団司令官を務めるアマチュア的な元老院議員とは対照的であった。やがて、皇帝権力の増大につれて騎士身分の活躍の場が拡大していくようになる。

元老院議員と騎士身分は「両身分」と称された特権集団であった。一般のローマ市民の正装トガは白色であったが、元老院議員と騎士身分の者は、トガやその下に着るトゥニカにそれぞれの身分に応じた縞などの装飾のあるものを着用した。また、劇場や競走場、さらに剣闘士競技の見世物のために建設された円形闘技場などで、帝国住民は地位に応じた席に座らねばならなかった。つまり、ローマは単に「身分」(オルド)があるだけでなく、人の地位が可視化された社会でもあった。娯楽の場にあっても、人々は帝国における自分の境位を認識させられたのである。

ローマ帝国は都市を統治の単位としたため、都市行政を担う参事会所属の名望家層も、要件は都市ごとに異なるものの、帝国社会の明らかに支配層であり、一般自由民とは一線を画した「身分」を有する人々であった。帝国や都市で身分を有した人の数は帝国の総人口に比すれば非常に少なく、最盛期帝国の総人口は六〇〇〇万人から八〇〇〇万人と見積もられているが、元老院の定員は六〇〇名、その家族を含めても元老院議員階層に属する人々の数は数千人程度であった。騎士身分についても一万人、家族を含めても数万人程度、都市参事会会員階層についても一〇万人程度と推定されている。

しかし、ローマ社会はカスト的ではなく社会層間に流動性があり、最下層の奴隷として生まれても、奴隷の境遇から解放され自由人となると、本人またはその子はローマ市民として活動できた。解放され蓄財した元奴隷の中には、帝政期の都市で、皇帝礼拝を担う名誉を与えられ都市の活動に貢献した人々が少なからずいたことが知られている。

また、社会的流動性は水平方向の動きもあり、征服された地域の住民も、後に市民権を得てローマ市民社会で上昇を遂げていった。二世紀のローマ皇帝たちは属州都市の有力者家系の出身であり、その家族は一世紀のうちに中央政界に参入し、社会的ピラミッドの頂点まで達したのである。その背景となったのが、属州へのローマ市民権の拡大にともなう「ローマ風生活様式」の伝播であった。

「ローマ化」の問題

最盛期のローマ帝国では、ローマ市民権が拡大し、様々な出自、背景、歴史を持つ人々が法的には同じローマ市民として暮らしていた。「ローマ人」はもはや故地ローマ市やイタリアから遊離してしまい、定義は曖昧になったが、新来者にとり、ローマ人として評価され生きていくには、「ローマ人に相応しい生活」をすることが重要であったことは疑いない。

ところで、帝政期の広大な帝国領に、ローマ市やイタリア風の生活様式や文化が広まったことを、歴史学や考古学では「ローマ化」と呼んでいる。一九世紀の後半、「ローマ化」概念を最初に用いたモムゼンは、ローマの征服地にラテン語やローマ法、ローマ風の宗教などが伝播し、帝国諸地域が均質化していく過程をこの言葉で説明した。モムゼンの業績を踏まえながら、二〇世紀初頭にこの言葉を用いたフランシス・ハヴァフィールドは、ブリテン島を対象にローマの征服後の「ローマ化」の進展を論じたが、モムゼンと異なり、この概念を「文明化」の意味で用い、ローマがブリテン島を征服し文明化したと考えた。そこでの「ローマ化」とは、被征服地の人々がローマ人の言語、物質文化、芸術、宗教、そして都市的な生活様式を与えられることを意味した。ハヴァフィールドはローマ化がブリテン島の全域でローマ・イタリア様式に置き換えていったと理解したのである。ローマ文化が先住者の文化を駆逐して、実現したと考えていたわけではなく、成功せずに先住者の文化が残った地域があったことを知っていたが、都市エリートのローマ化が達成された点を高く評価した。その後、ロビン・コリングウッドのように批判的な姿勢を取る学者もいたが、ローマ化は重要な説明概念として用いられ、考古学的調査もこの概念に沿うように都市やウィラ(農業も兼ねた別荘)、ローマ軍要塞など、ローマ人が居住した地域や場所が重点的に行われ、ローマ化の進展の度合いや状況が報告された。

こうした研究の傾向に対して、一九七〇年代になってイギリスの「先住者中心主義」の立場を取る考古学者たちが異を唱えた。彼らは、ローマ到来以前の先住者たちの文化的伝統を重視し、「抵抗」の観念を持ち込み、それまでの研究や調査を批判したのである。さらに一九九〇年代に入ると、「ポスト帝国世代」を称するマーティン・ミレットがブリテン島のローマ化を論じ、先住者、とくに属州エリートを重視する折衷モデルを提案した。彼は、ローマ文化を採用するか否かは、属州エリートたちが積極的に選択したと考えたのである。

しかし、その後まもなく、イギリスのポスト・コロニアリズムの立場に立つ考古学者が、ミレットの学説も含めて「ローマ化」を厳しく批判し始めた。彼らは、「ローマ化」概念がハヴァフィールドの時代、すなわちイギリスの帝国主義時代を背景にしたものであるとみなし、「ローマ化」は植民地支配のために「文明化の使命」を語った時代の産物であって、「帝国主義的言説」であると非難したのである。「ローマ化」概念に従うならば、ローマ到来以前の先住者社会には歴史も文化もなかったことになると同時に、先住者たちはローマの文化を評価し欲したと根拠なく理解することになる、と批判者たちは指摘した。ハヴァフィールドが文化の同質性を強調し、都市とそのエリートを偏重したことが、その後の発掘や研究のあり方に悪い影響を与えたとも批判している。ミレットのモデルについても、そのエリート層重視に、ハヴァフィールド・モデルの亜流と批判した（以上の研究史については、南川 二〇一五a）。

ローマ帝国の世界史的意義を考える上で「ローマ化」は帝国の重要な役割を示す概念であり、それへの批判は学界に大きな課題を与えた。しかし、前世紀末からの活発な「ローマ化」批判の動きは考古学者、とくにイギリスの考古学者の一部が主導しているもので、議論の際の最も重要な対象もブリテン島である。ヨーロッパ大陸部のローマ考古学者の大方は関与しているようにみえないし、歴史学者も「ローマ化」概念に対して批判的な議論に積極的に参加してはいないようである。その後、英語圏の考古学者たちによる「ローマ化」批判の動きは、「ローマ化」に代わる「クレオール化」概念の提案、さらに「グローバル化」概念のローマ帝国への適用など、積極的な展開を見ることとなった。

帝国諸地域の状況

さて、広大な帝国領を見ると、如上のローマ化が最も進んだと考えられてきたのは、北アフリカの属州である。先住者ベルベル人やポエニ系の人々が暮らすこの地に、カエサルとアウグストゥスは植民市（コロニア）を建て、カルタゴの再建にも着手した。クラウディウス帝以降に北アフリカ全体が属州となり、ローマ風生活様式の導入や都市化が急速に進められた。トラヤヌス帝治世の一〇〇年には、今日遺跡として有名なタムガディが退役兵の植民市として建てられている。植民市と先住者の都市的共同体とは融合していったが、やがてイタリアからの植民は減って、先住者の都市に自治市（ムニキピウム）や植民市の格を与える方式が主となった。北アフリカ全体で五〇〇以上もの都市があったとみられる。

北アフリカからはエジプトの二倍もの穀物が首都へ送られたが、地租である一〇分の一税や皇帝領の現物納される小作料がその基であった。一世紀末頃にオリーヴ栽培が復活し、イタリアやエジプトに輸出されるようになった。陶器もイタリアへと運ばれた。二世紀には、皇帝のラテン修辞学教師ともなった元老院議員コルネリウス・フロントや作家アプレイウスなどが現れ、二世紀末にはレプキス・マグナ市出身の皇帝が誕生している。

イベリア半島もローマ化が著しく進んだ地域と考えられてきた。前一九年に半島全域を制圧した後、アウグストゥスは三つの属州を設置し、退役兵を入植させるとともに、先住者にローマ市民権を付与した。一世紀後半のウェスパシアヌス帝はラテン権の付与を積極的に行ったが、それを通じてローマ市民権を持つ人々も増加し、ローマ風の都市制度を備える自治市が増えた。都市の発展にともない、イベリア半島居住者には騎士身分となる者が増え、彼らのうちからローマの元老院に加わる者も現れた。前一世紀、半島出身者がイタリア外の出身者として初めて元老院議員となった。初めてコンスルになったイタリア出身でない人物も、半島南部の属州バエティカの都市ガデスの出であった。

後一世紀には文化面で著名な人物が続々現れた。修辞学者大セネカ、その子の哲学者・劇作家で皇帝ネロの師でもあった小セネカ、詩人ルカヌス、修辞学者で『弁論家の教育』の著者であるクインティリアヌスなどである。一世紀の後半にはバエティカの都市イタリカとウクビの出身者が、ウェスパシアヌス帝によりパトリキ(共和政期の血統貴族の役割を担う貴顕貴族の意)に任じられた。後のトラヤヌス帝の父親とマルクス・アウレリウス帝の父方祖父に当たる人物である。二世紀にはその子孫がローマ皇帝となり、イベリア半島出身者も多数、帝国エリートとなった。

帝政初期のストラボンは『地誌』の中で、イベリア半島、とくに属州バエティカについて、「実際、トゥルデタノイ族、とりわけバイティス川周辺の住民は完全にローマ風の生活様式に変わってしまって、自分たちの言葉ももはや記憶していないような状態である。人々は、そのほとんどがラテン権を持つ身分となって、ローマ人入植者を受け入れてきたので、すべての人々がローマ人であるといっても間違いないくらいになってしまった。」(Strab., 3, 2, 15)と語る。こうした史料に基づいて、バエティカでは著しくローマ化が進んでいたと長らく理解されてきた。しかし、この印象深い記述にもかかわらず、ローマ法上の地位を得たと確認できる都市はわずかで、二〇世紀末の実証研究の成果により、従来想定されていたような「ローマ化」の著しい進展という解釈には疑問が出されている。ローマ化政策を指示するかに見えるウェスパシアヌス帝のイベリア半島住民へのラテン権付与も、むしろネロ帝死後の内乱を「東方」から勝ち上がって帝位を得たウェスパシアヌスが、「西方」支配のために実施した措置と理解すべきだ、という見解も出されている(Fear 1996)。

では、ガリアはどうか。アウグストゥスは、「長髪のガリア」に所在した六〇もの部族国家(ローマ人のいう「キウィタス」)を編成し、既存の南フランスの属州ナルボネンシス以外に三つの属州を設置している。ガリアでは、退役兵の入植による都市建設よりも、既存の部族国家的共同体をローマ帝国の統治単位である「都市」に変える方法が優先的に採用された。現ドイツのトリーアやスイスのアヴァンシュのように、部族国家の首邑が植民市に昇格した例も見られる。ただ、ガリアでは、市街地を欠く場合もあった部族国家を強引に「都市」に編成したゆえ、中心となる都市的集住地とその周辺の居住地との関係は希薄な場合もあり、市街地が中心となって機能した北アフリカ属州の都市などとは性格を異にしていると推測される。そのガリアでは、属州都市の有力者の集まりが詳しく知られている。毎年定例の「属州会議」がルグドゥヌム(現リヨン市)で開催され、ローマへの忠誠を確認し、皇帝礼拝を実践する場ともなっていた。

ガリア諸属州では、ローマ風生活様式の普及とともに経済活動が盛んになり、ブドウ酒などの物資をイタリアへ送るまでになった。また、現フランス中部に所在する都市オータンは、ハエドゥイ族の首邑ビブラクテの近くにアウグストゥスが建てさせた町であったが、交通路の重要地点になっただけでなく、古典教養を学べる都市としても著しい発展をした。ガリアは文化的にも注目を集める場となったのである。しかし、中央政界への進出は、「長髪のガリア」

出身の「高貴な人々」の元老院入りを認めた皇帝クラウディウスの演説(四八年)にもかかわらず、限界があった。ガリア出身元老院議員の数はイベリア半島出身者に次いで増えていき、二世紀にはニーム出身家系のアントニヌスが皇帝となった。だが、帝国政治に関わる人材の出身地は、古くからの属州ナルボネンシスにほぼ限られたのである。

以上で述べてきた帝国領西半の諸属州では、征服後にすみやかに都市ないし部族国家が統治の単位として帝国の支配に組み込まれた。現地で人々の統治に当たるのは在地の有力者であり、ローマ帝国当局は彼らを「支配の共犯」(ケリー 二〇一〇)としたのであるが、都市有力者の側も、ローマ帝国の力を背景に地域支配を強化したのであった。

前記の三地域より北の属州ブリタンニアや属州上下ゲルマニアでは、都市の発展は緩慢であった。また、治安維持に限らず日常の行政においても、軍隊の果たす役割が大きかったことが知られている。これらの地域では、ローマ風の生活様式は都市市街地やウィラ、軍団要塞で確認できるものの、ローマ化よりも先住者たちが信仰や文化の面で古来のものを維持し続けた点が今日の学界では重視されている。考古学調査の進展と「ローマ化」概念批判を経験した現在、今後の研究は先住者の文化や生活、そして彼らの主体的な対応を勘案しながら、量的評価ではなく、質の面での分析と解釈に進まねばならないだろう。

帝国領東半の地域のギリシア語文化圏では、ヘレニズム時代以来の都市が自治を行って繁栄していた。ギリシア人都市に古くから知られる民主政は、ローマ帝国下でも「民会」で見られはしたが、都市公職者が民会で選出されるのは見せかけで、実質的には都市の参事会が有力者からあらかじめ選出しており、都市は有力者によって運営されたと理解されてきた。また、都市住民は常にローマの属州総督を気遣い、萎縮していたとも考えられてきた。しかし、近年では「帝国対属州」「ローマ対ギリシア」といった二項対立図式で帝政期のギリシア人の世界を捉えることを戒める研究が進んでいる。こうした点を踏まえて、本巻の「問題群」の藤井論文が帝国領東半のギリシア語文化圏地域を論じ、ローマ統治下に生きた人々の主体性や地域支配の重層性などを念頭に置いた分析と叙述を試みている。

総じて、帝国統治下にあっても、諸属州では気候・風土・歴史に応じた多様な様式の生活が継続していたと考えられる。ローマは都市の有力者をいち早く「支配の共犯」にし、これが帝国統治に多くの利便を与えたが、統治の現場では地域支配の多様性・重層性が存在し、ギリシア語文化圏では、ヘレニズム時代から継続する「連邦」(コイノン)など、都市とは異なる共同体も存在した。属州の「文化」が、ローマ文化と在地の文化の二つのカテゴリやその単なる融合では説明できないことが今日学界の常識になっている。ローマ帝国は征服地に共通の言語と法、宗教や生活様式を広めたが、戦争の禁止以外に日常レヴェルでどこまで影響力を持ち得たか、属州の実態に基づくさらなる考察が求められる。

なお、本巻では「焦点」の田中論文が、政治史記述の後に添えられた「芸術」「技術」などの「文化」記述ではなく、社会を大きく包み込んだ広義の「文化」とその交流を時代長く通覧する。神話・言語・文学を通じて、旧来のローマ法やキリスト教の通時的発展過程の叙述を超える新しいローマ文化論を展開している。

都市と都市参事会会員

近年の行政史研究では、最盛期の帝国の統治に関わった官僚的公職者の数は三〇〇人程度と推測されており、騎士身分の公職者が増えても八〇〇名程度と計算されている。皇帝政府は「小さな政府」であったわけだが、このような少数の統治人員で広大な帝国領を統治し得たのは、現場で実際に統治を担った都市の働きによるものであった。

さて、首都ローマ市は帝国の最盛期、八〇万人から一〇〇万人の人口を擁したと推測されているが、この多さは全く例外である。ローマ市以外の大都市として、エジプトのアレクサンドリアとシリアのアンティオキア、そして再建された北アフリカのカルタゴが三〇万人ほどと推測されるものの、帝国内に二〇〇〇以上あったといわれる都市のうち、人口が一〇万人を超えるものは稀で、ほとんどの都市は数千人から一万人前後と考えられる。

帝国領西半の地域にローマ人が新たに建設した都市は、無計画な首都ローマの市街地と異なり、格子状の都市プランに基づいて作られた。おおむね四角形をした市街地は、その中央部で二本の大路が直角に交差し、その付近に広場や神殿や公会堂、劇場などが建てられた。都市は城壁によって囲まれ、大路は市門から都市外の街道へと繋がっていた。古くからの歴史を有する帝国領東半の都市でも、ローマ支配下に入って後、ローマ風の公共建築物が建設されたり、既存の建物にローマ風競技会を開催するための改修などが施されたりした。

都市は、市街地だけでなく周辺の農村地域を含んで統治の単位とされ、帝国の支配の共犯とされた都市の有力者たちが都市参事会会員となり、公職に就いて自治を担い、行政を指導した。都市参事会会員である土地所有者たちは周辺の農村地帯から地代や税を徴収し、国家に納税した。都市には十分な財源がなかったので、公共建築物の造営や福祉などの事業は、富裕な有力者の寄付行為に依存していた。

伝統的な学説では、こうした都市の有力者に依存する体質はやがて都市参事会会員の負担になって彼らを苦しめ、会員であることが忌避されるようになって都市は衰微していったと説かれてきた。しかし、近年の研究は会員就任忌避を認めてはおらず、寄付行為も継続したと主張している。また、都市が財政的に弱体化すれば帝国統治の単位としての役割が果たせなくなるため、皇帝政府は役人を送って介入し、そのため都市の自治は崩壊して、後期ローマ帝国の官僚制拡大が起こったとも説明されたが、これについても、帝国政府の都市への介入の実態やその時期について疑念が呈されている。そもそも「皇帝政府」対「都市」という対立軸を念頭に帝政期のローマ都市を考えること自体が今日的ではなくなったというべきだろう。「帝国」ローマの説明の基礎に置かれがちな「支配ー従属」という二項対立図式では多くの史的現実を説明できないことが明らかになったのである。

都市は、ローマ帝国史では国内外とも現在最も盛んに研究されている分野の一つである。制度史を超えて、「ソシアビリテ」など人々の日常と社会の特質のさらなる解明が待たれる。すでに十分用いられてきたパトロネージやエヴェルジェティスム（恩恵施与行為）に代わる新たな分析概念も期待される。なお、ローマ都市は、現代ヨーロッパ都市の起源として重視されるが、都市はまず古代西アジアで成立・発展した。本巻では、「焦点」の春田論文がハカーマニシュ朝以来の古代西アジアの「都市」を論じ、東西の比較のための素材を提供する。

ローマ人の日常生活

ところで、ローマ帝国の都市での日常生活については、一九世紀末のルートヴィヒ・フリートレンダーの大著以来、硬軟自在に描かれてきた。単なる好事家的記述ではなく、ローマ帝国の特質を抽出することができる貴重な研究も数多い。その中で注目できる分野に、家族・親族の研究がある。ローマ人の家族・親族に関しては、主にローマ法資料を用いた研究によって歴史像が形成され、家父長権の強い大家族、父系の親族集団が社会の基軸という解釈がなされてきた。しかし、一九六〇年代後半に伝統的な家族・親族像への疑問が提示され、一九八〇年代になると、墓碑銘を素材にした研究が進み、従来の定説にはっきりとした批判が提出された。ローマの家族は大家族ないし拡大家族とした旧説に対し、核家族が世帯の主流であり、親族の構造も父系親族から共系親族へと転換したと主張されたのである。新しい学説の形成は主にサラーの精力的な研究に基づいていた。しかし、一九九〇年代後半になって、サラーが重視した墓碑銘という史料の性格やその議論の方式に関して批判が続出し、家族・親族に関する定説は不明確なものとなった（Saller 1994; 樋脇 一九九八）。

今後の研究はサラーの影響から脱却して進むと思われるが、家族・親族の構造や特質は、日常生活の理解だけに留まる問題ではない。特にローマ帝国の場合、政治権力の構造や政治行動のあり方にも関わる重要なトピックである。皇帝政治の成立について、アウグストゥスの権力の問題を島田誠はアウグストゥスの「ドムス」形成に果たした皇帝家の女性に注目し、家々をまとめ結合したその役割を重視している（島田 二〇〇四）。また、皇帝権力のあり方を皇帝周辺に集う元老院議員の構成から説明しようとする研究では、プロソポグラフィーによる作業の基礎に家族・親族の適切な理解がなければならない。

ローマ帝国の家族・親族に関する研究は、二〇世紀末までの段階ではイタリアの家族・親族が議論の主たる対象となっていたが、「帝国」ローマの議論をイタリアに留めることは不適切であり、事実、研究の最前線は帝国領の地方ごとの解明に移行している。帝国の家族・親族について統一的な像を提示することは困難であるものの、多様な事例を検討しつつ各地の生活に及ぼした帝国の影響を考察することが可能となるだろう。家族に関連して、ローマ社会における「性差」の問題も今日大切な研究課題であり、本巻では「焦点」の髙橋論文がジェンダーを論じている。そこでは、属州エジプトが重要な検討対象となっているが、家族史研究がイタリアから帝国の地方へと重心が移った学界状況を反映している。

死と生をめぐるローマ人の心

家族・親族と並んで、ローマ人の日常生活研究の注目すべき分野に、「死」をめぐる行動がある。ローマ社会は、都市生活の面で近代的な様相を見せてはいるが、一般庶民の栄養事情は悪く、頻繁な疫病の流行により多くの命が失われるなど、脆弱な社会だった。平均寿命は二〇-三〇歳ほどと推測され、また子供は多く生まれたが、乳幼児死亡率が高く、人口増には至らなかった。ローマ人にとって、死はすぐ隣にあったのである。

財を持つ市民が死亡すると、笛吹きや泣き女が雇われ先祖の像も持ち出される葬送行列が組まれ、弔辞が読まれた。火葬と土葬が併用されたが、二世紀の前半頃より土葬が増加したらしい。一方、同じ二世紀には皇帝の葬儀は蠟人形を用いた二度目の葬儀を火葬で行うことで、元老院での証言も必要なく亡き皇帝の神化の手続きが執られたのであった。

葬儀を行う資金がない人々、とくに都市の最下層の人々は、何の祈念を受けることもなく、都市郊外の共同墓穴に投じられることがあった。そうした死に際しての惨めさを逃れるために、人々は生前から葬儀資金の積み立てをし、葬儀がなされるように配慮することを目的とした「葬儀組合」を運営した。また、共和政末期頃より、貴族の共同墓所に代わって、人々が一人ずつ小さな地所に小さな石板の墓を建てることが一般的になるが、都市における墓地の確保が難しい場合、「コルンバリウム」(建物内部に骨壺を置くための壁龕(へきがん)を多数設けた鳩小屋式の共同墓所)も利用されるようになった。D(is) M(anibus)と墓石に刻まれたように、ローマ人は「マネス」(死霊)の存在を信じていた。二月のパレンタリア祭など死者を宥める祭もあり、供養されない死者が「亡霊」となって立ち現れるとも信じられた。死後の確実な供養を期待して、ローマ市民有産者は都市に贈与もしている。

こうした行動の理解を踏まえて、ローマ人が自分の「死」やその対極にある「生」をいかに考え感じたかを解明することが望まれよう。復活の考えを持たなかったローマ人が、信者が復活の日に肉体もよみがえって天国に入り来世に生きると考えるキリスト教を受け容れるという大転換を果たした史実を深部で解き明かすことに繋がるからである。ローマ人は共和政末期から三世紀初め頃まで、公共建築や記念物、墓石に熱心に碑銘を刻み、学界ではこの現象を「碑文慣習」と呼んでいるが、これを「碑文文化」と捉えたグレッグ・ウルフは、没落を意識する帝国住民が碑銘を刻んで自らの存在の永続化を求めたと考えた(Woolf 1996; 島田 一九九九)。このような研究が、今後の心性や感情の解明の導きとなるだろう。

ローマ人の宗教には、国家宗教、民間信仰、外来の宗教、そして皇帝礼拝があった。そのうち、外来のキリスト教については、国教化に至る「勝利」の歴史として語られがちであった。キリスト教は帝国が危機にあった三世紀にとくに迫害され、信徒は過酷な刑罰に処せられたが、迫害死するキリスト教徒の姿は信者によって克明に記録され、信仰の証と強調された。一方で、進んで死に赴こうとするかに見えるキリスト教徒を一般のローマ人は理解できず、ますます不審に感じた。こうしたキリスト教徒の行動やローマ市民の感情を、キリスト教会発展史ではなくローマ帝国史の観点から解明する努力が二〇世紀後半から多くの成果を上げてきた。その成果も踏まえて、本巻では、「焦点」の大谷論文が、キリスト教徒を「マイノリティ」として観察することから出発し、他のローマ帝国住民と同じように生きたキリスト教徒の日常の状況を把握しようと試みている。

以上、本節では最盛期ローマ社会の重要な側面を選んで述べてきたが、経済活動の説明は「問題群」の池口論文に委ね、略した。池口論文は、「古代世界の経済とは何か」という根本的な問題から論じ始めて、ローマ帝国の経済活動を、土地や労働からではなく、生産・輸送・消費のプロセスを念頭に新しく叙述している。

七、ローマ帝国の変容

政治的混乱の始まり

一八〇年にマルクス・アウレリウス帝が世を去ると、実子コンモドゥスが単独皇帝となったが、暴政を重ねて一九二年年末に殺害された。代わって、ペルティナクスが皇帝に選ばれた。彼は、解放奴隷の子とされるが、マルクス・アウレリウス帝時代に軍人として活躍し、騎士身分から同皇帝の「編入」措置によって元老院議員身分へ昇格した。一七五年には補充コンスル、コンモドゥス治世末には首都長官と大出世を遂げて、一九二年には二度目のコンスル職という名誉ある地位にあった人物である。

けれども、この老練な武人皇帝も首都の近衛兵に嫌われて、一九三年三月殺害された。そして、近衛兵は、エドワード・ギボン流に言えば、皇帝位を競りにかけたのである。落札したのは、裕福な元老院議員ディディウス・ユリアヌスであった。しかし、このような首都の状況に属州で軍を指揮する総督が反旗を翻した。四月、属州シリア総督のペスケンニウス・ニゲルと属州上部パンノニア総督セプティミウス・セウェルスがそれぞれ指揮する軍隊によって皇帝に宣言され、事態は皇帝位をめぐる内乱へと進んだのである。

セウェルスがいち早くローマ市に進軍してディディウス・ユリアヌス帝を除き、さらにニゲルと戦って敗死させ、一九五年末に皇帝と宣言された属州ブリタンニア総督アルビヌスをも一九七年には破って、単独皇帝となった。セウェルスは属州アフリカ・プロコンスラリスの都市レプキス・マグナ市の出身で、妻ユリア・ドムナは属州シリアのエメサの出身であった。アフリカ大陸出身の皇帝であるが、セウェルスは元老院議員としての経歴を重ねてきた人物であり、またレプキス・マグナ市は規模の大きなローマ風都市であったことを忘れてはならないだろう。セウェルス個人の問題よりもこの内乱で注目すべき点は、司令官を皇帝と宣言した各地の軍隊に、その駐屯地の特色や利害が現れたことであった。セウェルスを担いだパンノニアの軍隊とニゲルを担いだシリアの軍隊の対比は、三世紀のヘロディアヌスの史書にも明確に記されている。前節で述べたように、属州の軍団は駐屯地と密な関係になっていたのである。これが、三世紀の帝位をめぐる動乱の要因となる。

セウェルス朝時代

セウェルス帝は、国内の政敵と長く戦い、単独皇帝となってからも外敵との戦闘を継続した。メソポタミアに遠征し、新しい属州を設立したし、治世末にはブリテン島にも遠征して、二一一年、エボラクム(現ヨーク)で没した。同帝は、内乱を戦ったため政敵を多く除かねばならず、元老院議員を多数処刑し、苛烈な君主と史書に記されることになった。敵対した近衛隊を解散して、ドナウ沿岸地域出身者が多い自らの軍で近衛隊を再編したことは軍隊の「野蛮化」を招いたと研究者に評されることにもなった。さらに、イタリアに初めて正規軍団を設立して駐屯させたことも、伝統を踏みにじる皇帝と解釈された。彼が死に臨んで、息子たちに「仲良く暮らせ。兵士たちを富ませよ。他のすべての者たちにかまう必要はない。」(Cassius Dio, 76, 15, 2)と言い残したことも、そうした皇帝の変革者的イメージを強めている。

帝国統治の観点からセウェルス帝の政策を見た場合、注目されるべきは新設した三つの軍団の司令官と新属州メソポタミアの総督に騎士身分を登用したことである。正規軍団の司令官職と軍事色の強い大きな属州の総督職は元老院議員が担当するのがアウグストゥス以来の伝統であったが、セウェルス帝はそれに反する措置を執ったのである。だが、この措置をもって同帝の元老院への敵視、専制化への志向と理解するのは適切ではない。先にマルクス・アウレリウス帝がマルコマンニ戦争を乗り切るために騎士身分を「編入」措置で元老院議員に昇格させ帝国統治の第一線に起用した、その措置に沿ったものと解釈するのが妥当である。そう捉えることによって、その後の一世紀間の政治的な動きも説明できるのである。

さて、セウェルス帝の死後、長子カラカラが父親の遺言に反して弟ゲタを殺害して単独皇帝となり、即位の翌年の二一二年には、帝国領内のすべての自由人にローマ市民権を付与するというカラカラ(アントニヌス)勅令を発布した。すでに価値が下落していたローマ市民権を与えて、市民であるために支払わねばならない税を取ろうという算段であったといわれても仕方がない措置であった。そのカラカラは二一七年に遠征先のメソポタミアで殺害され、近衛長官のマクリヌスが皇帝となった。近衛長官であるから身分は騎士身分のままで帝位に即いたことになる。マクリヌスは一年余りの統治の後殺害されて、セウェルスの妻の姉妹の孫エラガバルスが、その暗殺後、同じく孫のアレクサンデルが皇帝となり、皇帝家はシリア出身家系となった。このアレクサンデルは決して暴政をしたわけではなかったものの、二三五年にゲルマニア人との戦いの基地であったモゴンティアクム(現ドイツのマインツ市)で殺害されて、セウェルスの系統は絶えた。セプティミウス・セウェルスが開いた「セウェルス朝」の諸皇帝は、開祖以外皆殺害されたのである。

三世紀の政治的危機

アレクサンデル帝殺害後に皇帝になったのは、ドナウ川下流属州の下層の出で軍人のマクシミヌス・トラクスであり、二三四年段階では、騎士身分の新兵訓練隊長をしていた。騎士身分といっても、最高位の近衛長官職にあった先述のマクリヌス帝と違い、ローマ市の中央政界の元老院議員たちにとっては「違う世界の人物」といってよい軍人が即位したことになる。三世紀には、マクシミヌスのようなたたき上げの軍人が軍隊によって皇帝に推戴され、同じく軍隊によって廃位される事態が頻繁に生じた。そのため、三世紀は「軍人皇帝時代」と呼ばれる。マクシミヌス以降の三世紀には、元老院の承認を得た皇帝だけでも二六名もおり、副帝や帝位を僭称した者も数多かった。諸皇帝の治世はいずれも短く、王朝樹立の試みも失敗して、二世紀のような連続した帝国運営は不可能となった。

三世紀は、帝位をめぐる争いや帝国外からの攻撃が頻発して戦乱が続く政治的危機の時代であった。これについては、「焦点」の井上論文が具体的に記述しているので、詳細はそちらに譲るが、政治的危機が頂点に達したガリエヌス帝の治世(二五三―二六八年)では、帝国領の東部地域はシリアの隊商都市パルミラの支配下に、ガリア、ヒスパニア、ブリタンニアの西方諸属州はポストゥムスが建てた「ガリア帝国」の支配下に置かれて、その間の地域をガリエヌス帝が統治するという、帝国領三分割の状態に陥ったのである。

この分割された帝国を元に戻す難題を果たしたのは、アウレリアヌス帝であった。二七〇年に即位した同帝は、ドナウ沿岸属州の下層民の出で、軍人として出世した、それまでの多くの皇帝たちと同じ「軍人皇帝」である。彼は即位後、ユトゥンギ人のイタリア侵入を撃退するとともに、ローマ市を守るため、「アウレリアヌスの城壁」の建設を開始した。高さ六・五メートル、全長一八・八キロメートル、三八一の塔を備え、その後も改修が施されて、現在もその偉容を見ることができる城壁である。その後アウレリアヌスはシリアへ進んで、女王ゼノビアが指揮するパルミラ軍と戦い、これを破ってゼノビアを捕虜とした。パルミラ市を占領したが、二七三年にはゼノビアの親族が反乱を起こしたために、町を破壊させた。次は西へ。アウレリアヌスは二七四年、ガリア帝国の皇帝テトリクスを攻め、カタラウヌムの戦いで勝ち、ガリア帝国を滅ぼした。三分割されていたローマ帝国領を、彼は一つの皇帝権の下に回復したのである。

帝国統治担当階層の変化

こうした政治的危機状態の中で、政治体制の定義を変える事態が進行していた。

アウグストゥスが創始した政治体制(元首政)は、政治の最高指導者である元首＝皇帝が元老院議員身分から選ばれ、登位した皇帝は同僚たる元老院議員と共働して帝国統治を行うものであった。見かけは共和政の継続であったが、実質的には皇帝の独裁的指導による体制である。二世紀には、伝統を踏まえつつも新しい政治支配層の台頭を受けて人材の登用が進み、元老院議員の帝国統治(属州統治・軍団指揮)への参加が安定し、公職序列も固定化した。同時に、社会階層として元老院議員の次位に置かれた騎士身分の文・武公職への参加も発展していった。騎士身分上位公職であるプロクラトルについても、ハドリアヌス帝時代には公職序列が完成したとみてよい。

しかし、マルクス・アウレリウス帝は軍隊指揮を強化するため、優秀な騎士身分の人材を元老院議員身分へ多数「編入」し、帝国統治の最前線で活躍させ、騎士身分公職も充実させた。さらに、セウェルス帝は新属州の総督と軍団の司令官に騎士身分をそのまま登用した。軍人皇帝時代になり、騎士身分の軍人がそのまま帝位に即く状況となると、元老院議員が担当する属州の総督職へ騎士身分のプロクラトルが派遣される事態が生じた。学界で「独立代理官」と呼ばれる役職であるが、総督職の交代の合間の臨時ではなく、属州総督権限の賦与を最初から意図した措置である。三世紀の前半には、恒常的に騎士身分の総督に置き換わった例はなかったが、二五三年に即位したウァレリアヌスとその共同統治者となった長子ガリエヌスの治世に変化は大きく進むことになる。旧説では、ガリエヌス帝が二六二年の「勅令」によって元老院議員を軍事職から排除したと説かれてきた。しかし、この問題を根本的に検討した井上文則によれば、騎士身分の帝国統治への任用の契機は、ウァレリアヌス帝の人材登用策にあり、同帝の出自・経歴にとらわれない属州総督・軍団司令官任用に大きな意義があるとする(井上 二〇〇八)。三世紀の後半には元老院議員が担当してきた属州の総督に、プラエセスの肩書きを持つ騎士身分の総督が着任することが増加し、二八四年に即位したディオクレティアヌスの治世には、ほぼ全属州に及ぶようになった。

ディオクレティアヌス帝は騎士身分登用を極限まで推し進めた。同帝は、五〇ほどだった属州を九八まで細分化したが、このうち、元老院議員の総督が担当するものは一〇程度とし、他は騎士身分のプラエセスに統治させた。イタリアも属州扱いとなり、二分割され、三〇〇年頃には七地区に分けられることとなる。細分化した属州をとりまとめるために、一二の「管区」が設置されたが、管区の長は騎士身分であった。さらに、元老院議員が務めてきた正規軍団の司令官職も騎士身分の軍司令官の務めるところとなった。属州総督は軍事に携わらず司法と財政を司るに留まり、属州の民政と軍政が分離するようになる。

こうして、帝国統治の要職から元老院議員は大方排除され、騎士身分が掌握する体制となった。ディオクレティアヌスが持ち込んだ神聖性もあって、皇帝は元老院議員階層とはかけ離れた存在になり、皇帝と元老院議員との共働という「元首政」の基本的性格は失われた。この意味で、ディオクレティアヌス帝の政治を「元首政」と区別し「専制君主政」と呼ぶことは可能である。元老院の共和主義者とのせめぎ合いの中で構築されたアウグストゥスの皇帝政治とは異なるものとなったのだ。ただ、それはディオクレティアヌスがいきなり始めたものではなく、二世紀から続いてきた政治的措置の帰結なのである。

サーサーン朝とゲルマニアの人々

二世紀、ローマ帝国はアルシャク朝パルティアに対して外交的優位を保っていた。同世紀末には、セプティミウス・セウェルス帝が遠征してテースィフォーンを陥落させ、新属州メソポタミアを設立している。アルシャク朝はその後混迷を深め、二二四年、サーサーン朝のアルダフシール(アルダシール)一世の軍に敗れて崩壊した。

サーサーン朝は、ペルシスの属王アルダフシールが、宗主であったアルシャク朝を打倒して樹立した国家である。創始者アルダフシール一世とその後継者シャーブフル(シャープール)一世(在位二四〇頃―二七二年)の治世に強大化して、イラン高原やメソポタミアの大半を直轄統治し、東ではクシャーナ(クシャーン)朝を抑えた。ローマ皇帝ゴルディアヌス三世の遠征軍はサーサーン朝の拠点テースィフォーンを目指したが、二四四年初めにシャーブフル一世の軍に大敗して皇帝自身も負傷し、その後死亡したとみられる。シャーブフル一世は二五三年には六万のローマ軍に大勝し、シリアへ侵入してアンティオキアを陥落させている。この時、隊商都市パルミラの抵抗でサーサーン朝の作戦は停止した。パルミラはローマ帝国に高く評価され、のちに分離国家を樹立するほどの大勢力へと発展する契機を得た。二六〇年になると、サーサーン朝の軍はローマ皇帝ウァレリアヌス帝を捕虜にする大きな勝利を得ている。

三世紀には、ドナウ沿岸地方への北からの侵入も頻繁となり、ローマは対応に追われた。実は、ゲルマニアでは三世紀に大きな変化が生じていた。タキトゥスが一世紀末に『ゲルマニア』で描いた状態ではなくなったのである。三世紀になるまでにゲルマニア社会は戦士を軸に編成され、高貴な血統よりも軍指揮者として有能な人物が王となり部族を率いるようになった。マルクス・アウレリウス帝治世に生じたマルコマンニ戦争は、それまでローマによって敵対関係に置かれていた諸部族が連携する機会ともなった。タキトゥスが恐れていたローマの対外政策の弱点が露わになったのである。そして、三世紀前半になると、アラマンニ人がローマ帝国の設置したリメスを突破して、現ドイツ南部に当たるライン川中流とドナウ川の上流に挟まれた三角形をした帝国領(アグリ・デクマテス)に侵攻し、そこに定着するようになった。フランク人もライン川下流域に広がった。ゴート人もドナウ沿岸に出没して、二三八年には本格的に帝国領に攻撃をかけた。王クニヴァに率いられたゴート軍は、ローマ皇帝デキウスの軍隊を破って皇帝を戦死させている。アウレリアヌス帝はパルミラとの戦いの前に、ドナウ川の北に唯一設置されていた属州ダキアを放棄した。

こうした激化する外部勢力の侵攻が、防衛力を求めて皇帝位争いを起こしたのである。皇帝たちには、国内統治の安定のために、対外的優位を確保する必要があった。

ディオクレティアヌスの政治

帝国領の再統一を果たしたアウレリアヌスは、二七五年、対サーサーン朝遠征へ向かったが、まもなく暗殺されてしまった。同帝の死後、一〇年間ほどの間に六人の皇帝が交代するなど、政情は落ち着かなかったが、二八四年に即位したディオクレティアヌスが帝国領の統一を確保し、対外的な威望も取り戻した。

ディオクレティアヌスはドナウ流域の属州ダルマティアの下層の出で、父親は解放奴隷といわれ、軍人として出世した「軍人皇帝」であった。彼は、一般に後期ローマ帝国、「専制君主政」の時代の幕開けをした皇帝とされているが、その政策を見れば「三世紀の軍人皇帝時代最後の皇帝」という性格づけの方がふさわしい。すでに述べた帝国統治の元老院議員から騎士身分への置き換えは、長らく継続してきた三世紀の動きを徹底したものであった。同帝は辺境地帯を守る軍の強化を図って兵員数を一・五倍、総数四〇万に増強したが、この辺境への兵士貼り付けも伝統的な軍略であり、三世紀に考案された中央機動軍の施策を取り入れてはいない。同帝考案の「テトラルキア」(四分治制)も、三世紀に頻発した帝位僭称や反乱を防ぎ皇帝位を守るための方途であった。

テトラルキアは、東西二人の正帝(アウグストゥス)とその副帝(カエサル)二人が帝国を四分して、協力して統治する制度である。ただし、東の正帝のディオクレティアヌスのみ主権者であり、他はその命を受けて執行する者である。この制度は一見合理的に見えて、親族関係を作って下支えしようとする伝統的な性格も有した。つまり、東西それぞれの正帝の娘ないし養女が副帝に嫁ぎ、正帝と副帝との間に義理の親子関係を設けたのである。さらに、ディオクレティアヌスはローマの伝統的な最高神ユピテルの恩恵を受け、西の正帝マクシミアヌスはヘラクレスの恩恵を受ける者という神聖性が付与された。

この四分治制は、ディオクレティアヌスの守備範囲を減らし、帝位僭称者の出現を防ぐことにも有効で、帝国領防衛にも役だった。マクシミアヌスは二八六年にガリアで発生した農民反乱であるバガウダエの乱を鎮圧することに成功。彼が失敗したブリテン島でのカラウシウスの反乱・皇帝僭称も、二九三年に西の副帝コンスタンティウス一世がブリテン島を回復して制圧した。ディオクレティアヌス自身、二八七年には親ローマのアルメニア王を置くことに成功し、ライン・ドナウ川流域で外敵と戦い、シリア方面でも戦った。二九八年、彼の副帝ガレリウスはサーサーン朝の軍に勝利して、テースィフォーンを占領している。ディオクレティアヌスは三世紀の皇帝に課された難題を仕上げたのである。

もっとも、経済政策には失敗した。三世紀になされた貨幣価値の切り下げ策は物価騰貴を呼んだが、その克服のためにディオクレティアヌスは通貨改良を試みたものの成功せず、インフレが止まらないため、三〇一年には財とサービスの最高価格・賃金を定める最高価格令を発布した。千数百の項目からなるこの法令も結局効果を生まず、市場から商品が消えてしまい、物価はますます騰貴する事態となった。さらに、増強された軍隊と官僚を維持し、新たな建築事業や華美な宮廷儀礼を行うためにも巨額の費用が必要になったので、新しい税制を実施した。抽象的な価値単位カピタとユガを用い課税の基礎としたが、抽象的価値単位を用いないところでも土地の測量と人頭申告がなされ、帝国全土に地税が課税された。都市の参事会会員が徴税の責任を負い、不足分補塡の義務を果たさねばならなくなった。

帝政後期における都市の状況には論争があり、参事会会員層の弱体化と都市の衰退を単純に語ることはできないものの、皇帝政府があらゆる財源から富を引き出そうとする姿勢が四世紀以降強まっていったことは間違いなかろう。

「三世紀の危機」論と「古代末期」論

ところで、三世紀のローマ帝国は、政治的危機だけでなく、経済・社会も含めた全般的危機状態にあったと解釈され、帝国の衰退・滅亡とも直接結びつけて論じられてきた。『岩波講座 世界歴史』第一期第三巻(一九七〇年)所収の弓削達の論文は、セウェルス朝時代の危機の兆候から説き起こし、軍人皇帝時代における危機の諸現象を説明して、ディオクレティアヌス・コンスタンティヌス一世が打ち立てたドミナトゥス(専制君主政)が危機の克服を目指したものであるとした(弓削 一九七〇)。弓削はまた、後期ローマ帝国を欧米学界でいう「強制国家」と考え、また「ライトゥルギー国家」とも定義している(弓削 一九六四)。

「強制国家」としての後期ローマ帝国の歴史像には、一九八〇年代から批判が高まるようになったが、世紀末になると、「三世紀の危機」そのものを疑う学説が出てきた。この新説については、本巻「焦点」の井上論文が紹介しているので詳しくはそちらに委ねるが、ローマ帝国は地域ごとに違いがあり、全土にわたって危機状態に陥ったわけではないこと、経済面でも社会の根幹に関わるような変化はなく、繁栄の後に訪れた「停滞」であって「危機」とみるべきではないこと、同時代人の危機意識も確認できないことなどが新説の要点であった。しかし、帝国内の争乱や対外戦争の頻発、極度のインフレ状態、そして、公共建築や記念物建立の減少もあり、危機を否定することは難しいとする見解も出された。現状では「三世紀の危機」を認める立場が依然として定説であると思われる。

一方、三世紀を危機の有無とは異なる次元で受けとめる研究も、一九七〇年代末から発展した。ピーター・ブラウンが、紀元二〇〇年頃から八〇〇年頃までの期間について、古代でも中世でもない、独自の価値を持つ時代「古代末期」とし、地理的にもカール大帝のアーヘンからアッバース朝のバグダードまで射程に入れて論じたのである。この「古代末期」論は、三世紀以降の歴史をローマ帝国の危機や衰亡の文脈から切り離し、政治・軍事から社会と宗教、文化へと議論の基軸を変える試みであった。ブラウンの画期的な構想は注目を集め、古代終焉期の研究を一気に盛んにしたが、二〇世紀末より、この論が危機や衰亡をことさらに避けようとしていると批判されるようになった。二一世紀に入ると、ローマ帝国の滅亡を重視する書籍が続々刊行され、歴史における政治・軍事の重要性を認めて帝国崩壊の意義を確認すべきだとの意見が顕著となった。この「古代末期」論の内容については「焦点」の南雲論文が取り上げているので、そちらを参照されたい。南雲論文は加えて、「古代末期」に人々が抱いた「世界」を地図や旅程表などを素材に考察し、心性の把握を試みている。

ローマ帝国衰亡史と結びついた「三世紀の危機」論については、今後も様々な議論がなされるだろうが、帝国内の問題としてのみ探求するのでは十分ではないだろう。本巻「焦点」の井上論文は、問題をユーラシア規模、とくにシルクロード交易と絡めて論じようとする斬新な試みである。

八、ローマ帝国の衰退と西アジアの激動

コンスタンティヌス大帝の政策

サーサーン朝は三世紀中葉にローマに対して攻勢に出ていたが、それもシャーブフル一世の治世の終わりまでで、二八三年になると、遠征してきたローマ皇帝カルスにテースィフォーンを占領されている。二九七年にはナルセ(ナルセフ)王が、帝国最東部分を担当する副帝ガレリウスの指揮するローマ軍に敗れ、再度テースィフォーンが占領された。この後両国間で締結されたニシビス条約で、両国の間の懸案の地域については、アルメニアとイベリアを、ロ

ーマの宗主権を仰ぐ国家とすることが定まった。以後の四〇年間ほど、両国の間には平和な時が流れることになる。ディオクレティアヌスの治世に、ローマ帝国は対外的な威望という点で、おおむね二世紀の帝国安定期の状況に戻ったと評してよいだろう。この状況は四世紀後半まで継続した。本節では、四世紀後半まで強勢を保ったローマ帝国が、その後急速に衰退に向かう過程を概述する。

ディオクレティアヌスの考案したテトラルキアは、彼が三〇五年に自主的に帝位を退いた後の一年ほどで崩壊し始め、帝位をめぐる争いが幾度もの烈しい戦闘をともなって三二四年まで継続した。最終的に勝ち残ったのが、コンスタンティヌス一世である(以下、彼をコンスタンティヌス一世ではなく、コンスタンティヌス大帝、ないし「大帝」と表記する)。大帝の政策には、ディオクレティアヌス帝のそれを受け継いだ部分もあったが、主なものは新たな要素を備えていた。ディオクレティアヌスが帝国統治から元老院議員を排除したのに対して、大帝は騎士身分が就任していた公職に元老院議員を充て、騎士身分の者を元老院議員身分に昇格させるなどして、元老院議員を帝国統治に呼び戻した。コンスル格総督職が創設され、管区の責任者である代理官やその上官である近衛(道)長官のポストにも元老院議員が就任するようになった。これによって、とくに帝国領の西半地域で元老院議員公職者が急増したのである。この地域は、大帝が最初期から担当した地域であり、彼自身が政敵マクセンティウスを倒した後の一二年間に支配領域としていた場所でもある。ここは田園地帯が主で、元老院議員有力者が地主として強大な影響力を保持しており、彼らと協調しなければ大帝といえども支配を確立することはできなかったのであった。

一方、最後のライバルであるリキニウスを倒していわば「征服した」といってよい帝国領の東半地域について、コンスタンティヌス大帝は皇帝権を強力に打ち立てた。帝国領の東半は都市的な地域が主で、西半のような元老院議員有力者の支配が貫徹していなかったため、皇帝は自らの意向に従う政治支配層を新たに用意することができた。また、大帝は自らの名を冠した都市コンスタンティノープルに元老院を設置し、この町に首都的機能の礎(いしずえ)を築いたのであった。こうして、帝国の西半分と東半分では皇帝と政治支配層との関係に違いが生じたが、これが帝国の東西分裂後に、皇帝権力の強さにおいて如実に現れることとなる。

ディオクレティアヌスの政策とコンスタンティヌス大帝の政策の違いが最も顕著なものは、キリスト教徒への対応だろう。キリスト教会は三世紀に信者を増やしていたが、三〇三年、ディオクレティアヌスは大迫害を始めた。その真の推進者は副帝ガレリウスだったようであるが、帝国領の西半地域では迫害は三〇五年には終息したものの、東半では継続していた。コンスタンティヌス大帝がどの程度キリスト教の教義などを理解していたかは不明であるが、少なくとも三一二年のマクセンティウスに対する勝利を契機にして、彼はキリスト教への支援を強めていった。早くからコルドバの司教ホシウスの助言を受けていたようで、三一三年以降のある時期から、キリスト教会に法的特権を付与していった。

三一二年のカルタゴ司教選出の際の対立からドナトゥス派の離教が始まり、教義をめぐる争いも生じてキリスト教会は紛糾するようになり、コンスタンティヌス大帝もその騒ぎに関わらざるをえなくなった。そして、三二五年のニカイア公会議では、聖父と聖子は「ホモウーシオス」(同質)とする立場が正統とされ(ニカイア信条)、「聖子従属説」をとるアリウス(アレイオス)は異端とされて、イリュリクムへ追放となった。しかし、やがて大帝はアリウスの教説に近づき、アリウスは三三四年ないし三三五年にアレクサンドリアに呼び戻された。三三六年にアリウス自身は没するが、三二五年のニカイア公会議で正統とされた教説の担い手であるアタナシウス(アタナシオス)が今度は追放とされた。三三七年に大帝が没した時、キリスト教徒としての洗礼を彼に与えたのは、アリウスに近いニコメディアのエウセビオスであり、彼はその後コンスタンティノープルの司教となった。大帝の帝国を東で分担継承した息子コンスタンティウス二世は父帝と同じくアリウスの教説を支持したので、アタナシウスは引き続き追放されたままであった。

大帝は、三世紀のガリエヌス帝の中央機動軍を受けた本格的な野戦機動軍(コミタテンセス)を創設した。ディオクレティアヌスの辺境軍強化と違い、皇帝とともに自在に動く強大な軍隊を用意したのである。この野戦機動軍の司令官には歩兵長官と騎兵長官があり、後にはこの両長官の上に最高位の「総司令官」職も創設された。大帝はマクセンティウスとの争いに勝ったのち、政敵を支持したローマ市の近衛隊を解散して、その代わりにゲルマニア出身者の部隊を護衛に用いるようになったが、それ以降、帝国の外の部族出身の軍人が帝国軍の中で活躍するようになり、やがて軍の司令官になる者も現れた。四世紀の後半には総司令官にゲルマニア系部族の出身者が就任して、帝国政治にも関与するようになる。

コンスタンティウス二世とユリアヌス

三三七年に大帝が没すると、すでに副帝に任じられていた息子たち三人で帝国は三分された。しかし、兄弟間の争いや帝位簒奪事件で烈しい戦闘が生じ、結局帝国領の東部地域を父から継承していたコンスタンティウス二世が、三五三年に唯一の皇帝となった。同帝の治世は父親の陰に隠れがちであるが、歴史の展開に照らせばきわめて意義深い。彼は、父帝の行った騎士身分の元老院議員への引き上げを加速させただけでなく、コンスタンティノープルの元老院の議員を大幅に増やしたのである。このことは、当時、この措置に関わった政治家であり弁論家でもあったテミスティウスが、定員を三〇〇名から二〇〇〇名へ増やしたと証言していることで知られる。この二〇〇〇名という数字は、アウグストゥスの定めたローマ市の元老院議員定数六〇〇名よりも遥かに多い。そのため、元老院議事堂に詰めた数ではなく、議員資格を持つ者の数と考えられる。また、この増員のために、伝統的な元老院議員の資格とは異なる要素が求められたようである。選抜では、出自ばかりでなく、いわば能力的なものが評価された。実際には、都市参事会会員層から人材を引き抜いただろうし、ローマ市の元老院議員の所属を東の元老院へ移管したと思われる。できあがったコンスタンティノープルの元老院は、ひどく雑多な構成と推察される。公職経験者や地方都市の名望家に加えて、弁論家たる知識人や医師などが目立つ、西とは異なる様相を帯びたであろう。三世紀に見られた「騎士身分の興隆」は終わり、再び元老院議員が帝国の政治担当階層に戻った。しかし、その元老院議員階層は、一―二世紀に皇帝と共働し皇帝を支えた凝集性のある集団とは全く異なるものとなったのである。

キリスト教の発展に対する同帝の方向付けも重大である。コンスタンティウス二世は「異教」の神殿閉鎖を命令し、「異教」の供犠と偶像崇拝の禁止も命じた。元老院議堂から勝利の女神の像を撤去してもいる。異教の禁止は実際どの程度の効果があったか不明ではあるが、皇帝の厳しい姿勢はキリスト教会の勢力拡大に大きな力を与えたと考えて間違いない。

コンスタンティウス二世の統治は国内には峻厳(しゅんげん)なものであったが、対外関係では不安が絶えなかった。サーサーン朝に対するディオクレティアヌス帝時代以来のローマ優勢はなくなり、シャーブフル二世のサーサーン朝が安定と強勢を誇って、ローマ帝国東部属州に圧力を加えていた。コンスタンティウス二世は副帝時代から帝国領の東部を担当していたが、三五〇年にガリアで生じたマグネンティウスの帝位簒奪に対抗するために西へ向かわざるをえず、サーサーン朝に対抗するために東部に皇帝権の代理として、従兄弟のガルスを副帝とし、自身の妹コンスタンティナと結婚させ、シリアに派遣した。けれども、シリアに赴任したガルス夫妻は、現地で皇帝の部下と争いを起こし、皇帝はマグネンティウス打倒後の三五四年にガルスをイタリアに召喚して廃位し、処刑した。

東に戻ったコンスタンティウス二世は、サーサーン朝に対抗するため動き始めたが、今度は西の状況が悪くなった。ゲルマニアの居住者、とくにアラマンニ人とフランク人が属州ガリアに侵攻を繰り返した。三五五年には、属州の拠点都市の一つ、コロニア・アグリッピナ(現ドイツのケルン)で軍司令官シルウァヌスが反乱を起こした。彼は間もなく殺害されたものの、帝国領の西半地域も著しく不安定であることが露見した。そのため、コンスタンティウス二世は、残ったただ一人の親族ユリアヌスを副帝にして、姉妹のヘレナと結婚させ、ガリアへ派遣したのである。

ユリアヌスはその時まで文人として生きてきたが、ガリアに副帝として赴任後、予想外の働きをした。ガリアの窮状を改善し、三五七年にはストラスブールでアラマンニ人の大軍に勝利を収めて、皇帝やその側近たちを困惑させたのである。その頃、サーサーン朝の攻勢はいよいよ強くなり、三五九年にはローマの拠点アミダが陥落した。皇帝はユリアヌスに対して、ガリアの軍から精兵を東へ送るように命令した。これに対してガリアの兵士たちは従わず、三六〇年にユリアヌスを皇帝に宣言し、コンスタンティウス二世に反旗を翻した。この時のユリアヌスの意図や行動には論争があるが、彼は軍を率いて東へ向かった。コンスタンティウス二世もこれに対抗して西に向かい始めたが、三六一年秋に病死し、ユリアヌスは内戦に至ることなくコンスタンティノープルに入城して、帝位に即いた。

ユリアヌス帝は、コンスタンティノープルで政治改革を試みたものの、すでに皇帝の絶対的な権威を維持しようとする宮廷を変えることはできず、キリスト教に対抗した「ギリシア・ローマ風」伝統宗教復興も成功しなかった。当初は宗教的寛容から出発したユリアヌスの政策は、教師に関する勅令によって古典教育からキリスト教徒を排除したものの、決して迫害はしなかったが、次第にその行動は先鋭化し、サーサーン朝対応のために滞在したシリアのアンティオキアでは市民と不仲になったほどである。そして、ユリアヌスは三六三年にサーサーン朝の領土へと侵攻し、マラガでの戦いで戦死してしまった。三二歳の若さだった。軍はヨウィアヌスを皇帝に選んでサーサーン朝と講和を結び、撤退した。

諸部族の移動とローマ帝国の対応

ユリアヌス帝は戦死したが、その翌年に登位したウァレンティニアヌス一世帝の治世(三六四—三七五年)、ローマのサーサーン朝に対する形勢は特別に不利になったわけではなく、またライン川・ドナウ川方面の辺境での威望も保たれていた。三六七年、歴史家アンミアヌス・マルケリヌスが「蛮族の共謀」と呼ぶスコティ人、ピクト人、アッタコッティ人によるブリテン島攻撃、サクソン人、フランク人のガリア襲撃という、前例のない同時攻撃が生じた時も、将軍テオドシウス(後の皇帝テオドシウス一世の父親)が出動して、ブリテン島のローマ支配を回復している。

しかし、三七〇年代にユーラシア大陸の東からフン人が西進し、ゴート人のグレウトゥンギ集団やアラニ人を攻撃して支配下に入れると、事態は急変した。恐れをなしたゴート人のテルウィンギ集団が、帝国領の東半を統治する皇帝ウァレンスにドナウ渡河許可の了解を得て、三七六年に帝国領内に移動を始めた。移動の規模については議論があり、古代のエウナピウスは二〇万人と記す(Eunapius, Fr. 24)が、現代の研究者は、戦闘員の数は二万人程度と、はるかに少なく見積もる(Heather 2006)。一〇万人程度の移住は元首政の時代でもしばしばなされた記録がある。だが、このたびは、渡河後のローマ帝国側の過酷な取り扱いに憤った移住者たちが反抗し、ローマの守備責任者が反乱者との戦闘に敗れ押し返すことができなかったため、ドナウを渡って属州モエシアに入るルートは完全に開放状態となり、アラニ人、フン人も渡河する事態となった。そして、三七八年の夏、反徒となった移住者たちを鎮圧しようとした皇帝ウァレンスのローマ軍は、アドリアノープルでゴート人を中心とする軍隊と戦うが、大敗北を喫して膨大な数の戦死者を出し、皇帝自身も戦死してしまった。

帝国領の西半を統治するグラティアヌス帝は、急遽(きゅうきょ)テオドシウス(三六七年にブリテン島を帝国支配に戻した将軍の子)を東へ派遣して皇帝とし、回復を委ねた。皇帝テオドシウス一世は、ゴート人、アラニ人、フン人と戦い勝利すると、三八二年にゴート人との間で条約を締結し、彼らを「フォエデラティ」(同盟部族)として属州に永住を認め、ローマへの兵士の提供義務を課した。彼らはローマ兵となるが、部族の長の命令で動く部隊であった。この条約は分離国家を認めたとその意義をしばしば強調されるが、条約そのものには先例もあり、画期的であったというわけではない。重大な点は、このゴート人たちがそれまでの移住者と異なり、定住せずにその後再度動き出したことである。

こうした属州外から帝国領内への部族の移住に先立って、すでに属州外出身者が帝国内で活躍を始めていた。コンスタンティヌス大帝以降、ゲルマニア出身の軍人には出世を重ねてローマ軍の要職たる野戦機動軍の歩兵長官や騎兵長官になる者も現れた。彼らは、位階もコンスル級になり、総司令官職ができるとその地位に就いて国政を動かし始めた。フランク人出のバウトやリコメル、アルボガスト、ヴァンダル人出自のスティリコなどが皇帝政府で権力を握るようになったのである。三八〇年代以降には、ローマ皇帝政府やローマ軍の内部での権力構造の変化を背景に皇帝位簒奪事件が繰り返し発生した。最終的にはテオドシウス一世が三九四年に収拾して、帝国領全土を単一の権力下に収めた。

しかし、テオドシウス一世が三九五年に世を去ると、彼の二子の間で再び統治領域が分担されたが、ウァレンティニアヌス一世時代に弟ウァレンスとの分担はなされるも連携していた帝国の西半と東半は、今度は境界域の領土問題を理由に対立するようになった。そして、五世紀初めにローマ帝国は完全に東西両帝国に分裂してしまったのである（南雲 二〇一六）。

西方における帝国の崩壊とその後の世界

三九四年にテオドシウス一世が帝国領の統一を果たした激戦の最前線で、ローマのために戦い多くの死傷者を出したのは、ゴート人の部隊だった。彼らはその後、アラリックに率いられて移動を開始し、生きるための略奪を繰り返した。四〇一年にはイタリアに到達した。これに対応したのは西ローマ帝国の最高指導者で、ヴァンダル人の出のスティリコであった。翌年、スティリコは二度の戦いでアラリックを破ったのである。

しかし、スティリコはイタリアを防衛するために、ブリテン島やガリアのフロンティアから軍を召集するという、ローマの帝国統治体制を危うくする措置をした。スティリコは、ラダガイスス率いるゴート人の軍隊がイタリアに侵入したのを四〇六年に破ったが、この年の年末、無防備になったガリアへ、ライン川を渡って諸部族が侵入したのである。四〇七年にはブリテン島の僭称皇帝コンスタンティヌス三世もガリアに侵攻した。もはやラヴェンナに置かれた西ローマ皇帝政府には「帝国」として領域をコントロールすることができなくなった。さらに、四〇八年にスティリコが陰謀の疑いで処刑されると、西ローマ帝国皇帝政府は迫り来るアラリックのゴート人集団に適切な対応をすることができず、ついに四一〇年、ゴート人の集団はローマ市に入って、殺戮と略奪を行うに至った。

その後、ヴァンダル人、スエウィ人、アラニ人はイベリア半島に侵攻し、それぞれ帝国属州に生活圏を得るために移動した。こうした四世紀末からの激動期に、政治思潮の面で最盛期には見られない動きが生じた。ローマ帝国は軍指揮や防衛戦争をゲルマニア出身者に大きく依存していたが、その彼らを野蛮な人々として排斥して「ローマ」を高く掲げようとする思潮が強まり、流血の事件ともなったのである(弓削 一九七六、西村 二〇一三、南川 二〇一三)。「他者」としての「ゲルマン人」の成立とみてよい事態であり、広く住民を受け入れて国家を形成・発展させてきた「帝国」ローマの本質とは合わない状態となった。五世紀初頭、ローマ市内でゲルマニア人の衣装やヘアスタイルをすることを禁止した西ローマ皇帝ホノリウスは、帝国から離反したブリテン島に対して、後の伝えでは「自分の町は自分で護れ」と通知したとされる。こうして、アドリアノープルでの敗北からわずか三〇年ほどで、帝国領の西半でローマは「帝国」であることを止めたのである。

さて、ゴート人はローマ市を略奪後、南イタリアへ、そののち北に転じてガリアへと移動し、四一八年、西ローマ皇帝の政権からアクィタニアに定住することを承認された。西ローマ皇帝の同盟部族という建前ではあったが、独立国家と解してよいだろう。諸部族集団のうち、最も遠方へ移動したのはヴァンダル人である。彼らは四二九年、イベリア半島から北アフリカに渡り、四三九年にはカルタゴ市を陥落させた。

一地方政権となった西ローマ皇帝の政府では、四三〇年代に入ると、ローマ帝国属州上層民の子として生まれながら若い頃にゴート人やフン人の下で人質として過ごした経験を持つアエティウスが、指導的な役割を果たすようになった。そして、西ローマ皇帝政権が、もはや帝国の役割を担えなくなってしまったにもかかわらず、ガリアで移動してきた諸部族と外交交渉や戦争を行ってわずかでも勢力を残そうと試みる際、このアエティウスがフン人の軍事力を背景に活躍したのであった。しかし、そのフン人が四五〇年代になって西進し、王アッティラの下で大帝国を形成すると、一転、アエティウスは西ゴート人などと同盟してこれに対抗し、四五一年のカタラウヌムの戦いで、アッティラの動きを止めることに成功した。けれども、同時にフン人とのつながりを失い勢力の基盤をなくしたアエティウスは、四五四年、西ローマ皇帝政権内で敵視され、皇帝によって殺害されてしまう。

四五五年には、北アフリカより来襲したヴァンダル人によってローマ市が略奪された。しかし、アエティウス死後、西ローマ皇帝政権に周囲の諸勢力と対抗できるような指導者は現れなかった。そして、四七六年、外部部族の傭兵団司令官のオドアケルが最後の皇帝ロムルス・アウグストゥルスを廃位し、コンスタンティノープルの東ローマ帝国皇帝に皇帝徽章を返して、もはやイタリアに皇帝を送る必要はないと通告した。これによって、ローマ帝国領の西半で帝国は崩壊しても残っていた皇帝の政権が、ついに消滅したのである。

ローマ帝国の役職者が四〇九年に追放され、先住者の勢力が各地で支配を形成していたブリテン島は、四四〇年代に大陸から来たサクソン人の支配下に入ることになった。四八一年には、現在のドイツ中部から北フランス、ベルギーあたりに形成されていたフランク人の国の王にクローヴィスが即いた。この頃には、フランス南部からスイスにかけての地域にブルグント人の王国、南ドイツにはアラマンニ人の王国も成立していた。旧西ローマ帝国領には、「ローマ人」を名乗る者はおり、帝国の制度は利用されているものの、明らかに別の世界へと移りつつあったのである。

東ローマ帝国と西アジア世界の激動

最初に諸部族の移動に苦しみ、次いでフン人の拡大にも対応しなければならなかった東ローマ帝国では、その苦難を克服して次第に国力を回復していった。五世紀前半に築かれたテオドシウス二世の城壁によって、コンスタンティノープルは難攻不落の都市となった。五世紀の終わり頃に即位したアナスタシウスの治世に、国は財力に富んだ強国になったのである。そして、五二七年に皇帝となったユスティニアヌス一世は、旧西ローマ帝国領を回復する軍事行動を起こした。同帝は将軍ベリサリウスらに命じて、まず国内が混乱していた北アフリカのヴァンダル人の王国を攻め、これを滅ぼした。次いで、イタリアに遠征軍を送った。イタリアでは、西ローマ皇帝を廃位したオドアケルの王国が移動してきたゴート人に取って代わられ、「東ゴート」人の王国が王テオドリック(在位四七四―五二六年)の統治下で長らく繁栄していたが、この王の死後に動揺した東ゴート王国に、ユスティニアヌスは軍を送り込んだのである。戦いは長く続き、ユスティニアヌスは治世後半の五五五年にようやくイタリアを支配下においた。さらに、イベリア半島の西ゴート王国にも軍を送って、半島の南部、地中海沿岸地域を手に入れた。

この一見ローマ帝国の再興とも思われる勢いは、ユスティニアヌス死後間もなく消えた。イタリアではランゴバルド人が侵入して、支配地域は急速に失われていった。東ローマ帝国は、東でも戦いを強いられた。サーサーン朝がフスラヴ(ホスロー)一世(在位五三一―五七九年)の下で強勢となり、東ローマ帝国に対して優位に立っていた。その孫のフスラヴ二世(在位五九一―六二八年)は、即位時に東ローマ帝国と結んだ講和を破って帝国領に侵攻し、東ローマ帝国軍を破ってシリア、パレスティナを占領、さらに六一九年にはエジプトも征服した。これによって、帝都コンスタンティノープルへの穀物供給は止まり、東ローマ帝国の危機はますます深まった。さらに、バルカン半島でも、六世紀から現れていたスラヴ人とアヴァール人が帝国領に本格的に侵攻するようになり、六二六年になると、サーサーン朝とスラヴ人、アヴァール人にコンスタンティノープルが包囲された。

この危機を脱した東ローマ帝国は、六二七年に皇帝ヘラクレイオスが率いる遠征軍がサーサーン朝の本土を突いて大勝した。敗北して混乱したサーサーン朝宮廷ではフスラヴ二世が殺害され、その後一挙に衰退へと至る。東ローマ帝国はサーサーン朝から東方属州を奪い返し、皇帝は首都に帰還して凱旋式を挙げたが、西のバルカン半島ではスラヴ人とアヴァール人が脅威となったままであり、イベリア半島沿岸の領土はすでに六二一年に失われ、イタリアの領土もランゴバルド人の進軍の前に危機状態が続いていた。

さらに、東ローマ帝国にとってもサーサーン朝にとっても、重大な局面が訪れる。イスラーム教徒アラブ軍の侵攻である。イスラーム教徒の征服軍は東ローマ帝国軍に大勝し、シリア、パレスティナ、メソポタミア、アルメニアの征服を経て、六四二年には全エジプト征服にまで及んだ。帝国の東方属州はすべて失われたのである。七世紀後半になると、ドナウ河口地帯にブルガール人の国家建設を認めざるをえなくなり、東ローマ帝国はもはや「帝国」としての機能を失ったと同じ状態になった。また、衰えていたサーサーン朝も、六四二年にアラブ軍にニハーヴァンド(ナハーヴァンド)の戦いで敗れ、六五一年ついに滅亡した。こうして、東ローマ帝国は一度「帝国」としての領域と統治機能を失い、これと競合してきた西アジア世界の大国家サーサーン朝も同じ頃に消滅したのである。

やがて、イスラーム教徒の西アジアと地中海南岸地域の支配を横目にしながら、東ローマ帝国は力と秩序を回復し、「ビザンツ帝国」として新たな歴史を刻み始めることとなる。旧西ローマ帝国領ではフランク王国が支配を拡大し、西欧における中世的世界秩序を構築していった。ヨーロッパと西アジアの諸地域は古代を終えるのである。

九、ローマ帝国の記憶と表象

よみがえったローマ帝国

以上、ローマ帝国の形成から終焉までを、西アジアの両大国の歴史を織り交ぜながら、政治史を中心に通覧してきた。中世以降、帝国旧領の西半にはローマは実体ある国家としては存在せず、カール大帝の戴冠や神聖ローマ帝国の形成などを通じて名と理念として意味を有していたが、旧領東半には後継国家としてビザンツ帝国が存続していた。ところが、一四五三年にそのビザンツ帝国がオスマン軍によって滅ぼされ、実体としての「ローマ帝国」が完全に消滅してしまった。すると、古代のローマ帝国の「記憶」と「表象」の構築が始まった。ローマ帝国は近世によみがえったのである。

ルネサンスの時代に古代ギリシアとともに「発見」されたローマは、人文主義の潮流の中で注目されたが、ルネサンス人のローマへの注目は皇帝の支配する時代の大帝国ではなく、共和政国家であった。当時のイタリアの都市国家の政治家にとっては、共和政ローマ国家が彼らの政治のための良きモデルや研究対象であった。尊敬されるローマの政治家・文人は共和政末期のキケロであり、そのラテン語は極めて高く評価されたのである。

人文主義の思潮はヨーロッパに拡大し、一八世紀になるとドイツで、古代ギリシアを生や芸術の規範と見る新古典主義の運動が興ったが、ローマについては引き続きヨーロッパ諸国では共和政国家が評価された。イギリスでは、共和政ローマが人民の「自由」と帝国形成とを両立させた点が注目された。帝政期については、フランスのモンテスキューの『ローマ人盛衰原因論』に代表されるように、堕落と滅亡に繋がるものと見なされた。フランス革命後にナポレオンによる「帝政」が始まると、これと戦うイギリスなどではローマ皇帝への評価は一層否定的なものとなった。

しかし、一九世紀のうちに、ヨーロッパ諸国におけるローマの評価は大きく転換し、また複雑化した。まず、イギリスではナポレオン後も「帝国」や「皇帝」に対しては否定的な評価が続き、ネロ時代にローマに反乱を起こしたブリテン島先住民の指導者ボウディッカ女王への尊崇が高まった。ボウディッカの名の意味「勝利」が時のイギリス女王ヴィクトリアと同じこともあり、悲劇の女王として彼女の像が造られたのである。

ところが、そのヴィクトリア女王の治世にイギリスは第二次イギリス帝国を形成し、その植民地支配はローマの帝国支配に極めて似てきた。インドで生じた大反乱は、民族の英雄とされていたボウディッカの評価を変えることになった。一八七七年、ヴィクトリア女王はインド皇帝となる。政治家や学者のローマに関する論調は親ローマ的になり、ローマの帝国統治が評価されるようになった。世紀末にかけ次第にドイツとの関係が悪化する中で、自分たちは「民族」としては「ゲルマン系」であるものの文化的にはローマ人の子孫であるといった見方も出てきた。さらに、南ア戦争の苦戦はイギリス帝国の衰退を思わせ、ローマ帝国衰亡史への関心も高まったのである。

一方、ドイツでは、ルネサンス期にタキトゥスの作品を通じて自らの「民族」の古代の祖先を発見し、ローマ人と異なるゲルマニア人の「自由」を賛美するようになった。さらに、一九世紀にナショナリズムの高まりの中で、フランスと対抗する政治状況の下、古代のゲルマニアの人々の歴史を「ドイツ人」の歴史に重ね合わせ、対抗するフランスをローマ人の系譜を引くものと位置づけた。アウグストゥス帝時代にローマの遠征軍を「トイトブルクの森の戦い」で殲滅したゲルマニア人連合軍の指揮官アルミニウスは、中世を通じて「ヘルマン」の名を得ていたが、ドイツ民族の英雄とされ、一八七五年には巨大な記念像が建てられたのである。しかし、そのドイツでは、強大な帝国ローマに対する関心や憧れは別に存在していた。そして、ローマ帝国史研究が熱心に推進されただけでなく、フランクフルト・アム・マイン郊外のザールブルクでのローマ軍要塞復元の式典には、ドイツ皇帝ヴィルヘルム二世自ら出席し、ローマ皇帝のごとく振る舞ったのであった。

フランスの事情も複雑である。フランス革命の頃、シィエスの『第三身分とは何か』に見えるように、「第三身分」を称する人々は自らをローマ統治下にあった先住者ガリア人の子孫と理解し、対抗する貴族をフランク人の子孫と見なした。フランス人の祖先をガリア人とみる思想は一九世紀にさらに力を持ち、同世紀後半の皇帝ナポレオン三世は、カエサルに敗れたガリア人の指導者ウェルキンゲトリクスの像を建てさせ、パリ郊外のサン・ジェルマン・アン・レーに「ケルト」の遺物を収めた博物館を開設している。だが、一八三〇年に始まったアルジェリアの征服と植民地化にあたっては、ローマ史研究者を軍に同道させた。ローマ帝国時代に属州アフリカ・プロコンスラリスであった地域を占領して統治下においたフランスは、ここで考古学調査を推進し、ラテン語の碑銘を収集した。北アフリカの地は自分たちの祖先であるローマ人が支配し暮らしていた土地であるということを証明し、植民地化政策を正当化せんとしたのである。

このように、英独仏三国では一九世紀にローマの評価がそれまでと大きく変わり、また複雑化したといえよう。三国に留めたが、まさにこの三国で今日のローマ史研究の基礎が作られたのであった。帝国主義の、「文明化の使命」が語られた時代に、本格的なローマ史研究の基礎が築かれ、同時に帝国のイメージも形成されたのである。

ローマ帝国の虚像と実像

第一次世界大戦後のヨーロッパでファシズムが成立すると、ローマ帝国が改めて登場した。とくにイタリアでは、ムッソリーニがローマ帝国の再興を訴えた。彼は、皇帝ネロもできなかったローマ市の改造を行い、一九三七年にはアウグストゥス記念展覧会を催した。それが、彼の盟友ヒトラーのベルリン改造へと繋がっていく。そのヒトラーは「ゲルマン主義」を高く掲げたが、ローマ帝国に対しては決してその意義を否定していない。

第二次世界大戦後になると、ファシズム国家のローマ賛美を否定する映画がアメリカで次々作成された。『クォ・ヴァディス』(一九五一年)では暴君ネロ帝を見た観客がすぐにヒトラーを連想するように作られていた。二〇世紀のローマ帝国イメージの変遷を紹介したクリストファー・ケリー(ケリー 二〇一〇)は、戦後の映画のローマ帝国批判は一九六〇年代になると退潮し、代わって豊かさの象徴としてローマは示されるようになったという。その後は映画で取り上げられても、ローマ帝国はイデオロギー的に扱われることなく、ただその強大さ、豊かさが前面に出された。この傾向は、二〇〇〇年公開の『グラディエーター』まで続く。ケリーは、この話題になった映画がナチスの政治活動を思い浮かべる情景をセットで用意しながらも、結局「家族」の物語に帰結させていると指摘している。

ところが、二〇世紀末に、ヨーロッパ統合の進展を受けて、再び政治面でローマ帝国が登場する。統合された広大な領域と共通通貨などを踏まえて、「EUは古代ローマ帝国に匹敵」(プロディ欧州委員会委員長)とされた。さらに、世紀転換期から盛んになった「新しい帝国論」や九・一一以降の国際政治の過激化の中で、ローマ帝国は「権力」「暴力」の象徴として議論に登場したのである。興味深いのは、話題となったアントニオ・ネグリとマイケル・ハートの帝国論で、これからの帝国の考察のためには、近代のイギリス帝国のような例があまり参考にならないとされる一方で、ローマがしばしば引き合いに出されていることである(ネグリ、ハート 二〇〇三)。ローマは「帝国」のプロトタイプとして意義を失っていないようである。

このように、ローマ帝国は近現代史の中で様々に記憶され表象されてきた。時の政治や思潮がローマ帝国の記憶や表象に反映されたが、歴史学にも影響した。一九世紀から本格的に始まったローマ帝国史の研究は急速な発展を遂げ、膨大な史資料データと分析の結果を積み上げてきたが、本稿の研究史への言及でもわかるように、構築された帝国の歴史像には、高度な実証研究の成果とは別次元の性格づけがなされることもあったのである。

しかし、ローマ帝国もまた、近代以降の政治に深い影響を及ぼした。ローマ人は独自の価値観や自らのイメージを創出し、それを統治の場で実践して、自画像を作り出した。帝国形成を「正義の戦い」と主張し、征服した民に「自由」を与え、イタリアが世界に「文明」をもたらしたと高らかに歌い上げた。ドルイド教徒を「野蛮」で「残虐」と断じてこれを殲滅しようとした。自分たちが文明であり、自分たちのやり方が人を幸福にする唯一の途と見なして行動したのだ。この「帝国の論理」を後世の帝国が引き継いだのである。ローマ帝国の理解のためには、ローマ人の構築した自画像や近現代特有の表象を克服して、「文明の帝国」像の背後にある素顔と世界史的意義をより深く考究する必要があろう。

参考文献

青木健(二〇二〇)『ペルシア帝国』講談社現代新書。

足立広明(一九八八)「聖人と古代末期の社会変動――P・ブラウンの研究を中心に」『西洋史学』一四九。

飯坂晃治(二〇一四)『ローマ帝国の統治構造――皇帝権力とイタリア都市』北海道大学出版会。

伊藤貞夫・本村凌二編(一九九七)『西洋古代史研究入門』東京大学出版会。

井上浩一(一九八二)『ビザンツ帝国』岩波書店。

井上浩一・根津由喜夫編(二〇一三)『ビザンツ――交流と共生の千年帝国』昭和堂。

井上文則(二〇〇八)『軍人皇帝時代の研究――ローマ帝国の変容』岩波書店。

井上文則(二〇一五)『軍人皇帝のローマ――変貌する元老院と帝国の衰亡』講談社選書メチエ。

井福剛(二〇一八)『古代ローマ帝国期における北アフリカ――カルタゴ周辺地域における文化と記憶』関西学院大学出版会。

ウォード＝パーキンズ、ブライアン(二〇二〇)『ローマ帝国の崩壊――文明が終わるということ』南雲泰輔訳、新装版、白水社(初版は二〇一四)。

ギアリ、パトリック(二〇〇八)『ネイションという神話――ヨーロッパ諸国家の中世的起源』鈴木道也・小川知幸・長谷川宜之訳、白水社。

大清水裕(二〇一二)『ディオクレティアヌス時代のローマ帝国――ラテン碑文に見る帝国統治の継続と変容』山川出版社。

岸本廣大(二〇二一)『古代ギリシアの連邦――ポリスを超えた共同体』京都大学学術出版会。

ギボン、エドワード(一九七六)『ローマ帝国衰亡史 I』中野好夫訳、筑摩書房。

ケリー、クリストファー(二〇一〇)『ローマ帝国』藤井崇訳、岩波書店。

後藤篤子(一九九五)「ローマ属州ガリア」柴田三千雄ほか編『世界歴史大系 フランス史 一』山川出版社。

サイム、ロナルド(二〇一三)『ローマ革命』上・下、逸身喜一郎ほか訳、岩波書店。

阪本浩(二〇〇八)「古代のイベリア半島」関哲行ほか編『世界歴史大系 スペイン史 一』山川出版社。

佐藤彰一(二〇〇〇)『ポスト・ローマ期フランク史の研究』岩波書店。

佐野光宜(二〇〇六)「葬送活動からみたコレギア――帝政前半期ローマにおける社会的結合関係の一断面」『史林』八九―四。

シェルドン、ローズ・マリー(二〇一三)『ローマとパルティア――二大帝国の激突三百年史』三津間康幸訳、白水社。

島田誠(一九九七)『古代ローマの市民社会』〈世界史リブレット〉、山川出版社。

島田誠(一九九九)『コロッセウムからよむローマ帝国』講談社選書メチエ。

島田誠(二〇〇四)「ドムス・アウグスタと成立期ローマ帝政」『西洋史研究』新輯三三。

新保良明(二〇一六)『古代ローマの帝国官僚と行政――小さな政府と都市』ミネルヴァ書房。

砂田徹(一九九九)「共和政期ローマの社会・政治構造をめぐる最近の論争について――ミラーの問題提起(一九八四年)以降を中心に」『史学雑誌』一〇六―八。

高橋秀(一九六九)「地中海世界のローマ化と都市化」『岩波講座 世界歴史 二』岩波書店。

田中創(二〇二〇)『ローマ史再考――なぜ「首都」コンスタンティノープルが生まれたのか』NHK出版。

手代木章宏(一九八七)「ローマ帝国形成をめぐる問題――ローマ人と戦争」『歴史』六九。

豊田浩志(一九九四)『キリスト教の興隆とローマ帝国』南窓社。

中西恭子(二〇一六)『ユリアヌスの信仰世界――万華鏡の中の哲人皇帝』慶應義塾大学出版会。

南雲泰輔(二〇〇九)「英米学界における『古代末期』研究の展開」『西洋古代史研究』九。

南雲泰輔(二〇一六)『ローマ帝国の東西分裂』岩波書店。

西村昌洋(二〇一三)「蛮族を愛し蛮族を容赦する――後期ローマ帝国における蛮族言説に関する一考察」『西洋史学』二五〇。

ネグリ、アントニオ&マイケル・ハート(二〇〇三)『〈帝国〉――グローバル化の世界秩序とマルチチュードの可能性』水嶋一憲ほか訳、以文社。

長谷川岳男(二〇〇一)「ローマ帝国主義研究――回顧と展望」『軍事史学』三七。

長谷川岳男・樋脇博敏(二〇〇四)『古代ローマを知る事典』東京堂出版。

長谷川博隆編(一九九二)『古典古代とパトロネジ』名古屋大学出版会。

春田晴郎(一九九八)「イラン系王朝の時代」『岩波講座 世界歴史 二』岩波書店。

樋脇博敏(一九九八)「ローマの家族」『岩波講座 世界歴史 四』岩波書店。

樋脇博敏(二〇一五)『古代ローマの生活』角川ソフィア文庫。

ブラウン、ピーター（二〇〇六）『古代末期の形成』足立広明訳、慶應義塾大学出版会。

ホプキンズ、キース（二〇〇三）『神々にあふれる世界』上・下、小堀馨子・中西恭子・本村凌二訳、岩波書店。

松本宣郎（二〇一七）『ガリラヤからローマへ——地中海世界をかえたキリスト教』講談社学術文庫（初版は山川出版社、一九九四）。

丸亀裕司（二〇一七）『公職選挙にみるローマ帝政の成立』山川出版社。

南川高志・井上文則編（二〇二一）『生き方と感情の歴史学——古代ギリシア・ローマ世界の深層を求めて』山川出版社。

宮嵜麻子（二〇一一）『ローマ帝国の食糧供給と政治——共和政から帝政へ』九州大学出版会。

本村凌二（一九八二）「属州バエティカの都市化と土着民集落」『西洋古典学研究』三〇。

本村凌二（二〇一一）『帝国を魅せる剣闘士——血と汗のローマ社会史』山川出版社。

安井萠（二〇〇五）『共和政ローマの寡頭政治体制——ノビリタス支配の研究』ミネルヴァ書房。

弓削達（一九六四）『ローマ帝国の国家と社会』岩波書店。

弓削達（一九七〇）「ドミナートゥスの成立」『岩波講座 世界歴史 三』岩波書店。

弓削達（一九七七）『地中海世界とローマ帝国』岩波書店。

弓削達（一九九一）『永遠のローマ』講談社学術文庫（初版は講談社〈世界の歴史〉3、一九七六）。

吉村忠典（一九八一）『支配の天才ローマ人』三省堂。

吉村忠典（二〇〇三）『古代ローマ帝国の研究』岩波書店。

吉村忠典（二〇〇九）『古代ローマ世界を旅する』刀水書房。

歴史学研究会編（二〇〇六）『幻影のローマ——〈伝統〉の継承とイメージの変容』青木書店。

Ando, Clifford (2000), *Imperial Ideology and Provincial Loyalty in the Roman Empire*, Berkeley, University of California Press.

Dodgeon, Michael & Samuel Lieu (eds.) (1991), *The Roman Eastern Frontier and the Persian Wars (AD 226–363): A Documentary History*, London & New York, Routledge.

Fear, A. T. (1996), *Rome and Baetica: Urbanization in Southern Spain, c. 50 BC–AD 150*, Oxford, Oxford Clarendon Press.

Frier, Bruce (2000), "Demography", *Cambridge Ancient History* 2nd ed., vol. 11, Cambridge, Cambridge University Press.

Garnsey, Peter & Richard Saller (2014), *The Roman Empire: Economy, Society and Culture*, 2nd ed., London, Bloomsbury.

Gelzer, Matthias (1912), *Die Nobilität der römischen Republik*, Leipzig, Teubner.

Harris, William (1979), *War and Imperialism in Republican Rome 327–70 BC*, Oxford, Oxford University Press.

Heather, Peter (2006), *The Fall of the Roman Empire: a New History of Rome and the Barbarians*, Oxford, Oxford University Press.

Hingley, Richard (2005), *Globalizing Roman Culture: Unity, diversity and empire*, London & New York, Routledge.

Hopkins, Keith (1978), *Conquerors and Slaves*, Cambridge, Cambridge University Press.

Hopkins, Keith (1983), *Death and Renewal*, Cambridge, Cambridge University Press.

Horden, Peregrine & Nicholas Purcell (2000), *The Corrupting Sea: A Study of Mediterranean History*, Oxford, Blackwell.

Inglebert, Hervé dir. (2005), *Histoire de la civilisation romaine*, Paris, Presses Universitaires de France.

Kelly, Christopher (2008), *Attila the Hun: Barbarian Terror and the Fall of the Roman Empire*, London, the Bodley Head.

MacMullen, Ramsay (1982), “The Epigraphic Habit in the Roman Empire”, *AJPh*, 103.

Millar, Fergus (1977), *The Emperor in the Roman World (31 BC–AD 337)*, Ithaca, Cornell University Press.

Millar, Fergus (1998), *The Crowd in Rome in the Late Republic*, Ann Arbor, The University of Michigan Press.

Saller, Richard (1982), *Personal Patronage under the Early Empire*, Cambridge, Cambridge University Press.

Saller, Richard (1994), *Patriarchy, Property and Death in the Roman Family*, Cambridge, Cambridge University Press.

Whittaker, C. R. (1994), *Frontiers of the Roman Empire: a Social and Economic Study*, Baltimore & London, Johns Hopkins University Press.

Woolf, Greg (1996), “Monumental Writing and the Expansion of Roman Society in the Early Empire”, *JRS*, 86.

Woolf, Greg (1998), *Becoming Roman: the Origins of Provincial Civilization in Gaul*, Cambridge, Cambridge University Press.

※欧語の参考文献は、原則として本文中で言及したものに限定した。本「展望」の重要テーマに関しては、以下の拙稿やそれに記載の文献を参照されたい。

【ローマ帝国の形成、皇帝政治の成立と発展、最盛期帝国の社会について】

南川高志（一九九五）『ローマ皇帝とその時代——元首政期ローマ帝国政治史の研究』創文社。

南川高志(一九九八)「ローマ皇帝政治の進展と貴族社会」『岩波講座 世界歴史 四』岩波書店。

南川高志(二〇一四)『ローマ五賢帝——「輝ける世紀」の虚像と実像』講談社学術文庫(現代新書版は一九九八)。

南川高志編(二〇一八a)『B.C.二二〇年——帝国と世界史の誕生』〈歴史の転換期〉1、山川出版社。

【属州の実態や「ローマ化」について】
前掲の南川高志編(二〇一八a)の他に、
南川高志(二〇一五a)『海のかなたのローマ帝国 増補新版——古代ローマとブリテン島』岩波書店(初版は二〇〇三)。
南川高志(二〇二〇)「ローマ帝国による統合をめぐって」『西洋古代史研究』二〇。

【ローマ帝国の変容と衰退について】

南川高志(二〇一三a)『新・ローマ帝国衰亡史』岩波新書。

南川高志(二〇一三b)「研究覚書 拙著『新・ローマ帝国衰亡史』の参考文献について」『西洋古代史研究』一三。

南川高志(二〇一五b)『ユリアヌス——逸脱のローマ皇帝』〈世界史リブレット〉、山川出版社。

南川高志編(二〇一八b)『三七八年——失われた古代帝国の秩序』山川出版社。


【ローマ帝国の記憶と表象について】

南川高志(二〇〇四)「ヨーロッパ統合と古代ローマ帝国」紀平英作編『ヨーロッパ統合の理念と軌跡』京都大学学術出版会。

　および、前掲の南川高志(二〇一五a)。

なお、イタリア史の観点からのローマ帝国記述は、次を参照されたい。

松本宣郎編(二〇二一)『世界歴史大系 イタリア史 一』山川出版社。

コラム｜*Column*

考古学の存在感とリアリティ

冨井 眞

過去の人間の営みを知ろうとしても、文献や伝承、碑文や絵画といった記録に頼れないとき、存在感を増すのが考古学である。考古学は、民具を扱う民俗学と同様に、人工物（モノ）が構成する物質文化を主な対象とするので、歴史復元に物質的リアリティを与え得る。しかし、考古学が扱うモノは、墳墓のような不動産的な構造物も土器のような動産的な製作物も、ほとんどが、土に埋もれ当時の機能を損なった不完全な状態にある。考古学の真価は、そんな状態のモノや自然遺物といった考古資料の、リアリティをどう高めるかにかかっている。

考古学は、手法や対象に応じて、〇〇考古学、と様々に細別される。歴史学としては、文字などの記録がない時代や地域における人間活動を研究対象とする先史考古学と、文字などの記録が残る歴史時代を扱う歴史考古学、という区分が最も意識されよう。例えば、紀元前一世紀頃のヨーロッパを対象とする考古学でも、ブリテン島のことなら先史考古学で、都市ローマのことなら歴史考古学となる。

歴史考古学の醍醐味（だいごみ）の一つは、文字記録とモノとの対照だろう。例えば、「トイトブルクの森の戦い」と呼ばれる、アウグストゥス帝の治世の後九年にローマ軍司令官ウァルスがゲルマン諸部族に敗れた戦い。その舞台の特定には、今より数百年以上前から諸説あったが、決着に導いたのは考古学的成果の蓄積だった。その比定地は、ドイツ北西部のオスナブルック郡のカルクリーゼ遺跡(Kalkriese)で、現在のトイトブルクの森の広がりからはやや遠い。

冷戦下にイギリス将校としてライン川下流域に駐屯していたアマチュア考古学者が、金属探知機を用いて、同郡の考古学担当者とともにカルクリーゼで踏査を始め、一九八七年夏から、古代ローマの銀貨や投弾を発見していく。一九八九年には一連の発掘が始まり、翌年にアウグストゥス帝の頃の大規模な塹壕の跡も検出され、その後も、人骨や騾馬（らば）の骨が集積した穴が何基も見つかった。遺跡とその周辺の発掘は今も続いている。

これまでの調査成果を見てみよう。出土したコインは、後九年よりも前に鋳造されたものばかりである。兵器や武具は思いのほか少なく、持ち去られたことを物語る。穴にまとめ入れられた人骨は、関節の整った人体的配置を保っていなかった。塹壕の盛り土は、上に柵や通路を有する土塁で、四〇〇メートルにおよぶ。出土資料の精査も進み、無秩序に集め入れられた人骨や騾馬などの骨の分析でわかったことには、人骨の多くは栄養状態の良い成人男性で、遺体は地上で数年は放置され、治療痕跡のない傷をもつ頭蓋骨もあった。そして、人骨以外の骨の大半は騾馬で、少なくとも一頭は死ぬ前の夏に地中海地方で飼養されていた。これらの考古学や関連科学の、肉眼レベルから同位体元素レベルに至るまでの研究成果を積み重ねると、アウグストゥス帝の治世にローマ軍が遠征して戦闘に臨み戦死者は何年も後にゲルマニクスが弔った、という文献の記録に見事に合致する。

歴史的な舞台の解明には胸躍るが、一般的な都市遺跡の復元でも、考古学は、どの建物がどんな機能だったかという基礎データを提供する。南仏のリオン湾のラット(Lattes)は、前六世紀以来の港町で、ローマ時代にはラッタラ(Lattara)と呼ばれていた。ラッタラ遺跡の発掘は五〇年以上も続いており、これまでの調査で、前一世紀までには分業化や貨幣経済が定着していたことがわかっているが、近年の特筆的成果に、飲食店(*taberna*)を考古学的に同定した典型例とも評価し得る前二─前一世紀の建物跡がある。

この建物は、都市プラン全体から見ると、街の北入口の近く、重要な通りに面した角地に位置し、人通りのある地点の立地と言える。建物の造りや装飾は豪奢ではないが、石敷きされた中心的な広間に、一般家屋にはない設えの二つの袖棟が取り付く構造である。広間の床下の地鎮祭祀の遺物は、一般家屋のそれと異なって、飲食器や石臼を含み供物も多い。建物入口から中央広間の奥に見通せる袖棟では、遺存状態の良い部屋は、入口沿いを除く三方の壁際にベンチが据え付けられて中央には炉が配されているが、土器片や食物残滓が少なく掃除が行き届いており、食堂を思わせる。もう一方の袖棟は、長辺が雑踏に面し、短辺の壁際には三基の大型オーブンが並置され、対向の壁際にも捏ね台の設置に適する三基の配石があり、厨房を思わせる。

出土資料を細かく見ると、土器・陶器では、同時期の一般家屋の器種と比べると、品目は変わらないが組成比が異なって、煮沸容器が少ない一方で、盛り付け用と思しき大型の鉢や、飲用の精製の茶碗が多い。微細遺物の分析によると、オーブン傍には多量の獣骨・魚骨が出土し、魚骨の分布を精査すると、厨房的空間では鱗と頭部が高頻度なのに対して、食堂的空間ではほとんどが肋骨だった。

これら二遺跡の例をはじめ、考古資料の検討結果を文献記録に照らすというプロセスが歴史考古学だが、歴史考古学であれ先史考古学であれ、考古学の本分も、文献史学と同じく、資料の精査およびデータ抽出からデータ解釈に至るまでの、方法と論理にある。考古学は、土から出たモノを扱う分野、と短絡視されがちだが、《いつ、どこで、だれが、なにを、なぜ、どのように、したか》を知るために、《どこから、なにが、どのように、出土したか》を丹念に記録・分析し、その結果を論理的に解釈して、歴史のリアリティを高めていくのである。

問題群 | *Inquiry*

ローマ帝国の支配とギリシア人の世界

藤井 崇

一、ローマ帝国を東からみる

ローマ帝国建国譚――京都・大津とアプロディシアス

夏の京都を代表する祇園祭には、古代ローマ帝国のかすかな余韻が響いている。祭の山鉾の懸装品に使われているタペストリーの多くは、一六世紀末のブリュッセルで作られたものが紆余曲折をへて、京都の町衆の手に渡ったことが判明している。このタペストリーの絵柄に、ギリシア・ローマ世界から多く題材が取られているのである。人物の同定には諸説あるものの、たとえば、鶏鉾の懸装品にはローマ共和政初期の貴族主義的愛国者であったコリオラヌスが、そして鯉山の懸装品には初代ローマ皇帝アウグストゥスが描かれている。同様の事例は、滋賀県大津の曳山にも確認されている。特に興味深いのは月宮殿山の懸装品で、落城するトロイアから父親アンキセスを背負って落ちのびるアエネアスの姿が織り込まれている［図1］。スペイン・ハプスブルクのフェリペ二世は、自身の王権とローマ皇帝権とを重ね合わせ、神寵帝の範としてアウグストゥスを模倣したとされるが、日本に伝来したタペストリーの絵柄にも、フェリペ二世のこうした王権理念が反映していると考えられている（Vlam 1981）。この理念のなかで、トロイア

図1 月宮殿山の懸装品にみるアエネアス(上京町月宮会蔵．写真：大津市歴史博物館提供)

のアエネアスはローマ帝国ならびに皇帝家の祖先に位置付けられる。アウグストゥス期の叙事詩人ウェルギリウスは、『アエネイス』のなかでアエネアスの逃避行を描き、この英雄がイタリア半島にたどり着いて、彼の子孫がローマを建国していく未来を歌った。つまり、京都と大津に残されているタペストリーには、フェリペ二世時代の再解釈という形ではあるが、アウグストゥス期のローマ市で形成された帝国の建国譚の一端が語られているのである。

アエネアスとローマ建国をめぐる物語に、まったく違う意味を託した人々も存在した。大津の月宮殿山の懸装品とよく似た構図のアエネアスの姿が、トルコ南西部に残るローマ帝政期のギリシア都市アプロディシアス出土の、ある浮彫パネルに残されている。この都市のほぼ中央に位置するセバスティオン(皇帝崇拝の施設)に、一世紀、地元の富裕者の寄進で三層構造の柱廊が建設され、一九〇枚におよぶ浮彫パネルが設置された(Smith 1987)。この浮彫パネルの一つに、父アンキセスを肩に背負い、子のアスカニウスの手を引いたアエネアスが、トロイア城から落ちゆく姿が表現されている。背後では、アンキセスと結ばれてアエネアスを産んだ女神アプロディテ(ラテン語でウェヌス)が、息子の逃避行に加護を与えている[**図2**]。アプロディシアスに居住したギリシア人は、この浮彫パネルでローマ帝国との特別な結び付きを表現しようとした。先に述べたように、アエネアスの子孫がローマを建国したため、その母親であるアプロディテは、ローマの起源神と考えられた。さらに、カエサルやカエサルの養子になったオクタウィアヌス

（アウグストゥス）が属したユリウス氏族は、アエネアスの息子のアスカニウス／ユルスを名祖としたため、アプロディテ／ウェヌスは、皇帝一族の起源神でもあった。一方でこの女神は、都市名が示すようにアプロディシアスで古くから信仰された都市の守護神で、その神殿の遺構を今でも目にすることができる。つまり、アプロディシアスのギリシア人は、ローマ帝国そしてローマ皇帝との神話的な縁戚関係をこの浮彫パネルで誇示して、広大な帝国の歴史と自身の都市の歴史とを結び付けようとしたと考えられるのである。アプロディテを通じてローマ帝国との縁戚関係を強調したギリシア人都市は、他にもいくつか確認されている（藤井 二〇一一）。

図 2　アプロディシアスのセバステイオンにみるアエネアス（アプロディシアス博物館所蔵．写真：R. R. R. Smith 氏提供）

アウグストゥス期に確立しフェリペ二世に継承されて日本に伝来した、支配者からみたローマ建国譚と、それをローマ帝国に支配されたギリシア人の側から読み替えたローマの神話的起源の対比は、最盛期の二世紀に五〇〇万平方キロメートルの版図（現在の日本の国土の約一三倍）と六〇〇〇万人の人口（現在の日本の人口の約半分）を誇った巨大な帝国のなかに、さまざまな文化的記憶と帰属意識のあり方が存在した可能性を示唆している。こうした多様性は、帝国の多くの支配地域で史料の不足のため十全に再構成することが難しいが、おもにバルカン半島、小アジア、中近東地域に居住したギリシア人とヘレニズム化された人々――本稿ではこうした人々をまとめてギリシア人と、彼らが居住した地域を東方ギリシア語圏と呼ぶ――は、ローマ帝国の支配下に入り始めた前二世紀以降、一貫して大量の文字史料（文献史料、刻文史料、パピルス史料）を生み出した。このためギリシア人は、支配された側からみたローマ帝国の支配の実態と、被支配者の帰属意識の変化をある程度の確かさで継続的にたどることのできる、稀有な集団となっている。

ローマ帝国の支配の進展とギリシア人

ヘレニズム期のギリシア人歴史家ポリュビオスは、前二二〇年からの五三年の間に、「人の住む限りのほとんど全世界」がローマの支配に屈したと考えた。事実この時代に、ローマはアンティゴノス朝マケドニアを滅ぼし、セレウコス朝シリアに大打撃を与え、バルカン半島と小アジアへの軍事的関与を強めていった（藤井 二〇一八）。この時のローマは元老院を中心とした共和政だったが、ローマ支配の優越が自他ともに認められるようになった前二世紀前半は、ギリシア人にとってローマ帝国の開始時期だったとしてよいだろう。

前一四六年にアンティゴノス朝の旧領がローマの属州となり、前一三三年にアッタロス三世によってローマに遺贈されたペルガモン王国の旧領の大部分は、アリストニコス戦争をへて属州アシアに編成された。こうしてイオニア海、さらにはエーゲ海を越えた地域に、ローマ帝国の総督が常時滞在するようになった。新属州は、貢納徴収権を落札した徴税請負人や、生産物と交易の独占を狙う貿易業者や商人といった、ローマ・イタリア人の草刈り場となったが、ポントス王ミトリダテス六世はこうしたローマ帝国の横暴にたいするギリシア人の不満を利用して、ローマ帝国に対抗した。このミトリダテス戦争の過程で、小アジアに居住していたローマ・イタリア人約八万が殺害された「エフェソスの晩禱」や、ローマの将軍スラによるアテネ占領といった大事件が起こっている。この戦争を最終的に終結させたポンペイウスは、ミトリダテスの旧領を属州ビテュニア・エト・ポントゥスに編成し、さらにセレウコス朝を廃絶して前六三年に属州シリアを成立させた。

バルカン半島、小アジア、中近東地域は、この時点から前二七年のアウグストゥスによる元首政の成立にいたるローマの内戦の主要な戦場となり、大規模な経済的、人的損害を被った。この内戦の経過をここで詳しくたどることはできないが、前三一年のアクティウムの海戦後にプトレマイオス朝エジプトが滅亡したことは、ヘレニズム期の終焉を告げる出来事だった。この地域の属州の編成は時代により異同があるが、国境が定まったハドリアヌス帝の時代にギリシア人が多数居住した属州として、バルカン半島でアカエア、マケドニア、トラキア、下モエシア、小アジアでアシア、ビテュニア・エト・ポントゥス、リュキア・パンピュリア、ガラティア、キリキア、中近東地域でシリア、ユダエア、エジプト、キプロス、クレタ・キュレナイカなどをあげることができるだろう。こうした属州は元老院管轄属州と皇帝管轄属州に分かれ、それぞれ元老院が選んだ総督と皇帝が選んだ総督が一年から数年の任期で統治にあたり、シリアなどの東方の前線を固める属州には軍隊が置かれた。このローマ帝国の東方ギリシア語圏には、特にバルカン半島南部と小アジア西部に集中して、おびただしい数の都市が存在していた。ある統計では、小アジアだけで六〇〇を超える都市が確認されている。これらの都市は、カエサルが本格的に建設を開始したローマ市民植民市や伝統的なギリシア人都市からなり、ギリシア人都市のなかにも、個別の条約をローマと結んだ同盟都市やある程度の特権を持った自由都市など、多くの地位が存在した。ギリシア人都市の政治形態はさまざまだが、各都市が市民権制度に基づいた民会と評議会を持ち、各種の公職者が都市運営を主導したことは共通している。ヘレニズム期以降、この地域にはアレクサンドリア、エフェソス、アンティオキア、アテネなどの大規模都市が成立し、帝政期にはいってその繁栄が加速して、ローマ帝国の経済・交易の中心地の一つになった。軍団駐屯地やローマ市民植民市でラテン語が一定程度存続したことを除けば、この地域の主要言語はギリシア語であり、ギリシア語による文化活動がきわめて活発におこなわれた。

ローマ人は、帝国に生きたギリシア人を過去の政治的、軍事的栄光から転落して阿諛追従(あゆついしょう)の態度で帝国に服従する人々と軽蔑する一方、ギリシア文化への強い憧れを持ち続けるという、矛盾する態度をとった。また、ギリシア文化に魅了されたネロやハドリアヌスといった皇帝たちは、ギリシア人の祭礼への参加やアテネなどの諸都市への訪問を通じて、当地の文化振興を推進することさえしたが、彼らがギリシア人の文化的要素から保護対象を選択する姿勢は、きわめて恣意的だった。こうした複雑な態度はギリシア人も同様で、ギリシア人名望家層はローマ帝国の理念と自身の活動の融合を図っていくが(後述)、他方、ローマ・イタリア起源の文化が東方ギリシア語圏に与えた影響——いわゆる「ローマ化」——は、剣闘士競技や浴場文化、軍団駐屯地や植民市で存続したラテン語など一部の分野に限られており、この意味で、ギリシア人のローマ・イタリア文化の摂取は実に選択的だったとされている(Woolf 1994)。

検討の視角——吉村忠典と弓削達

では、こうしたローマ帝国のギリシア人は、ローマ帝国史研究のなかでどのように扱われてきたのだろうか。二〇世紀後半の日本のローマ帝国史研究を代表する二人の研究者——吉村忠典と弓削達——の著作を振り返り、彼らがローマ帝国のギリシア人をどのように捉えていたのかを確認したうえで、本稿の検討の立ち位置を定めたいと思う。

おもに共和政期から帝政初期にかけてのローマ帝国史の研究で大きな業績を残した吉村の主張の根幹は、ローマの将軍・総督が狭義の法的権力の外にある「権威」(ラテン語で *auctoritas*)を持ち、彼らがその「権威」を通じて帝国の影響下にあった共同体のエリート層と結びつくことで、ローマ帝国の軍事行動と政治的、社会的統合が可能になったというものである。たとえばローマ帝国の補助軍に関する研究では、共和政末期の内乱のなかで、ポンペイウスがその「権威」のもとにあった共同体からそれぞれの指導者が率いる軍隊を動員した事実が精緻に分析されている(吉村 二〇〇三：七九—一二三頁。一九六一年初出)。ギリシア人都市については、少なくともアカエアやアシアなどにあった都市がポンペイウスに軍隊を派遣したことが確認されている。さらに、属州シチリアのローマ支配の実態を活写した作品のなかでは、総督ウェレスの「権威」が苛烈で貪欲な統治の原動力となると同時に、シチリアのギリシア人都市の名望家層が帝国行政のなかで重要な中間層を形成していく様子を描いている(吉村 一九九七)。こうした名望家層は、経済的、社会的立場の低い一般のローマ市民より高い地位を誇って帝国の行政を支え、彼らの一部が最終的に帝国最上層である元老院議員身分へと参入していったのである。

吉村と完全な同時代人である弓削については、彼のローマ帝国の統合についての理解が端的に示されている『世界歴史叢書』の一冊を取り上げたい。本書はまず「地中海世界」を歴史的形成物と定義し、その内実として古典古代的な市民共同体、ローマ期にあってはローマ市民共同体を措定する。こうした共同体が商品貨幣経済を通じて周辺の諸共同体を分解させて、自身を中心とする渦巻きを形成して発展していくが、主となる共同体自体も土地私有の肥大化によって崩壊の危機にさらされる。しかし、ローマ市民共同体にあっては、市民権付与とローマ市民植民市の建設によって、共同体の分解にたいして一定程度の耐性が存在した。この構想のなかで、弓削はギリシア人都市の名望家層へのローマ市民権付与に言及し、彼らがローマ市民権とともに故郷の都市の市民権を保持し続けることで、自身の都市への負担を継続したとする。さらに弓削は、こうした二重市民権において本来のローマ市民権の性格が弱まっているとして、ここに「没ローマ化」の傾向を読み取っている(弓削 一九七七:一二二―一二三頁)。

吉村と弓削の見解には、ローマ帝国のギリシア人を理解するための重要な論点があらわれている。まず、両者に共通するものとして、ギリシア人都市の名望家層がローマ帝国下で自身の都市への負担と貢献を継続し、官僚制が弱かった帝国の支配の重要な担い手となったという論点がある。これは、イタリア半島の諸都市に関する最近の研究でも強調されており(新保 二〇一六)、帝国全土に敷衍(ふえん)可能なローマ帝国の大きな特徴でもある(ケリー 二〇一〇:五二―七六頁)。一方、吉村と弓削の構図には、重要な相違点もいくつか存在する。もっとも大きな違いは、ローマ帝国の統合の原動力として、吉村がローマ帝国の将軍・総督の「権威」という法律外的権力の存在を強調する一方、弓削はローマ市民権とその拡大という法的な枠組みを重視していることだろう。この二つの論点は、ローマ帝国統合のメカニズムとして、現在でも主要なテーマとして引き続き議論の対象となっている。

ただ、両者の帝国統合論の主体はあくまでローマ人であり、帝国に組み入れられ、帝国行政に貢献したギリシア人が、そうしたローマ人からの影響をどのように理解し、受容し、生活していったかについての眼差しは希薄である。冒頭で述べたように、ギリシア人自身が残した史料の豊富さを考えるならば、吉村と弓削の構図をギリシア人の視点から再構築し、ローマ帝国の統合のメカニズムとそこでの帰属意識のあり方をギリシア人の側から考えることも、ある程度可能であるように思われる。そこで本稿では、吉村と弓削の論点を引き継ぎつつ、アイデンティティと帰属意識、文化的記憶、儀礼といった、特に二〇世紀おわり頃より盛んに議論されている歴史学上のテーマにも積極的に言及しながら、おおよそ前二世紀はじめから三世紀おわりまでのローマ帝国を生きたギリシア人を対象に、彼らがローマ帝国の支配と行政に貢献した実態とその意義(第二節)、そして、ギリシア人によるローマ市民権とローマ帝国の理解とその方法(第三節)を考察していきたい。

二、ローマ帝国に貢献する

帝国の戦士として――二つの帝国主義

前一九〇年末あるいは翌年はじめの小アジアで、スキピオ兄弟は約三万のローマ軍をもって、約七万のセレウコス朝シリアの軍を撃破した。アンティオコス三世とローマとの戦争を決定づけた、マグネシアの戦いである。前一八九年にエフェソスで軍を引き継いだ執政官のグナエウス・マンリウス・ウルソは、ガリア人の討伐を目指して小アジア内陸部への遠征を敢行し、その過程でこの地域にあったギリシア人都市同士の紛争への介入をおこなっている。マンリウス・ウルソに持ち込まれた紛争には、たとえば、テルメッソスによるイシンダへの包囲攻撃などがある(ポリュビオス『歴史』二一、三五、一―三)。

こうした事例から浮かび上がるのは、ヘレニズム期のギリシア人都市が大なり小なりの軍事力を保持し続け、ヘレニズム王やローマ帝国の侵攻に抵抗したり、近隣の都市への侵略をおこなったりした事実である。ヘレニズム王はもちろん、ローマ帝国も影響下に入った共同体に武装解除を強制することはなかった(Brunt 1975)。このように戦争を自律的におこなう意思と能力を持ち続けたギリシア人都市の行動は、ヘレニズム王やローマ帝国の大規模な征服活動と対比して、小帝国主義として注目されている(Ma 2000; 藤井 二〇一八:一〇〇―一〇四頁)。吉村がこのギリシア人都市の軍事力の問題を、ローマの将軍・総督の「権威」による動員の観点から捉えていたことは、先に述べたとおりである。

だがいうまでもなく、小帝国主義を維持したギリシア人都市の立場に立つならば、彼らのローマ帝国への戦争協力には、ローマ中心の構図には収まらないさまざまな要素が複雑に絡み合っていた。前二世紀から前一世紀にかけての状況を伝える史料をいくつかみていこう。たとえば、小アジアのイオニア地方の都市メトロポリス出土の長大な刻文には、この都市の名望家層に属していたアポロニオスなる人物がメトロポリス軍を率いて、ローマとともにペルガモン王国遺贈後のアリストニコス戦争を戦ったことが記されている(『ギリシア碑文補遺』五三、一三一二。前一三二年)。この刻文では、「共通の善行者であり救済者」であるローマ人のために、名望家層の出身であるアポロニオスが市民の同意のもとに司令官となってメトロポリス軍を指揮し戦死したこと、彼の貢献を記念してメトロポリスの民会がアポロニオスの名誉を称える決議をし、都市の広場のもっとも目立つ場所にアポロニオスのブロンズ像を彼の息子たちの費用負担で建立したこと、アポロニオスのための名誉決議が他の戦死者の名前とともに、彼の像の台座に刻まれたことが述べられている。

ここからは、ギリシア人都市のローマへの戦争協力について、二つの相反する特徴を読み取ることができる。第一は、都市の名望家層に属する者が戦争協力の主導権を持っていたこと。一般的に前二世紀以降のギリシア人都市では少数の名望家の家系の支配が進んだとされるが(Chaniotis 2018: 122-147)、この傾向は都市のローマへの戦争協力でも確認されるのである。こうした名望家層が主導したローマへの貢献は、出身都市への献身に読み替えられて、都市内での名望家層の威信を高める重要な契機となっていった。第二の特徴は、ローマへの戦争協力とその顕彰が、形式的には都市の事業とされたことである。ローマへの協力とアポロニオスの司令官選出は、市民の同意が前提となっていたし、アポロニオスの名誉決議と彼の像の設置は民会の決議に基づいていた。この刻文に直接の言及はないが、将来の市民兵となる若者は、ヘレニズム期の都市の重要な機構であるギュムナシオン(体育場)で養成された。このように、ローマへの軍事協力の基礎となる都市の小帝国主義は、伝統的なギリシア人都市の制度によっても支えられていたのである(Prag 2007)。

これと同様の事例が、いくつか確認されている。たとえば、小アジアの都市コロポンの有力者メニッポスは、ローマへの戦争協力を主導しつつもローマ軍による徴発を阻止した功績を称えられた(『ギリシア碑文補遺』三九、一二四四。前一二〇/一一九年頃)。前八〇年代前半から前六〇年代後半まで続いたミトリダテス戦争期については、ラオディケイアに包囲されたローマの将軍クィントゥス・オッピウスにたいし、アプロディシアスが「ローマ人の支配なしにはあえて生きることを選ばない」として援軍と使節の派遣を決議し、オッピウスがこれに感謝してアプロディシアスの保護者となることを宣言している(『アプロディシアス出土碑文』八、二・八、三)。この事例では、ギリシア人都市の動員とローマ将軍による保護関係が明確に表現されているが、他方で、都市名望家層の活躍と都市制度の機能を見逃すことはできない。

カエサル暗殺後の権力闘争においても事態は同様で、カッシウス・ディオは、前四三年にタルソスが、カエサルを暗殺したガイウス・カッシウス・ロンギヌスと行動をともにしていたティリウス・キンベルと戦い、その勢いで近隣の都市アダナを攻撃したことを伝えている(『ローマ史』四七、三一、一―四)。これとほぼ同じ時期、オイノアンダは、クサントスを攻撃する同じくカエサルの暗殺者だったマルクス・ユニウス・ブルトゥスに加勢を送った。オイノアンダにとって、クサントスは昔からの因縁の相手だったのである(アッピアノス『内乱史』四、七九)。このように、ギリシア人都市は勝ち組になるべく対立する陣営――ローマ帝国とヘレニズム王国、のちには敵対するローマの将軍――の見極めにおそらく四苦八苦しながらも、その小帝国主義はパクス゠ロマナ(ローマの平和)の成立直前まで継続し、都市の利害関係の発露の場となると同時に、都市の名望家の活躍の舞台となっていたのである。

「共犯者」たち

共和政末期のギリシア都市の小帝国主義に関する次のエピソードは、わたしたちを帝政期のギリシア人の世界へと誘う。アクティウムの海戦に敗れたマルクス・アントニウスの船に、追っ手が迫っていた。

> スパルタ人エウリュクレスの船だけは激しく肉迫し、甲板の上で槍を振りかざし、アントニウスめがけて投げつけようとした。〔中略〕「おれはラカレスの息子エウリュクレスだ。カエサル〔オクタウィアヌスのこと〕の武運にあやかって父の死の仇討ちに来たのだ」と言った。ラカレスは掠奪の罪状を問われ、アントニウスによって斬首されていたのであった。(プルタルコス「アントニウス」六七、秀村欣二訳、一部改変)

エウリュクレスの槍はアントニウスには命中しなかったが、彼の成功は約束された。アウグストゥスによってローマ市民権を与えられてガイオス・ユリオス・エウリュクレスとなった彼は、他の若干の家門とともに帝政前期のスパルタで絶対的な権力を行使し、彼の一族から騎士身分、さらには元老院議員身分の者が輩出したのである(リザキス二〇一五)。このエウリュクレスの出世物語は、ローマの内戦にあたってギリシア人名望家層が直面した困難と同時に、小帝国主義の運用者から帝政期のギリシア人都市の支配者へ、さらには帝国レベルの貴族に姿を変えていくギリシア人名望家層のあり方を端的に描いている。共和政末の内乱を利用して出身都市での支配を固めた人物として、他にアウグストゥスの解放奴隷だったアプロディシアスのガイオス・ユリオス・ゾイロスなどが知られている。彼らのようなケースは、帝政期のギリシア人名望家層にとって皇帝や帝国当局とのつながりが地位の保全と社会上昇にとって必要不可欠であったこと、そして同時に、ギリシア人名望家層の活躍の場が第一に自身の出身都市であったことを典型的に示している。

帝政期のギリシア人著作家プルタルコスが喝破したように、アウグストゥス期以降のギリシア人名望家層に戦争をする自由は残されていなかった(『政治家になるための教訓集』八〇五、A)。その代わりに彼らは、帝国内での地位や特権をめぐって近隣の諸都市と熾烈な競争をおこないながら、おもに出身都市への政治的、経済的、文化的貢献を強化していった。名望家層はこうしたエヴェルジェティスム(恩恵施与行為)の莫大な経済的負担に耐えながら、帝国運営の基盤となる都市の運営に尽力したのである(Quaß 1993; 増永 二〇一九)。彼らは、帝国の安寧の「共犯者」だった(ケリー 二〇一〇:五二―七六頁)。都市にありながら帝国への貢献をおこなうというギリシア人名望家層のメンタリティについては次節で触れるとして、ここでは彼らの活動の代表例をみてみよう。

ギリシア中部ボイオティア地方のアクライピアのエパメイノンダスの活躍は、一世紀なかばのギリシアの状況をよく反映している。エパメイノンダスを称える長文の刻文(『ギリシア碑文集成』七、二七一二)では、まず彼が長年放置された堤防の整備に私財を投じたことが顕彰されている。コパイス湖に面したアクライピアでは水害の危険が常にあり、堤防の維持が喫緊の課題だったのである。さらに、アクライピアが誇るアポロン・プトイオスの聖域も荒廃し、名物の競技祭も三〇年以上おこなわれていなかったが、エパメイノンダスはこれを再興して皇帝崇拝の要素も含めた。こうした公共の設備や行事の放置は、ヘレニズム後期以降のギリシア本土の経済的衰退の影響と考えることができるかもしれない。エパメイノンダスはさらに、アクライピアの市民、訪問者、解放奴隷、そして奴隷にまで、一〇日間にわたって正餐を振る舞った。エパメイノンダスの貢献はこれにとどまらず、カリグラ帝の登極時に、アクライピアが加盟したボイオティア連邦を代表する使節としてローマに赴いている。

ギリシア人名望家層によるこうしたエヴェルジェティスムの事例は、規模の大小はあれ、無数に確認されている。彼らは、公共建築物の建設・修繕、皇帝崇拝儀礼を含む各種祭礼の実施、食事、金銭、穀物の分配といった支出の他に、都市公職への就任にともなう支出(レイトゥルギア)も負担した。自然災害にたいする対応も同様である。一四一年の地震で大きな被害を受けた小アジアのリュキア地方の諸都市にたいして、ロディアポリスのオプラモアスは巨額の復興資金を拠出している。また、アテネの名家出身のヘロデス・アッティクスは、五賢帝時代の諸皇帝と密接な関係を築いて執政官に就任したのみならず、オデイオン(音楽堂)を寄進するなど故郷アテネの整備にも尽力した(南川一九九三)。さらにヘレニズム期の後半以降、名望家層に属する女性や子供によるエヴェルジェティスムの事例も、一定程度確認されるようになる。

では、こうしたギリシア人名望家層は、どの程度、帝国レベルの貴族である元老院議員身分に到達することができたのだろうか。史料の性格上、詳細な統計は不可能だが、エウリュクレスの子孫やヘロデス・アッティコスのような成功例はあまり多くなかったと考えられている。元老院議員の最低財産額である一〇〇万セステルティウスを満たしても、元老院議員の空席はあまりに少なく、社会上昇に必要な帝国中枢部との強力なコネクションを獲得できたギリシア人は、フラウィウス朝期に一定程度の増加が確認されるものの、名望家層の全体の数を踏まえるとごく一部に過ぎなかったとされている(浦野一九九八:九八―一〇二頁)。

「グローバル化」した世界のなかで

だが、ギリシア人の帝国への貢献が、軍事協力、都市行政の負担、そして元老院議員への立身出世に限られたものではなかったことには、注意しなければならない。旧来の政治的、軍事的境界が消滅したローマ帝政期の東方ギリシア語圏は、海賊の撲滅によって旅行の安全が向上したこともあいまって、人・モノ・知識が広範囲に移動し流通する世界になった(Chaniotis 2018)。西方ラテン語圏もあわせて、ローマ帝国は、古代版の「グローバル化」した世界だったといってよいだろう。この世界のなかで、さまざまな階層のギリシア人が広範囲に移動しながら帝国レベルの経済、宗教、文化の形成に貢献した。ギリシア人のローマ帝国への貢献を考える本節の最後に、特に宗教面、文化面に関して、「グローバル化」した世界における彼らの移動のあり方とその意味を検討したい。

ギリシア人名望家層は、さまざまな用務で帝国内を移動した。まず彼らは、出身都市や都市が属する広域共同体の特権確保や紛争処理を目的に、ローマの皇帝や元老院のもとに使節として赴いた(Millar 1992: 363-463)。先述のエパメイノンダスのカリグラ帝への使節派遣は、その一例である。同じく、エウリュクレス、ゾイロス、オプラモアスもそれぞれ、ローマとの軍事活動、ローマの有力者の元での勤務、出身都市周辺地域での活躍を通じて、出身都市に限定されない活動が確認できる。さらに、第二次ソフィスト運動と呼ばれる帝政期の文化潮流に関係した知識人は、広範囲な移動を通じて帝政期のギリシア文化の推進者となった(南川 一九九三)。たとえば、次節に登場する弁論家アイリオス・アリステイデスは、重い病に悩まされながらもイタリア半島と小アジアを旅し(増永 二〇二一)、帝政期の著作家ピロストラトスが伝えるところでは、スミュルナ(現トルコのイズミル)を中心に活動した弁論家ポレモンは、学術活動や知識人との交流のため小アジア各地やアテネを旺盛に旅行した(『ソフィスト列伝』五三〇―五四四)。さらにこのピロストラトスは、小アジア出身の異教の哲学者アポロニオスがイタリア、シリア、エジプト、果てはインドまで旅した物語を、(なかば架空の)『テュアナのアポロニオス伝』に著している。この状況はより技術的な学問に携わる者も同様で、ペルガモン出身の大医学者ガレノスは首都ローマに長期間滞在すると同時に、薬剤採集を目的に帝国を幅広く旅したことが知られている(マターン 二〇一七)。

特定の名望家以外のギリシア人の移動については、こうした事例のような明確な史料はあまり残っていないが、それでも彼らが帝国のかなりの範囲を積極的に移動していたことは確実である。そうした例は、各地の競技祭を巡ったアスリートたち(増永 二〇一五)、首都ローマに移住した医者(たとえば『ギリシア碑文補遺』二九、一〇〇三)、西方に駐屯したローマ軍に勤務したギリシア人(たとえば藤井 二〇一八:一三八頁)、宦官に恋をしてボンナ(現ドイツのボン)に移住して死んだテッサロニケ出身の女性(『ギリシア碑文集成』一四、二五六六)など、枚挙にいとまがない。

ローマ帝国に生きたギリシア人のこうした広範囲の移動には、属州総督やローマ軍、商人など西方ラテン語圏からの移動も加わった。では、こうした活発な移動は、ローマ帝国、少なくともその東方ギリシア語圏の宗教と文化にとってどのような意味を持っていたのだろうか。第一に注目できるのは、各地の儀礼の共通化、均質化の進展である。たとえば、ルキアノス『偽預言者アレクサンドロス』が描いたアボヌテイコスの神託(本巻の田中論文も参照されたい)については、文書や讃歌の利用方法、お籠り(インキュベーション)の採用といった点に、この神託所が各地で実践されていた多彩な儀礼をできる限り取り込もうとした姿勢がうかがえる(Chaniotis 2002)。また、皇帝崇拝についても、帝政期が進むにつれて各地の儀礼が均質化していったことが確認できる(藤井 二〇一七)。他方、帝政期のギリシア人には、伝統への回帰も顕著である。ギリシア人は広大な帝国を実感しつつも、出身地への帰属意識を失うことはなく(次節)、こうした態度が、地域の神話、伝説、儀礼への回帰とその復活へとつながった(Whitmarsh 2010)。先に言及したエパメイノンダスの聖域復興はその一例であるし、オプラモアスのエヴェルジェティスムは、「父祖伝来の」アポロン神殿の復興にも関係していた。「グローバル化」したローマ帝国東方ギリシア語圏のギリシア人、特に聖域維持や儀礼実施を実質的に主導した名望家層は、均質化と伝統への回帰という相反する二つの軸で、帝国各地の宗教と文化を形成していったのである。

三、ローマ帝国を理解する

前節では、ローマ帝国のギリシア人が帝国の拡大と統治にどのように貢献したのかを検討した。では、ローマ帝国に生きたギリシア人は、ローマ帝国という存在とそこに自分たちが帰属するという事実を、そもそもどのように理解していたのだろうか。

神話的・宗教的理解

ギリシア人のローマ帝国理解と帝国への帰属意識で顕著なのは、第一に神話的、宗教的なものである。冒頭で触れたアプロディシアスの浮彫パネルのように、ギリシア人は自身の都市やその他の共同体の神話をローマ帝国の神話と接続することで、ローマ帝国に支配されそこに帰属しているという現実を、ヘレニズム期や古典期、あるいはそれ以前から存在した伝統的な宗教世界のなかで自分たちに理解しやすい形で説明した。こうした現象は、ローマ帝国とギリシア人が直接的に対峙していた前二世紀に、すでに確認されている。たとえば、セレウコス朝のアンティオコス三世の攻勢を前にした小アジアのギリシア人都市ランプサコスは、『イリアス』で歌われるトロイア一帯のトロアスの都市連合に所属していたことを理由に、つまりアエネアスの血統を根拠として、ローマに援助を求めた(Austin 2006: 355-357, no. 197; 藤井 二〇一八：一二一―一二三頁)。アウグストゥス期のギリシア人歴史家、修辞学者のハリカルナッソスのディオニュシオスはさらに進んで、草創期のローマに多くのギリシア人が居住し、ローマがギリシア人の血統を引き継ぐ共同体であるとの主張を展開している(『ローマ古代誌』一、八九、一―二)。ギリシア人は、幅広い外交関係で神話的あるいは歴史的な縁戚関係を利用したことが知られているが(Curry 1995; また本巻の田中論文も参照されたい)、彼らはこれと同じ方法を使ってローマ帝国を彼ら自身の世界のなかに位置付けたのである。

ローマとの直接的な縁戚関係を主張しない場合でも、特に帝政期以降のギリシア人は、自身の都市やその他の共同体の宗教体系にローマ帝国と皇帝を取り込んでいった。こうした動きの代表例が、皇帝と皇帝家の人々に神と等しい名誉を捧げた皇帝崇拝である(弓削 一九八四)。死んだ皇帝は元老院と新皇帝の許可によって神格化され崇拝儀礼の対象となったが、ローマ帝国のギリシア人は統治中の皇帝を崇拝の対象とすることで、首都で形成されるものとは異なった皇帝観を作り上げていった。ギリシア人は、都市、属州および連邦(コイノン)あるいは個人といったさまざまなレベルで統治中の皇帝を自分たちの宗教体系に組み込むことによって、帝国支配という現実を宗教的語彙によって表現したのである(Price 1984; Fujii 2013)。こうした皇帝崇拝の儀礼に、特定のギリシア人都市に固有の文化的記憶が織り込まれることもあった。たとえば、二世紀はじめにエフェソスのローマ市民ガイオス・ウェイビオス・サルタリオスが創設した祭礼行列では、行列の参加者や行列のルート、行列で運ばれる像が入念に構成され、祭礼創設時の皇帝トラヤヌスや初代皇帝アウグストゥスが、エフェソスの守護神アルテミスの崇拝や都市の来歴を物語るモニュメントと複雑に結び付けられていた(Rogers 1991; 藤井 二〇一七:二三六―二四〇頁)。この祭礼行列が二週間に一度おこなわれることで、ローマ帝国の支配という現実と伝統ある都市エフェソスの歴史が和合した文化的記憶が強化されていったのである。

だが、ギリシア人は、帝国による支配の現実を常に好意的に受け入れたわけではなかった。二世紀後半の小アジア出身のパウサニアスは、その『ギリシア案内記』のなかで「すべてのギリシア的なるもの」を記述すべくギリシア各地の史跡、聖域、神話・伝説を取材したが、彼が注目するのは、そのほとんどが前一四六年のローマによるコリントス破壊前のギリシア世界だった。ローマ支配下のギリシアを「ギリシア的なるもの」とは認めなかったパウサニアスは、ギリシア人の帰属意識の形成にあたって、単純な「共犯者」ではなかったのである(Habicht 1985; ケリー 二〇一〇:八四―八九頁)。また、ローマの起源譚のなかには、ギリシア人にとって異質なものも存在していた。エーゲ海東部のキオス島から出土した前二世紀はじめのある刻文（『ギリシア碑文補遺』六三、七〇〇）は、この島で女神ローマの崇拝儀礼を通じてローマとのつながりが強調されたこと、そして同時に、ロムルスとレムスの誕生、あるいは彼らの両親であるマルスとレア・シルウィアの出会いが表現されたレリーフが奉納されたことを伝えている。ローマ帝国のギリシア人は、帝国の神話的起源が愛神アプロディテでなく、軍神マルスにあった可能性にも、確かに気が付いていたのである。

ギリシア人にとってのローマ市民権

ローマ市民権は、ローマ帝国を理解しようとするギリシア人の名望家層にとって、もっとも異質な存在の一つだった（Ando 1999）。血統主義的な市民権概念を持っていたギリシア人にとって、帝国全土へと拡大していったローマ市民権のあり方、そしてローマ市民植民市の旺盛な建設は、奇妙であると同時に、尽きることのない人的資源を生み出す脅威でもあった。ローマと対峙したマケドニアのピリッポス五世は、この特異なローマ市民権概念がローマ帝国の強大さの鍵になっていることにすでに気づいていた。彼は、影響下にあったテッサリアの都市ラリサに市民の補充を命じた書簡のなかで、ローマが奴隷解放までして市民を増やし、七〇もの植民市を建設したと注意を促している（Austin 2006: 157-159, no. 75; 藤井 二〇一八：一〇六－一一〇頁。前二一五年）。また、ギリシア知識人の著作には、こうした独特な市民権制度と植民市建設によって強固な団結を誇るローマ帝国にたいし、同じ民族内での闘争に明け暮れるギリシア人を嘆く言説も、多数確認できる（ポリュビオス『歴史』五、一〇四、アッピアノス『序文』八－一〇）。

では、ピリッポスの警告もむなしくローマに屈して帝国に組み込まれたギリシア人は、自分たちにも与えられるようになったローマ市民権にたいする理解を、どのように進めていったのだろうか。まず、アウグストゥス期のハリカルナッソスのディオニュシオスの言説を確認してみよう。ローマ草創期の歴史に関心を抱いたディオニュシオスは、ローマ初代の王であるロムルスが、戦争で支配した人々を殺さずに市民権を与え、支配地に植民者を派遣したことで、のちのローマ拡大の基礎を築いたと考えた(『ローマ古代誌』二、一六―一七)。ディオニュシオス自身は、先に述べたように、初期ローマを構成する諸民族に多くのギリシア人がいたと主張したが、その一方で、ローマ帝国が一都市の枠組みを超えた市民権制度に支えられていることを理解していたのである。帝政期の歴史家であるタキトゥスも、ガリア人首長の元老院加入を求める皇帝クラウディウスの口を借りて、このロムルスの政策に言及している(『年代記』一一、二四)。さらにディオニュシオスは、のちに故国ローマと矛を交えることになるコリオラヌスをめぐる議論のなかで、パトリキの元老院議員だったアッピウス・クラウディウスが語った言葉を、次のように再現している。

わたしたちが最近に市民権と同等の権利(イソポリテイア)を与えたラテン人は、すべてわたしたちの側について、今や祖国(パトリス)のためであるかのようにこの都市(ポリス)のために戦うだろう。そして、ここから植民された都市は数多く優れており、この母市(メトロポリス)を救うことをすべてに優先して、この都市を守るだろう。

(『ローマ古代誌』七、五三、五)

ここでは、ローマが一つの都市でありながら、市民権付与と植民市建設によって拡大することで全市民の貢献の対象である祖国になるという、伝統的な都市の概念に変更を加えることで到達したギリシア人のローマ帝国観が、共和政初期にさかのぼる形で表現されている。五賢帝時代に活躍した小アジア出身の弁論家アイリオス・アリステイデスは、この構想をさらに具体化していった。アリステイデスは、アントニヌス・ピウス帝を前にしておこなった演説「ローマ頌詞」のなかで、帝国の最大の業績として次のように述べている。

あなたがたは、帝国(アルケ)のすべての人々を二つの部分に分けて(中略)より教養のある、より生まれの良い、より有能な部分をすべて、場所を問わずに市民あるいは同じ民族にもして、残りの部分を、服従し支配される者とした。

(「ローマ頌詞」五九)

自身もローマ市民権を保持したアリスティデスは、ローマ市民となった帝国各地の名望家層が、自分たちの祖国となったローマのために貢献することで帝国が維持されると自負していた。前節で確認した「共犯者」たちの活動は、彼らギリシア人名望家層のこうした市民権・帝国理解に裏打ちされていたのである。

いうまでもなく、東方ギリシア語圏のローマ市民権の実際は、ギリシア知識人が描いた理想ほど単純なものではなかった。ギリシア人が本格的にローマ帝国の影響下に入り始めた前二世紀から、帝国全土の全自由民にローマ市民権が与えられた三世紀はじめのアントニヌス勅令にかけて、ギリシア人のなかでローマ市民権保持者は漸次増加したと考えられるが、増加のスピードは地域や社会階層によって実にさまざまだった。ギリシア人が市民権を獲得する経路は、(前節のエウリュクレスのように)共和政末期の大将軍や皇帝とのコネクションによって市民権が与えられる場合や、(前節のゾイロスのように)ギリシア出身の皇帝家の奴隷が解放されて市民権を獲得する場合など、複数存在した。さらに、東方ギリシア語圏では、カエサルとアウグストゥス、そしてその後の皇帝たちによって多数のローマ市民植民市が建設され、ラテン語を話しローマ市民権を保持する大量の移民が流入した。ローマ市民権を持つギリシア人の誕生とローマ市民の流入は、ギリシア人都市のあり方に一定程度のインパクトを与えたと考えられる。たとえば、北アフリカのギリシア人都市キュレネから出土したアウグストゥスの勅令からは、キュレネを含む属州で共存するローマ市民権保持者とローマ市民ではないギリシア人との間で、裁判の形式や市民権に付随する特権をめぐる揉め事があったことが読み取れる(『ローマ期キュレナイカ出土碑文』C、一〇一。前七—前四年)。ローマ市民権にともなう法的、経済的利益は、ギリシア人にも無視できないものだったのである。ただ、ローマ市民権を獲得したギリシア人が、ただちに出身都市の市民権を放棄して帝国の市民に同化したわけではないし、都市を運営する名望家がすべてローマ市民権を得ていたわけでもない(前節のオプラモアスのように)。小アジア出土の関係する刻文を網羅的に調査した最近の研究では、名前をあげて名誉を与えられている者(その多くはギリシア人名望家層)のうちローマ市民権保持が明確なのは四割ほどで、さらにこの場合でも、ローマ市民権は彼らの多様な自己認識の一つに過ぎなかったことが明らかになっている（Heller 2019）。ギリシア人名望家層は、ローマ帝国の根幹を支えるローマ市民権を理解する努力を継続する一方、伝統的な都市の枠組みから完全に抜け出すことはなかったのである。

ギリシア人はローマ帝国の夢をみるか——アルテミドロスの世界

ここまで本稿は、ギリシア人のローマ帝国への貢献とローマ帝国の理解について、いくつか重要な側面を検討してきた。この検討の結果をあえて一言でまとめるならば、ローマ帝国のギリシア人は、彼ら自身の伝統的な都市制度、社会構造、自己認識、神話・歴史認識、宗教体系を土台としながら、前二世紀以降ローマ帝国への貢献を進め、ローマ帝国への理解を深めていったように思われる。こうした作業は、ギリシア人都市の名望家層にとってみれば、異質なローマ帝国の被支配民であるという厳しい現実をできる限り是認可能な形で消化し、その現実のなかで実現可能な成功を収めようとする、膨大な努力の帰結でもあった。こうした本稿での検討は、先に確認した吉村と弓削の構図を完全に否定するものではないが、そこで見落とされていた、被支配民として帝国に生きたギリシア人の理想と現実の複雑な関係にスポットライトを当てるものである。さらに言えば、ギリシア人のローマ帝国理解の一部、特に帝国と市民権の関係や、『新約聖書』ならびに教父たちの著作で展開されたキリスト教と帝国との関係は、古代以降の西洋の歴史に大きなインパクトを与えることになる。この意味で、ローマ帝国を東からみたギリシア人の帝国理解は、間接的にではあるが、わたしたちの世界にも影響を与え続けている。

では、ギリシア人名望家層を離れて、一般の市民や奴隷たちのローマ帝国理解のあり方を再構成することは可能だろうか。この問いを考えるために、本稿の最後にアルテミドロスの『夢判断の書』を紹介したい（Thonemann 2020）。

エフェソスとリュディアの都市ダルディスの二重市民権を持っていたアルテミドロスは、二世紀末から三世紀初頭にかけて、五巻からなる『夢判断の書』をギリシア語で著した。これは、現代まで伝わる古代の夢判断に関するほぼ唯一の書物である。この書物は、多種多様な夢の主題(身体、性交、職業、衣服、動物、人間社会など)に関する網羅的な記述と、実際の夢判断とその結果から構成されている。ヘレニズム期以降、ギリシア人の間で夜と夢にたいする関心が大きく増大したとされているが(ハニオティス 二〇二〇)、アルテミドロスの『夢判断の書』はこうした時代の集大成の一つといってよいだろう。さらに、アルテミドロス自身はある程度の名望家層に属していたことが確実だが、『夢判断の書』には職人、店主、俳優、奴隷といった庶民や最下層の人々のみた夢が多数収録されていることも注目に値する。

では、アルテミドロスの顧客たちは――その多くがローマ帝国のギリシア語圏の住民だと考えて間違いないだろう――は、自身が生きたローマ帝国をどのように夢みたのだろうか。まず、彼らにとって帝国の長たる皇帝は、生身の人間ではなかった。

ストラトニコスは皇帝を蹴る夢を見た。その後歩いていると偶然なにかを踏んだので、よく見ると金貨だった。蹴られたり踏まれたりするのが、皇帝であっても金貨に刻まれた皇帝の肖像であっても、違いはないのだ。ゼノンは百人隊長になる夢を見たところ、皇帝からの手紙百通を託された。私たちの友人クラティノスは、貨幣をもらう夢を見たところ、皇帝の神殿の収入役になった。ゾイロスは公共事業監督官になる夢を見て、皇帝の金庫の管理役に任命された。(アルテミドロス『夢判断の書』四、三一、城江良和訳)

ローマ帝国の一般のギリシア人が、都市の使節として首都ローマに参内したり、ましてや、自身が元老院議員となって皇帝と相見えることなど、夢のまた夢だった。一部の都市名望家層以外のギリシア人にとって、ローマ皇帝とは金貨であり、勅令の発出者であり、皇帝崇拝神殿に祀られる対象であり、官職に結びついた存在だった。皇帝が出てくる夢自体、『夢判断の書』のなかで稀有な存在だが、そうした夢ですら、現実世界で皇帝その人にたどり着くことはできなかったのである。

アルテミドロスにとっては、皇帝のみならずローマ文化でさえ、一般のギリシア人からは切り離されたものだった。剣闘士競技や浴場文化といったイタリア半島起源ながらも東方ギリシア語圏によく根付いた文化を除けば、アルテミドロスはギリシア文化とローマ文化を峻別（しゅんべつ）する態度をとる。

> ローマ人は、ギリシア文字を学ぶ夢を見るとギリシア人との親交を深め、ギリシア人は、ローマ文字を学ぶ夢を見るとローマ人との親交を深めるだろう。この夢を見たあと、ローマ人男性がギリシア人の妻を娶（めと）り、ギリシア人男性がローマ人の妻を娶った例も多い。私の知っているあるギリシア人は、ローマ文字を習う夢を見たのち、断罪されて奴隷の身分に落とされた。そうした判決は、決してギリシア語では出されないからである。
>
> （アルテミドロス『夢判断の書』一、五三、城江良和訳。末尾の一文は(Artemidorus 2020)の校訂に従う）

こうした記述からは、『夢判断の書』の世界ではローマとギリシアがまったく別の世界だと想定され、ギリシア人名望家層へのローマ市民権付与も、彼らによるローマ帝国への貢献や同一化も、ほとんど等閑に付されていることがわかる。一般のギリシア人にとって、ローマ帝国とその文化は、遠い存在だった。

ただ、アルテミドロスがほぼ唯一強調するローマ帝国の現実は、注目に値する。ローマ当局による裁判と有罪となった場合の過酷な刑罰である。先の引用部分の末尾は、ローマ法廷の現実を反映している。『夢判断の書』では、この他にも、多種多様な夢が市民権喪失、国外追放、拘留、強制労働、斬首、磔といった刑罰に結び付けられている(Thonemann 2020: 208–211)。アルテミドロスの顧客にとって、裁判とその刑罰こそが、ローマ帝国とそこでの地方行政が持つ強制力を実感する最大の経路であり、それは生身の皇帝が遠い存在であっても、ローマ文化をギリシア文化と峻別したとしても、否定することのできない帝国の現実だった。ギリシア人名望家層がローマ帝国の現実と格闘したように、一般のギリシア人も、毎夜ローマ帝国の力を夢みていたのである。

参考文献

アルテミドロス(一九九四)『夢判断の書』〈叢書アレクサンドリア図書館〉2、城江良和訳、国文社。

浦野聡(一九九八)「ローマ帝政期における帝国貴族と地方名望家——帝国支配層と社会流動」『岩波講座 世界歴史 五』岩波書店。

ケリー、クリストファー(二〇一〇)『一冊でわかるローマ帝国』藤井崇訳、岩波書店。

新保良明(二〇一六)『古代ローマの帝国官僚と行政——小さな政府と都市』ミネルヴァ書房。

ハニオティス、アンゲロス(二〇二〇)「誰も寝てはならぬ！——夜のギリシア」藤井崇訳・解題、『思想』一一五四号。

藤井崇(二〇一一)「キプロス島におけるローマ皇帝崇拝——ティベリウス帝への宣誓儀礼を中心に」『西洋古典学研究』五九巻。

藤井崇(二〇一七)「皇帝崇拝と聖域——ローマ帝国東方属州を中心に」浦野聡編『古代地中海の聖域と社会』勉誠出版。

藤井崇(二〇一八)「消滅するヘレニズム世界」南川高志編『B.C.二二〇年——帝国と世界史の誕生』〈歴史の転換期〉1、山川出版社。

プルタルコス(一九九六)「アントニウス」秀村欣二訳、村川堅太郎編『プルタルコス英雄伝』下巻、ちくま学芸文庫。

増永理考(二〇一五)「ローマ元首政期小アジアにおける見世物と都市——アフロディシアスの事例を中心として」『史林』九八巻二号。

増永理考(二〇一九)「ローマ帝政前期小アジアにおける都市社会の研究——都市による文化資本運用をめぐって」京都大学博士論文。

増永理考(二〇二一)「ローマ帝国に生きるギリシア人の苦悩とその超克」南川高志・井上文則編『生き方と感情の歴史学——古代ギリシア・ローマ世界の深層を求めて』山川出版社。

マターン、スーザン(二〇一七)『ガレノス——西洋医学を支配したローマ帝国の医師』澤井直訳、白水社。

南川高志(一九九三)「ローマ帝国とギリシア文化」藤縄謙三編『ギリシア文化の遺産』南窓社。

弓削達(一九七七)『地中海世界とローマ帝国』岩波書店。

弓削達(一九八四)『ローマ皇帝礼拝とキリスト教徒迫害』日本基督教団出版局。

吉村忠典（一九九七）『古代ローマ帝国――その支配の実像』岩波新書。

吉村忠典（二〇〇三）『古代ローマ帝国の研究』岩波書店。

リザキス、アタナシオス（二〇一五）「ローマ世界の周縁で社会的階梯を上下する――ペロポネソス半島諸都市の場合」佐藤昇訳、『クリオ』二九号。

『アプロディシアス出土碑文』＝Joyce Reynolds, Charlotte Roueché, Gabriel Bodard, *Inscriptions of Aphrodisias*, 2007（http://insaph.kcl.ac.uk/iaph2007）最終閲覧日二〇二一年九月三〇日。

『ギリシア碑文集成』＝*Inscriptiones Graecae*

『ギリシア碑文補遺』＝*Supplementum Epigraphicum Graecum*

『ローマ期キュレナイカ出土碑文』＝Joyce Reynolds, Charlotte Roueché, Gabriel Bodard, *Inscriptions of Roman Cyrenaica*, 2020（http://ircyr2020.inslib.kcl.ac.uk）最終閲覧日二〇二一年九月三〇日。

Ando, C.（1999）, “Was Rome a polis?”, *Classical Antiquity*, 18.

Artemidorus（2020）, transl. by M. Hammond, *The Interpretation of Dreams*, Oxford, Oxford University Press.

Austin, M. M.（ed.）（2006）, *The Hellenistic World from Alexander to the Roman Conquest: A Selection of Ancient Sources in Translation*, 2nd ed., Cambridge, Cambridge University Press.

Brunt, P. A.（1975）, “Did Imperial Rome Disarm Her Subjects?”, *Phoenix*, 29.

Chaniotis, A.（2002）, “Old Wine in a New Skin: Tradition and Innovation in the Cult Foundation of Alexander of Abonouteichos”, *Tradition and Innovation in the Ancient World*,（ed.）E. Dabrowa, Cracow, Jagiellonian University Press.

Chaniotis, A.（2018）, *Age of Conquests: The Greek World from Alexander to Hadrian*, Cambridge, Mass., Harvard University Press.

Curty, O.（1995）, *Les parentés légendaires entre cités grecques*, Geneva, Droz.

Fujii, T.（2013）, *Imperial Cult and Imperial Representation in Roman Cyprus*, Stuttgart, Franz Steiner.

Habicht, C.（1985）, *Pausanias und seine „Beschreibung Griechenlands“*, Munich, Beck.

Heller, A.（2019）, “Greek Citizenship in the Roman Empire: Political Participation, Social Status and Identities”, *In the Crucible of Empire: The Impact of Roman Citizenship upon Greeks, Jews and Christians*,（ed.）K. Berthelot and J. Price, Louvain, Peeters.

Ma, J. (2000), "Fighting Poleis of the Hellenistic World", *War and Violence in Ancient Greece*, (ed.) H. van Wees, London, Duckworth.

Millar, F. (1992), *The Emperor in the Roman World*, 2nd ed., London, Duckworth.

Prag, J. R. W. (2007), "Auxilia and Gymnasia: A Sicilian Model of Roman Imperialism", *Journal of Roman Studies*, 97.

Price, S. R. F. (1984), *Rituals and Power: The Roman Imperial Cult in Asia Minor*, Cambridge, Cambridge University Press.

Quaß, F. (1993), *Die Honoratiorenschicht in den Städten des griechischen Ostens*, Stuttgart, Franz Steiner.

Rogers, G. M. (1991), *The Sacred Identity of Ephesos: Foundation Myths of a Roman City*, London, Routledge.

Smith, R. R. R. (1987), "The Imperial Reliefs from the Sebasteion at Aphrodisias", *Journal of Roman Studies*, 77.

Thonemann, P. (2020), *An Ancient Dream Manual: Artemidorus' The Interpretation of Dreams*, Oxford, Oxford University Press.

Vlam, G. A. H. (1981), "Sixteenth-Century European Tapestries in Tokugawa Japan", *The Art Bulletin*, 63-3.

Whitmarsh, T. (ed.) (2010), *Local Knowledge and Microidentities in the Imperial Greek World*, Cambridge, Cambridge University Press.

Woolf, G. (1994), "Becoming Roman, Staying Greek: Culture, Identity and the Civilizing Process in the Roman East", *Proceedings of the Cambridge Philological Society*, 40.

コラム｜*Column*

史料としてのラテン語碑文

中川亜希

古代ローマは、ギリシアと共に、「碑文の文明」ともいわれる。碑文とは耐久性のあるものに書かれたテキストであり、公的な場所に置かれたモニュメント上に専門の職人によって刻まれた公的なものと、日用品や壁などに個人によって刻まれた私的なものとがある。永続的な記念が意図された公的な碑文としては、石や青銅板などに刻まれた、元老院や都市参事会の決議、法、建築物の建立・再建・修復の記念、都市や組合あるいは個人による顕彰、神々に捧げられた奉納、死者のための墓碑などが挙げられる。他方で私的な碑文は意図的に保存されたのではなく、たまたま現代まで伝えられたものである。しかし例えば私邸の床モザイクの「犬に注意」という訪問者に対する文、あるいは家族のみに向けられた墓碑などの分類は難しく、公私の区別は必ずしも明確ではない。

これまで三〇万点以上のラテン語碑文が発見されている。ローマ時代に作られた碑文は、当然、全てが現在まで伝えられているわけではなく、また発掘調査の状況などにもよるが、明らかに地域による数の偏りが見られる。現存するラテン語碑文のおよそ半分は首都ローマとイタリアの諸都市から、残り半分は西方の属州から発見されており、東方の属州出土のものは三％ほどに過ぎない。ただしローマ世界で用いられたのはラテン語だけではない。東方や、多くのギリシア植民市が建設された南イタリアやシチリア島をはじめとする各地で、ローマ時代に作られた多数のギリシア語碑文が発見されている。古代ローマについての理解を深めるにあたり、ギリシア語の他、エトルリア語、オスク語やポエニ語などの碑文もまた大きな役割を果たすことは言うまでもない。

碑文の年代決定はしばしば困難ではあるものの、その制作年代にも偏りがあることが分かっている。碑文の数は、共和政期までは少ないが、初代皇帝アウグストゥスにより「ローマの平和」が実現されると確実に増加していき、二世紀半ば頃に頂点に達し、三世紀になると減少していくとされる。この増減は、一九八〇年代以降、文化現象として「碑文習慣」という言葉で説明されてきた。「碑文習慣」について考えることは、人々が碑文を作った動機を考えることでもある。

顕彰碑文は主として彫像の台座に刻まれている。首都ローマや諸都市の公共広場は、皇帝一族や名望家たちの彫像で競って飾られた。しかし共和政期にはまだその数は少なかった。生者の彫像を飾る習慣はギリシア世界から伝えられ、帝政期に広まっている。後一世紀の博物学者である大プリニウスは、ローマ帝国の至る所で「最も人間らしい名誉心」により公の場に個人の彫像が建てられ、その人物の記憶が後世に伝えら

台座側面の参事会決議(トリエステ，筆者撮影)

れて永遠のものとなるように彫像の台座にはその人物の名誉が刻まれるようになったと述べている(『博物誌』三四、一七)。後世に記憶を残すための碑文への関心の高まりが、後一世紀当時のローマ人にも意識されていたことが分かる。公の場、特に都市の中央広場に彫像が建立されることは名望家にとって最大の名誉であった。例えば、イタリアの都市テルゲステ(トリエステ)の中央広場跡から発見された二世紀の彫像の台座の側面には、「この元老院議員の姿が後世の人々にまで伝わるように、中央広場の最も人の往来がある場所に黄金の騎馬像を置くこと、そして台座にはこの都市参事会決議が刻まれること」と指示する参事会決議自体が実際に刻まれている(『ラテン碑文集成』五、五三二、写真参照)。帝政期の台座碑文では被顕彰者の全ての経歴が刻まれることが一般的になったことからも、個人の記憶を後世に伝えることへのローマ人の関心の高まりがうかがえる。

火山の噴火により埋もれたまま発掘されたポンペイの市壁の外には、道に沿って墓地が広がり、モニュメントのような墓が見られる。社会的にインパクトのある公共建築の建設や修復は、伝統的な家柄の上層市民が独占的に担い、また彫像建立の名誉も、場所の公私にかかわらず、社会的、政治的地位や影響力を持つ上層市民のものであった。そのため、より低い階層であるけれども裕福な人々は、公の場に彫像を置いた上層市民をモデルとし、生前に自身の像を置くなどして、人々の注意を引くモニュメントのような墓を作った。そこに刻まれた墓碑銘は、特に都市の公的な場での名誉を制限された人々にとって、貴重な自己顕示の場となったのである。街道に沿って広がっていた墓地は、場所の割当で都市参事会が介入したものの、私的でありながら公衆に開かれた空間であったからだ。墓碑は現存する碑文の大半を占めるが、共和政期にはまだ少ない。しかし帝政期になると、墓碑銘はあらゆる階層の人々の死後も記憶を残したいという望みの現れであったと大プリニウス(『博物誌』二六、六三)や小プリニウス(『書簡集』九、一九)も述べているように、増加していった。

帝政期には、碑文の建立は、一部のエリートだけではなく、都市の平民、被解放自由人、兵士など、他の社会層にも広まったため、現存する碑文の数も帝政期のものが急増する。平和が訪れ、社会が安定する中、未来へ記憶を残そうというローマ人の思いが強まったことがうかがえる。

問題群｜*Inquiry*

ローマ帝国と対峙した西アジア国家
——アルシャク朝パルティアとサーサーン朝

三津間康幸

本稿では前三世紀に誕生し、前二世紀にはイランとメソポタミアを支配する勢力となったアルシャク（アルサケス）朝パルティア（以下、基本的にアルシャク朝と表記）と、後三世紀に登場してアルシャク朝を滅ぼし、後七世紀のイスラーム勢力の興隆まで西アジアの支配的国家であり続けたサーサーン朝ペルシアの歴史的展開を、最新の研究成果を踏まえて解説し、これら西アジア国家の側に観察の視点を置きながら、彼らと抗争したセレウコス朝シリアやローマ帝国など、「西側」の国家との関係、さらに広く西アジアと地中海周縁の関係を明らかにする。

一、「前史」としてのセレウコス朝時代

「西側」という言葉でセレウコス朝とローマをまとめて把握したが、これはアルシャク朝やサーサーン朝から見て相対的に西側に位置していた諸勢力という意味での「西側」ということである。特にセレウコス朝についていえば、この勢力はイタリア半島を中心として東地中海沿岸へと勢力を拡大したローマから見て、まさしく東方に位置していた。

王朝創始者セレウコスはアレクサンドロス大王の部下でマケドニア貴族の出であるが、彼がディアドコイ戦争の中

で頭角を現すきっかけは、前三二〇年のトリパラデイソスの会議の時にバビロニアを与えられたことにある(Strootman 2015)。彼は一時アンティゴノス・モノプタルモスに圧迫されエジプトへ逃亡するが(前三一六年)、前三一一年にバビロニアに返り咲くと(クロノロジーはBoiy 2007: 142-150参照)、続くバビロニア戦争でアンティゴノスを退けて(Strootman 2015)王朝の基礎を築き、これが小アジアからイランまでの帝国に発展する。こういった経緯を見ると、まさにセレウコス朝こそ西アジアに根を張った「東方の」勢力であるといえる。

セレウコス朝を西方の勢力に対置した同時代史料としては、バビロンから出土し(Leichty et al. 2019: 446, 453)、大英博物館に所蔵されている粘土板(BM 40623)にアッカド語、楔形文字で記されていた『王朝予言』が挙げられる。これは過去の王たちの行いを、実名は伏せながら、あたかも古の予言者が予言したことのようにして提示し、これに非歴史的な(近)未来についての予言を付加したものである。歴史に基づく「予言」に非歴史的予言が続くことで、付加された予言の信頼性を高めることが、このような文書が作成された意図であったと考えられる(杉江 二〇一四:二六三、二七二頁)。杉江(二〇一四:二六四—二七六頁)によれば、「王朝予言」の現存するバージョンは、もともとの版が拡張されて成立したものである。当初の版では、新バビロニア建国からその末代の王ナボニドゥスの暴虐、彼を廃位するペルシア帝国のクル(キュロス)二世の登場、アレクサンドロス率いる「ハニの邦の軍勢」によるダーラヤワウ(ダレイオス)三世の敗北などの出来事が「予言」の形で述べられた後、正味の予言としてダーラヤワウ三世による「ハニの軍勢」の撃退が示される。そして前三〇五/三〇四年にセレウコス朝が開かれた頃、セレウコスのバビロニア支配確立という史実が「予言」として付加され、さらに純粋な予言としてセレウコス朝の永続が宣言される形になったという。またダーラヤワウの巻き返しを暗示した部分は、セレウコスによるバビロニア奪還という史実を示す「予言」として読み替えられたという。

固有名詞が書かれていないことがこうした読み替えを可能にしたのであるが、その結果、アンティゴノスの勢力が

「ハニの(邦の)軍勢」、セレウコスの勢力はエンリルやシャマシュら、バビロニアの伝統的な神々の加護を受けたものとなり、「ハニ」はアッカド語でバビロニア西方地域を指す一般的表現と思われるので(Zadok 1985: 151)、後者はまさに西方の勢力に対抗すべきバビロニアの軍勢として認識されたことになる。こうした位置づけから、セレウコス朝は単純に「西側」の勢力とは把握できないことが分かる。

バビロニア戦争後のセレウコス朝はアンティゴノス、そしてさらにリュシマコスといったディアドコイたちを打倒して、前三世紀には主にコイレ・シリア(ユダヤやその周辺)の支配権をめぐって度々プトレマイオス朝との衝突(シリア戦争)を繰り返すが、第三次シリア戦争中の前二四六／二四五年、プトレマイオス朝エジプトの軍がセレウコス朝支配下のバビロニアに侵攻した事件が「バビロニア年代誌」と呼ばれるアッカド語楔形文字粘土板文書群のうち、BCHP 11と付番された一枚に記されている(この年代誌についてはvan der Spek 2020を参照)。そこでもセレウコス朝に敵対するプトレマイオス朝軍は「ハニの邦の軍勢」と呼ばれ、セレウコス朝が西方の敵と対峙する者として位置づけられていたことがうかがえる。ただし、このような捉え方はセレウコス朝の支配が比較的スムーズに成立し、ある程度安定もしたバビロニアという土地でこそ成立したものであろう。一方セレウコス朝が攪乱(かくらん)要因、あるいは敵対者として現れた地域では別の見方が立ち上ってくる。たとえば『旧約聖書』の「ダニエル書」一一章は北の王と南の王の戦いという黙示を含む(『旧約聖書』とその続編の訳は日本聖書協会 二〇一八:[旧]一―[続]四〇八頁を参照)。これはコイレ・シリアを巡って度々争ったセレウコス朝とプトレマイオス朝を「北」と「南」という南北軸の両端として示すものであり、両勢力のはざまで翻弄されたユダヤの立場を反映している(田中 一九八五:五二頁参照)。

二、アルシャク朝パルティアの勃興

アルシャク朝パルティアと呼ばれる勢力は、中央アジアの半遊牧部族連合ダハエに属したパルニ(アパルノイ)族のパルティア侵入によって形成された(以下、同勢力の起源についての叙述はおおむね Gregoratti 2017: 127 による)。この事件が起こったのは前三世紀半ばのことである。パルティアはセレウコス朝に属したイラン北東部の属州であるが、この頃総督アンドラゴラスのもと独立していた(Gaslain 2016 によれば前二四七または前二四五年)。アッピアノスの『ローマ史』一一巻(シリア戦争)一一、六五には第三次シリア戦争の際のこととして、「そしてパルティア人は、セレウコス家の権力が揺らいだので、その時反乱を開始した」と述べられている(ギリシア語テクストは Appianus 1962: 230 参照)。パルティアで自立したアンドラゴラスは、四頭の馬に牽かせた兵車を刻んだスタテル金貨を発行しているが(Hill 1922: 193, pl. 28 参照)、その権力は長続きせず、アルシャク率いるアパルノイと呼ばれる遊動民がパルティアを奪ったのである(Gaslain 2016 によれば前二三八年)。この事件はストラボンの『地誌』一一、九、二に、

　そしてスキタイ人アルシャクは、アパルノイと呼ばれ、オコス川沿いに住む遊動民であるダハエの一群を率い、パルティアに侵攻しその主となった。

というかたちで記録されている(ギリシア語テクストは Strabo 1961: 274 を参照)。

アルシャク朝の領域で用いられたアルシャク紀元は、前二四八/二四七年を元年(秋新年のマケドニア方式の暦による。春新年のバビロニア方式の暦では、前二四七/二四六年)とするが、その理由は不明である。前二四七年のパルティア総督アンドラゴラスの権力獲得または自立という、直接アルシャク朝とは関係のない事件が起点なのかもしれない(Gaslain 2016)。アルシャク(一世)を継いだアルシャク朝の諸王は王朝創始者の名を受け継ぎ、即位すると皆アルシャ

クを名乗る。セレウコス朝のアンティオコス三世は東方遠征を行って、前二一一年に即位した王アルシャク二世を圧迫する(Gaslain 2016)。しかし前一八七年、アンティオコスはエラム(エリュマイス、現イラン南西部フーゼスターン地方)で殺害された。この事件はアッカド語楔形文字粘土板文書『王名表』六(粘土板の番号はBM 35603)に記されている(Sachs and Wiseman 1954: 204)。

この事件の後、セレウコス朝はアルシャク朝の重大な脅威ではなくなっていき、エリュマイスは前一四五年までに、カムナスキレス王のもとセレウコス朝から独立する。同年、エリュマイス軍がセレウコス朝の領域を侵し、カムナスキレスはバビロニアを勝ち誇って進軍する。このことは『バビロン天文日誌』*ADART* 3 -144から判明する(Mitsuma 2018: 57)。『天文日誌』は天文観測記録とともに大量の歴史記録を含むアッカド語楔形文字粘土板文書であり、その記録はバビロン土着のマルドゥク神殿エサギルと関係の深い住民集団「バビロン人」の中にいた天文占星学者たちによって担われた。『天文日誌』が記された粘土板はそのほとんどが大英博物館に所蔵され、年代の判明した記録は*ADART* 1-3に公刊されている。

エリュマイスのバビロニア侵入によりセレウコス朝のバビロニア支配体制は動揺したと思われ、前一四一年になると、アルシャク朝がティグリス河畔のセレウケイア(セレウキア)やバビロンに入城する。これ以後バビロニアではアルシャク紀元が導入され、セレウコス紀元と併用される(Mitsuma 2018: 57-59; 三津間 二〇一二a)。[1] アルシャク朝のバビロニア支配は当初エリュマイス、セレウコス朝、そしてペルシア湾岸に成立したメセネ(メーシャーン、マイシャーン)王国との抗争、さらに「アラブ」と呼ばれるラクダ遊牧民の活動により動揺したが(三津間 二〇一二b)、前一〇〇年代には安定した。前一二〇年代半ばから前一一〇年代前半には、エリュマイスや中央アジア方面でのアルシャク朝の勝利が、ギリシア・マケドニア色の濃い「バビロン市民」という住民集団宛の王書簡の読み上げという形で、バビロンに存在した半円形劇場で告知された(三津間 二〇〇九:二二〇―二二一頁)。この「市民」の性格は、セレウコス朝下の前一六三／一六二年のバビロンにおける紛争を記す「バビロニア年代誌」BCHP 14にある、紛争の一方の当事者である彼らについての左記のような言及に明示される(三津間 二〇一五：三二―三三頁、以下の訳文も同頁より一部改変して引用)。

BCHP 14

かつてアン〔ティオコス〕王の命でバビロンに［入り、］油を、ティグリス川と王の運河沿いの王権の市セレウケイアにいる市［民］のごとく塗っている、市［民］という名のヤマナ人たち(表面二―六行)

これはギュムナシオン(体育場)でオリーブオイルを裸体に塗って運動する習慣を示したものと考えられている。「バビロニア年代誌」も『天文日誌』を作成した「バビロン人」学者たちによって作成された史料と思われ、学者たちがギリシア・マケドニア的な生活様式の特異な面に向けた視線を感じることができる。また『旧約聖書』続編「マカバイ記二」四、一二―一四にも、アンティオコス四世時代のイェルサレムへのギリシア文化導入の記述が見え、ギュムナシオンでの鍛錬や円盤投げ、格闘場でのお祭り騒ぎといったことが言及され非難されている。

アルシャク朝時代のコイン(総覧はSellwood 1980参照)に刻まれたギリシア語の銘文によると、ミフルダート(ミトリダテス)二世(在位前一二二／一二一―前九一／九〇年)が治世中途から「諸王の王」を名乗ったことが知られる(同王のコインについてはCurtis et al. 2020参照)。また楔形文字文書では前一一二／一一一年に「諸王の王」の称号が登場するので(*ADART* 6 No. 93 'Frake' 3')、ミフルダート二世が「諸王の王」を名乗り始めたのはこの頃からであろうと推測することができる。ミフルダート死後、「諸王の王」号の使用は一時見られなくなるが、前一世紀半ばのウロード(オロデス)二世(またはミフルダート三世)の時に復活してサーサーン朝に受け継がれ、さらにイランの伝統的王号となり、パフレヴィー朝(一九二五―七九年)最後の王が公式に名乗ったことにより、現代まで命脈を保ったのである。

三、アルシャク朝パルティアとローマの抗争

ミフルダート二世はアルメニア王子ティグラン(ティグラネス)を人質にしており、彼は前九五年にアルメニア王位に就く(ティグラン二世)。ミフルダート二世が前九一/九〇年に亡くなるとティグラン二世の勢力が強まり、アルシャク朝に奪われていた領土を取り戻し、メディア・アトロパテネ、オスロエネ、アディアベネなど周辺の小国を征服して、前八五年より後、「諸王の王」号を刻むコインを発行する。さらに前八四―前八三年の遠征ではコンマゲネやキリキア・ペディアスを併合し、セレウコス朝の中心都市、オロンテス河畔のアンティオケイア(アンティオキア)を占領する。ティグランは義理の父であるポントス王ミトリダテス六世とローマとの三次にわたる戦争に際して中立を保とうとしたが、前七一年に敗北したミトリダテスを匿(かくま)った廉(かど)で前六九年にルクルス率いるローマ軍の侵攻を受けた。ルクルスは首都ティグラナケルトを陥落させたが、完全な勝利には至らなかった。しかし前六六年に侵攻したポンペイウスは旧都アルタシャトに迫り、ティグランと和約を結んで全占領地を放棄させた(以上、ティグランについての記述はGarsoian 2005による)。シリアは一時的にセレウコス朝のアンティオコス一三世が支配するが、彼は前六四年に退位させられ、この地にはローマの属州シリアが置かれる。セレウコス朝の滅亡により、ローマとユーフラテス東方のアルシャク朝とが直接的に対峙する形勢が生まれた。

この二つの勢力は当初互角の戦いを続けた(アルシャク朝とローマとの争いの戦術的な側面については阪本 二〇〇〇を参照)。前五三年には第一回三頭政治の一角を担ったクラッススが指揮するローマ軍を迎え撃ったカラエの戦いで、スーレーン(スレナス)率いるアルシャク朝軍が大勝、クラッススは敗死した。この時のアルシャク朝の王は先述のウロード二世である。カエサルも対アルシャク朝遠征を計画するが前四四年に暗殺され、計画は頓挫した。前四〇年から

はウロード二世の王子パクル(パコロス)とローマから亡命したラビエヌスが率いる軍がシリアと小アジアに侵攻したが、これは撃退され、二人の指揮官は敗死した(シェルドン 二〇一三：四三—七六頁)。

前三〇年代半ばになると、第二回三頭政治の一角であるアントニウスが対アルシャク朝遠征を試みるが、これも失敗に終わった。そして前三一年のアクティウムの海戦でアントニウスとプトレマイオス朝の女王クレオパトラ七世を破って翌年エジプトを併合し、全地中海の覇者となったアウグストゥスは武力ではなく外交による事態の解決を図り、前二〇年に、アルシャク朝が奪った軍旗をウロード二世の子フラハート(フラアテス)四世から奪還することに成功した。これを表現した浮彫が、「プリマ・ポルタのアウグストゥス像」の胸甲中央に刻まれている。さらにアウグストゥスがフラハート四世に送ったムーサという女性奴隷が王子(後のフラハート五世)を産むと、四人の年長の王子たちがローマへ人質として送られた。前二年にムーサはフラハート四世を毒殺し、息子と共同統治した。メディア・アトロパテネ出身のアルシャク家の王族アルタバーン(アルタバノス)二世は後一〇年にアルシャク朝の王位に就き、後三八年まで統治したが、この時代にはローマに人質になっていたフラハート四世の孫ティールダート(ティリダテス)が故国へと送り返されて一時王位を奪った(シェルドン 二〇一三：七七—一一四頁)。

後五一年にアルシャク朝の王位に就いたワラガシュ(ウォロガセス)一世は、ローマでネロが皇帝になると(後五四年)、アルメニア王位に王兄弟ティールダート(先述の王位請求者とは別人)を据えようとし、これは両勢力の戦争に発展し、ローマは将軍コルブロを派遣して事態に対処させた。最終的にティールダートはネロからアルメニア王位を授けられ(後六六年)、これ以後アルメニアではアルシャク家の君主が続くが、その王位はローマの承認を受けることとなった(シェルドン 二〇一三：一一五—一三五頁)。

紀元前後のローマ東方への認識を示す史料に、ギリシア語で記された『パルティア駅亭誌』と『エリュトラー海案内記』がある。『駅亭誌』の原著者はカラクスのイシドロスである(『駅亭誌』のギリシア語テクスト、英訳および注は

Schoff 1989; 和訳および注は、山本 一九七五を参照)。カラクスとはペルシア湾頭のスパシヌ・カラクス、すなわちメセネ王国の都のことであり、イシドロスのメセネ出身を示唆する。『駅亭誌』はシリアのアンティオケイアからユーフラテス川の渡河点ゼウグマを通り、アルシャク朝の東方境界であるアラコシア(Schmitt 2011によれば現代のアフガニスタン、カンダハルの周辺地域)までの行程を表すが、現在伝わるテクストはイシドロスの著作『パルティア案内記』からの抜粋らしい。『駅亭誌』がアラコシアをアルシャク朝の東方境界としたのはミフルダート二世時代の状況の反映であるが、同書にはフラハート四世時代に起こった亡命者ティールダート(前二者とは別人)の反攻(前二六年)について言及があり、これがイシドロスの著述時期の上限となる(イシドロスや『駅亭誌』についてはSchmitt 2012参照)。

『エリュトラー海案内記』(訳注は蔀 二〇一六a、二〇一六b参照)は、蔀(二〇一六a:三一五頁)によれば後五〇—七〇年の間に著述されたものであり、ローマ支配下のエジプト東部、紅海に臨むミュオス・ホルモスから東アフリカ沿岸、アラビア沿岸、ガンジス河口に至るインド沿岸までの地域を紹介し、さらにティーナ(中国)にも言及する。海上交通路の利用が盛んになる以前にアラビア半島西部の交易を支配していたのが、ヨルダンのペトラに都したアラブ系のナバテア王国であり、アレタス三世の治世(前八四—前六二年)にはシナイ半島やシリアのダマスクスをも勢力下に置く最大版図を達成したが、後一世紀後半になるとその勢力はシリアの交易都市パルミラの台頭や海上交通の隆盛に伴って減衰し、後一〇六年、王国はトラヤヌス帝治下のローマ帝国に併合され、アラビア・ペトラエア属州となる(ナバテア王国については徳永 二〇一二:一三一—一四二頁、および本巻コラム参照)。また『後漢書』「西域伝」によれば(『後漢書』のテクストは范曄 二〇〇一—〇七参照)、後漢の西域都護であった班超は後九七(永元九)年、ローマ帝国(大秦)に対して甘英を遣わしたが、彼は条支(メソポタミア南部、ペルシア湾岸のメセネか?)に至り、大海に臨んで安息(アルシャク朝)の船人から交通の困難を知らされ、大秦への渡航を断念している(条支の位置については井上 二〇一八:五三—五四頁を参照)。

トラヤヌスはアルシャク朝との戦争で首都テースィフォーン(クテシフォン)を攻略し、さらにメセネまで軍を進める(後一一六年)。しかし後一一七年に同帝が死去すると、後継者ハドリアヌスはユーフラテス以東の占領地域を放棄した(シェルドン 二〇一三：一三六－一六一頁)。その後メセネはアルシャク朝の「諸王の王」パクル二世の息子ミフルダートが支配するが、同地にはローマ帝国内の自治都市パルミラの商人たちが寄留し、後一三〇年代にはティルウァナ(バフレイン島やその周辺?)の総督なる役職に任じられる者もいた(春田 二〇一二a)。一九八〇年代初頭にティグリス河畔のセレウケイアの遺跡から発見されたパルティア語・ギリシア語併用碑文はヘラクレス(ウァルフラグン)像の両太ももに刻まれ、後一五〇年代初め、当時の「諸王の王」ウァラガシュ四世がミフルダートからメセネを奪い、戦利品として像を持ち帰ったことを記す(春田 二〇一二b)。

このような家中の内紛もあり、後二世紀の後半にはアルシャク朝・ローマ間の軍事バランスも後者優勢に傾いていく。後一六五年にはアウィディウス・カッシウス率いるローマ軍が再度テースィフォーン占領を成し遂げたが、帰還兵たちが持ち帰った疫病がローマ帝国中に流行する(シェルドン 二〇一三：一六四－一七二頁)。またこの頃のローマの活動を反映するものか、『後漢書』「孝桓帝紀」および「西域伝」によれば後一六六(延熹九)年、大秦王安敦の使者を名乗る人物が日南郡(ベトナム中部)外から象牙、犀角、瑇瑁を持って来訪した。安敦は当時のローマ皇帝マルクス・アウレリウス・アントニヌスか、その前任者のアントニヌス・ピウスを指す名なのであろう。当の使者についてはアレクサンドリア以東の商人がローマ使節を騙った可能性の他に、実際に皇帝が派遣した使節が途上で現地の物産を入手した可能性も考慮すべきであろう(鶴間 二〇〇二：一二一－一二二頁)。

また後二世紀の終わりにはセプティミウス・セウェルス帝もアルシャク朝に対し遠征し、後一九七年、首都テースィフォーンは三たびローマ軍によって陥落した(シェルドン 二〇一三：一七四－一八四頁)。続くカラカラ帝も遠征を行ったが、後二一七年、カラエ(ハラン)近郊の月神の神殿を訪問する途上で暗殺され、アルタバーン四世は次帝マクリヌスをニシビスで破り、賠償金を得て講和した(シェルドン 二〇一三：一八四－一八九頁)。

四、バビロニア天文学・占星術の西方への伝播

『ローマ皇帝群像』「アントニヌス・カラカルスの生涯」六、六によれば、カラカラはラテン語でLunusという男性の月神を詣でる途上で暗殺されたが、この語は注釈者マギー(David Magie)によればハランで古来より崇拝された月神スィンを表す(Aelius Spartianus 1993: 18n2)。スィンは古代メソポタミアの神々のパンテオンの中で重要な位置を占めた。新月が見えることは太陰暦のメソポタミア標準暦では新しい月の始まりを意味した。そして月食がある一定条件の下で起これればそれは王にとって不吉な予兆となった。こうしたことから、月の観測はアッシリアやバビロニアの天文占星学者にとって重要な意味を持った。新アッシリア時代末期になると、天文事象から地上の事件を予知する予兆占星術と並んで、月食などの天文事象それ自体を、周期性を手掛かりに予測しようとする天文学が盛んに推し進められるようになる。当時アッシリア帝国の支配下にあったバビロニアの中心都市バビロンでは、少なくとも前七世紀から前一世紀にかけて、『バビロン天文日誌』が継続的に作成された。*ADART* 1-3に公刊された『天文日誌』の粘土板には月をはじめ、肉眼で見える五惑星の詳細な観測や位置情報のみならず、曇りや雨、風などの天候、大麦やナツメヤシ、羊毛などの農畜産物の価格、バビロンを流れるユーフラテス川の水位、戦争や王・王族の死去から動物の特異な行動や奇形の出産に至る特異な政治的・社会的事件が事細かに記録されている。前四〇〇年前後になると惑星の位置を記述するのに、黄道十二宮という概念が用いられるようになる。これは天球上を一年間かけて太陽が一周する黄道を各三〇度ずつ、一二等分したもので、各宮はふたご座、かに座、しし座など、黄道上の主だった星座にちなみ把握される。現在テレビや雑誌などでよく目にする星座占い(サン・サイン占星術)もこの十二宮を利用しており、その起源は約二四〇〇年前のバビロニアにあったのである(三津間 二〇二〇:六〇一頁)。バビロニアでは十二宮の概念が確立した当

初から、子供の誕生時の七惑星（月、太陽と肉眼で見える五惑星）の位置を十二宮を基準として示す「ホロスコープ」と呼ばれるアッカド語占星術文書が作成されている（Rochberg 1998に集成）。ただしその中には後にヘレニズム世界で作成されたホロスコープのような、アセンダント（子供の誕生時などに東の地平線と黄道が交わっていた点、ギリシア語でホロスコポス）に対する関心はまだ見られない。バビロニア外で作成された「ホロスコープ」の初期の例として、アセンダントへの関心はやはり見られないが、トルコ南東部、ネムルトダーゥの山上にあった獅子の浮彫が挙げられる（この史料についてはNeugebauer and Van Hoesen 1987: 14-16を参照）。ネムルトダーゥの山頂にはコンマゲネ王国の王アンティオコス一世の墓廟があったとされるが、墓所そのものはいまだ発見されていない。「ホロスコープ」とされる獅子の浮彫は山の西麓の基壇上に存在した。この獅子の胸部には三日月が描かれており、顔の左に木、水、火の三惑星があしらわれ、各々に説明のギリシア語碑文が付属する。獅子そのものの上や前後には星が一九個描かれ、しし座を象徴することを示す。この浮彫は三つの惑星および月がしし座あるいは獅子宮に会したことを示す。ノイゲバウアーとヴァン・ホーセンの計算によれば、この現象は獅子宮で前六二年七月七日に起きた。この日付はアンティオコスの誕生や王就任と合致しないが、ローマのポンペイウスによる小アジアやオリエントの再編との同期が注目される。すなわち、この獅子の浮彫はアンティオコスがローマにコンマゲネ支配を認められた頃の惑星や月の位置を示しており、変則的ながら王即位に合わせ作られたホロスコープと見なせるという。類例として、アラビア語で伝わる、後五三一年八月一八日のサーサーン朝フスラヴ（ホスロー）一世の即位に合わせたホロスコープが挙げられる。

占星術が盛んになると、それへの批判も行われるようになる。後一五四年に生まれた思想家バルダイサンは、ローマに臣従したオスロエネ王国の首都エデッサ（現トルコのシャンルゥルファ）の思想家であるが、彼と弟子たちの対話篇である『諸国の法の書』が、現存最古のシリア語文学作品の一つとして今に伝わっている。その中でバルダイサンは、人間の生活が世界の各地域の慣習によって支配されることを述べており、諸惑星が人間の運命に影響を及ぼすことを過度に強調する「バビロンのカルデア人」の占星術思想を批判している。「バビロンのカルデア人」なる者に帰されることからそれは古代メソポタミア由来の思想のようにも見えるが、古代メソポタミアの占星術では天文事象は神々と人間を媒介する予兆と考えられており、「バビロンのカルデア人」の思想はむしろヘレニズム占星術の考え方に類似している。しかしこのようにヘレニズムの影響が色濃い占星術思想にまで「バビロンのカルデア人」の名が冠されるところに、西方におけるバビロニア占星術の高名がうかがえる(2)。

バビロニアの占星術ばかりではなく、天文学も西方のローマ勢力圏に大きな影響を与えた。後二世紀にアレクサンドリアで活動した天文学者プトレマイオスがギリシア語で著した『アルマゲスト』は、前八世紀のバビロニア王ナボナッサルの代以降の古い観測記録が当時保存されていたとし、特定の年を表すのにも同王治世第一年に相当する前七四七/七四六年を元年とするナボナッサル紀元を用い、さらに実際にバビロンで行われた天文観測の記録も引用する。また天体間の離角を記述する際にダクテュロス(指)という単位が用いられるが、これはバビロニアの天文観測記録で用いられたウバーヌ(指)という単位に相当する。『アルマゲスト』は後代にシリア語、アラビア語、ラテン語に翻訳されて中東やヨーロッパに多大な影響を与える(三津間 二〇一三:三七四―三七五頁)。

五、アルシャク朝パルティアの滅亡、サーサーン朝の興隆

アルシャク朝のアルタバーン四世はローマ皇帝マクリヌスにはかろうじて勝利を収めたとはいえ、足元は大きく揺らいでいた。ハカーマニシュ朝を輩出したペルシス地方(現イランのファールス地方)においては、地方政権の中でサーサーン家という新しい勢力が台頭した。サーサーン家のアルダフシール(アルダシール)一世は二二四年にホルミズダガーンの戦いでアルタバーン四世を敗死させ、「諸王の王」を名乗る(Jackson Bonner 2020: 32-33)。イランからメソポタ

ミアまでを支配する帝国としてのアルシャク朝パルティアの幕は閉じ、サーサーン朝がその帝国を引き継ぐが、アルメニアにはアルシャク家の勢力が残存し、四二八年まで、断続的に同家出身の王による支配が続く(Toumanoff 2016)。

アルダフシール一世やその子シャーブフル(シャープール)一世の王碑文を見ると、セレウコス朝やアルシャク朝がかつてイランを支配した痕跡が看取できる。サーサーン朝帝国の第二代君主シャーブフル一世の、カァベ・イェ・ザルドシュトの塔に刻まれた碑文にはシャーブフルの対ローマ戦争の経過が三言語併用で述べられ(テクストはHuyse 1999: 22-64参照)、ペルシス地方で用いられていた南西イラン語の中期ペルシア語に加え、パルティア語とギリシア語で同様の内容が記される。北西イラン語のパルティア語はアルシャク朝時代の王碑文など(例えばティグリス河畔のセレウケイア出土のヘラクレス像に刻まれた碑文)で用いられた。そしてセレウコス朝時代の碑文やコイン銘文、アルシャク朝時代のコイン銘文や碑文でもギリシア語が用いられた。先述のヘラクレス像の碑文はパルティア語・ギリシア語併用であった。こうした言語状況を、サーサーン朝初期の王碑文は受け継ぐ。しかしコイン銘文については、ギリシア語銘が盛んに用いられたアルシャク朝時代と対照的に、サーサーン朝のコイン銘文は当初から全てパフラヴィー文字(中期ペルシア語)で刻まれており(Schindel 2005; アルダフシール一世およびシャーブフル一世のコイン銘文についてはSkjærvø 2003を参照)、ヘレニズムの影響力の弱まりも感じられる。一方パルティア語は、サーサーン朝の王碑文での使用は三世紀末―四世紀初めのナルセフの時代までであるが、マニ教会の典礼言語として八―一〇世紀まで中央アジアのソグド人に用いられた(吉田 一九九二)。清末か中華民国初期までマニ教信仰が存続した福建の霞浦ではパルティア語賛歌を漢字で音写したものも見出され、東方での豊かな文化交流を感じさせる(吉田 二〇一六:二九―三〇頁)。

六、マニ教・ゾロアスター教・キリスト教

マニ教はサーサーン朝のシャーブフル一世の時代に台頭する。開祖マニは二一六年四月一四日、アルシャク朝支配下のバビロニア北部で生まれた。四歳の時に父パッテーグに連れられ、ムグタシラ(沐浴する人々)と呼ばれる洗礼教団に参加する。おそらく二二八年と二四〇年の二度、「双子の兄弟」なる精霊から啓示があり、二度目の啓示によってマニは自ら宣教に乗り出す。その後彼はシャーブフルの廷臣となり、マニ教はローマ領エジプトやサーサーン朝の北東領域へ宣教し成功を収めた(吉田・古川 二〇一五：八一一〇、二〇一二二頁)。四世紀の北アフリカでは若き日のアウグスティヌスがマニ教に入信する。

マニ教宣教の痕跡は、シリア語で書かれた『カルカー・ド・ベート・スロークとその地の殉教者達の歴史』にも見出すことができる。これはカルカー・ド・ベート・スローク(現イラクのキルクーク)および同地のキリスト教徒の歴史を、伝説的なアッシリア時代の都市創建から五世紀の迫害まで記述した史料である(史料の日本語訳は三津間・石渡 二〇〇五、二〇〇六を参照)。シャーブフル一世の時代、キリスト教への脅威となるマニ教がカルカーに到来したことも次のように記される。

> シャープールの時代に、あらゆる悪の器であるマニがその地にサタン的な胆汁を吐き出し、二本の毒麦を育ててしまった。その彼らの名は悪の子らであるアッダイとアブザクヤーである。
>
> (三津間康幸・石渡巧訳。三津間・石渡 二〇〇五：六七頁より一部改変して引用)

マニ教の教義は善(光、魂)と悪(闇、物質)の徹底的な二元論であり、マニ自身によって形成された神話の中で展開される。物質世界の中には光の要素が閉じ込められており、人間の肉体も光の要素である魂を閉じ込める。肉体や物質界からこれらを救うため、マニ教の僧侶集団(選ばれた者)は性的禁欲で魂の牢獄たる肉体の再生産を防止し、光の要素を多く含むとされる植物を食したが、その採取も光の要素を傷つけるとされるため、一般信者(聴者)が耕作や収穫、調理の仕事を担っていた(吉田・古川 二〇一五：一二一一八頁)。

シャーブフル一世が亡くなり、バフラーム一世が即位すると、ゾロアスター教（あるいはその前身の、オフルマズド＝アフラ・マズダーを崇拝するマズダー教）の巻き返しを受け、二七四年あるいは二七七年にマニは投獄され死亡する（吉田・古川 二〇一五：一〇、二一－二二頁。ゾロアスター教とマズダー教の関係は青木 二〇二〇：一七三－一七七頁を参照）。一方ゾロアスター教（あるいはマズダー教）はこの頃台頭した大祭司ケルディールが最高権威となり、帝国各地に礼拝対象の聖火を設置し、祭祀を盛んにする。またマニ教ばかりかユダヤ教、キリスト教、そしてインド起源の仏教まで弾圧し、そのことをケルディール自身のカァベ・イェ・ザルドゥシュト碑文に中期ペルシア語で記している。(3)

四世紀のサーサーン朝を代表する君主がシャーブフル二世である（東方教会の序列に関するものを除くこの段落の記述は、基本的に Jackson Bonner 2020: 71-133 による）。四世紀の初めにはアルメニアのティールダート三世がキリスト教を奉じ、さらにローマ帝国もコンスタンティヌス一世の下でキリスト教を受容する。このような情勢の下でシャーブフル治世の三四五年頃、サーサーン朝領内のキリスト教徒が迫害され、多数の殉教者が出たという。しかし五世紀にはキリスト教徒とサーサーン朝王権の関係は好転し、四一〇年にはセレウケイア（・テースィフォーン）で教会会議が開催され、その教令集の序言ではサーサーン朝のヤザドギルド一世が救いと安寧をイランのキリスト教徒にもたらした者として讃えられた（教令集のシリア語テクストは Chabot 1902: 17-36 を参照）。教令第二一条では東方教会の序列が定められ、首座主教の座すセレウケイア・テースィフォーンを筆頭に、ベート・ラファト、ニシビス、プラート・ド＝マイシャーン、アルビル、カルカー・ド・ベート・スロークの五府主教座が数えられる。この頃の東方教会の勢力がメソポタミアからフーゼスターンを中心に広がっていたとわかる。四三一年のエフェソス公会議でマリアを「神の母」ではなく「キリストの母」とするコンスタンティノープル大主教ネストリウスとその教説が排斥された後、いわゆる「ネストリウス派」はサーサーン朝領内に拠点を移す。公会議で破門されたバルサウマがニシビスの府主教となり、王権に接近しつつ東方教会の主導権を握る。東方教会では四八六年の教会会議で最終的にローマ教会からの分離が規定され、その後はサーサーン朝領内からさらに東方へと教線を伸ばしていく。
五三一年に即位したフスラヴ一世の治世には、ゾロアスター教において善神オフルマズドと悪神アフレマンが直接対峙する二元論的教義が完成する。聖典『アヴェスター』が新たに作成されたアヴェスター文字で書き記されるようになり、中期ペルシア語の注釈（ザンド）が二元論の基礎を固め、これらの文献は現代のゾロアスター教徒にまで継承される（青木 二〇一九：一七九―一八七頁、青木 二〇二〇：二四〇―二四二頁）。

七、古代の最終戦争とサーサーン朝の滅亡、イスラームの到来

六〇二年に東ローマ皇帝マウリキオスが簒奪者フォカスに殺害されると、フスラヴ一世の孫であるフスラヴ二世は復讐の名目で軍を起こし、ローマに対する全面戦争を開始した。サーサーン朝軍はメソポタミア、シリアからパレスティナおよび小アジアの広い範囲を席巻する。六一四年にはイェルサレムを占領し、イエスが磔刑にされた時に使われたという「真の十字架」の破片を奪いテースィフォーンへ移す。小アジア方面ではコンスタンティノープルの対岸カルケドンまで到達する。劣勢のローマ側ではこの時、奇しくもアルシャク家の血を引くと言われるアルメニア出身の将軍ヘラクレイオスがフォカスを殺害して帝位に就いていた（六一〇年）。彼はサーサーン朝に和平を乞うがフスラヴ二世に拒絶され、エジプトへ逃亡を計るがアレクサンドリアも陥落してしまう（六一九年）。

しかしサーサーン朝は東ローマ帝国の都であるコンスタンティノープルを攻略できず、ヘラクレイオスは六二四年、カッパドキアのカエサレアからアルメニアに進み、さらにシーズを衝いてゾロアスター教の軍人貴族階級守護聖火アードゥル・グシュナスプが置かれた拝火神殿（現タフテ・ソレイマーン遺跡）を破壊する（この聖火については青木 二〇一九：一九三―一九五、二〇三頁、青木 二〇二〇：二一〇―二一一頁も参照）。またコーカサスのハザールや西突厥（にしとっけつ）と同盟し、六

二七年にもサーサーン朝西北諸州に侵入、ダスタギルドのフスラヴの宮殿を破壊し首都テースィフォーンを脅かす。ここでサーサーン朝では軍人貴族がフスラヴ二世を廃位し、息子シェーローイがカワード二世として王位に就く。フスラヴは処断され、シェーローイはヘラクレイオスと停戦し、占領地を放棄して講和を図る（最終的にボーラーンの時に成立）。

こうして古代最終戦争はサーサーン朝の敗北に終わったが、さらに状況は悪化する。シェーローイは兄弟一七人を殺害しサーサーン家の有能なメンバーを粛清した。この時メソポタミアではダムや運河が荒廃し、耕地が湿原に変貌していた。これが西方諸属州での疫病の蔓延を招き、人口の半分が死亡しシェーローイも落命する。能力ある後継者がいない王朝はますます混迷する。後を継いだ息子アルダフシール三世を将軍シャフルヴァラーズが殺害し、自ら即位するが、四〇日後に殺される。その後はフスラヴ二世の娘ボーラーンとアーザルミーグドゥフトが相次ぎ統治するが長続きはしなかった。後者は貴族ファッロフ・ホルミズドの求婚を退け殺害するが、テースィフォーンへ進軍してきた息子ルスタムに復讐されるなど（青木 二〇二〇：三一〇―三一二頁）、混乱が相次ぐ。最終的に六三二年、フスラヴ二世の弱年の孫ヤザドギルド三世が即位し、混乱は収束したかに見えたが、奇しくもこの年に亡くなったムハンマドの下、アラビア半島にはアラブ・イスラーム勢力のメディナ政権が台頭し、サーサーン朝にはその北方への侵攻を止める力は残されていなかった。

六三〇年からアラブ・イスラーム勢力はイラン領内に侵入を開始し、六三三年にはメディナ政権の将軍ハーリド・イブン・アル＝ワリードがイラク中西部の関門ペーローズ・シャーブフル（アンバール）を攻略し重要拠点を奪った。六三八年一月六日にはヒーラの南方カーディシーヤの戦いでイスラーム軍がルスタム率いるサーサーン朝軍を破り、バビロンでも勝利を収めテースィフォーンを囲む。包囲は一年半に及び、六三九年半ばに首都は強襲を受け陥落した。六四一年にはイラン北西部ハマダーン付近のニハーヴァンド（ナハーヴァンド）でイスラーム軍が勝利、ハマダーン、エスファハーンなどの主要都市が無抵抗で開城する。この後、六四七(貞観二一)年にヤザドギルド(伊嗣侯)が唐へ遣使したことが、『旧唐書』「西戎伝」中の「波斯伝」と呼ばれる部分に記される(『旧唐書』のテクストは劉昫 一九七五を参照)。危機に際して唐の援助を求めたと思われるが、「波斯伝」の伝える遣使の趣旨は「活褥蛇」と呼ばれる、青色で鼠捕りの上手な獣を献上したことのみである。そして六五〇年までサーサーン朝の手に残されたペルシスの中心都市イスタフルもイスラーム軍により陥落、ヤザドギルド三世はイラン北東部に逃亡し抗戦を呼びかけるが地方貴族たちの組織化に失敗し、ホラーサーンのマルヴへ逃れたところで(再度)唐にも救援を要請するが空しく、エフタル部族に救いを求めるも、六五一年に殺害されサーサーン朝は滅亡する。彼の子ペーローズ(『旧唐書』「波斯伝」の卑路斯)らは王朝再興を目指すが、ついにその目的は達成できなかった(本節のここまでの内容は、『旧唐書』の記述を除き、基本的にJackson Bonner 2020: 277-340 および Shahbazi 2005 による)。

最後にサーサーン朝末期のイランと唐との交渉のもう一つの側面に注目してみたい。ローマ帝国を追われ、東方教会に活路を見出した「ネストリウス派」のキリスト教もこの頃中国に至り、景教の名で知られるに至る。西安(かつての唐の都長安)で発見された『大秦景教流行中国碑』によれば(碑文本文および翻訳は、貴田・山口 二〇〇七を参照。シリア語銘文を含めた碑文のテクストと翻訳は、神 一九八一:四三―七七頁を参照)、景教は六三五(貞観九)年に阿羅本により長安に伝えられる。その寺院として長安に波斯胡寺が建立され、七四五年(天宝四載)の詔で大秦寺と改称された(桑原 一九八七)。『中国碑』の碑文本文は漢文であるが、碑の下方にはシリア語銘文が刻まれ、トハーレスターン(アフガニスタン北部一帯、古代のバクトリア)はバルフ出身のミーリース司祭の子、教区主教ヤザドボーゼードが七八〇/七八一年に『中国碑』を建てたと伝える(この人物は漢文では施主とされる伊斯に同定できるか)。ヤザドボーゼードというイラン名は彼のルーツをよく示し、イランとその域外とのネットワークが機能し続けたことを我々に実感させる。

注

（1） 三津間（二〇一二a：三三九頁）の「バビロン天文日誌（前一四一―前一四〇年）A（＝ADART 3 -140A）」裏面九行の訳文は復元した部分への指示を加えて「同月二八日、［アルシャ］ク大王［の代理に］任命された［アンティオコス］はセレウケイアからバビロンに入っ［た。］」とすべきである。記して訂正したい。

（2） バルダイサンについては三津間（二〇一九：二六〇―二六三頁）も参照。『諸国の法の書』の翻訳には戸田（二〇〇九）がある。

（3） 碑文のテクストと翻訳は伊藤（二〇〇一：一二四―一三二頁）参照。碑文の位置は塔の東面外壁最下部、シャーブフル一世の碑文の中期ペルシア語版の下である（Huyse 1999: Tafel 1; 伊藤 二〇〇一：一二三頁を参照）。

参考文献

青木健（二〇一九）『新ゾロアスター教史』刀水書房。

青木健（二〇二〇）『ペルシア帝国』講談社現代新書。

伊藤義教（二〇〇一）「カルデールの「ゾロアスターのカアバ」刻文について」『ゾロアスター教論集』平河出版社。

井上文則（二〇一八）「宮崎市定のローマ帝国――『天を相手にする――評伝宮崎市定』補遺」『西洋古代史研究』第一八号。

貴田晃・山口謠司（二〇〇七）『大秦景教流行中国碑――翻訳資料』大東文化大学人文科学研究所。

桑原隲藏（一九八七）「大秦景教流行中國碑に就いて」『桑原隲藏全集』第一巻、岩波書店。

阪本浩（二〇〇〇）「重装騎兵（カタフラクトゥス）とローマ人」『研究叢書 第14号――言語・文化の東と西』青山学院大学総合研究所人文学系研究センター。

シェルドン、ローズ・マリー（二〇一三）『ローマとパルティア――二大帝国の激突三百年史』三津間康幸訳、白水社。

蔀勇造訳註（二〇一六a）『エリュトラー海案内記1』平凡社東洋文庫。

蔀勇造訳註（二〇一六b）『エリュトラー海案内記2』平凡社東洋文庫。

神直道（一九八一）『景教入門』教文館。

杉江拓磨（二〇一四）「四大帝国の興亡？――『王朝予言』の再解釈とダニエル書」『聖書学論集』第四六号。

田中穂積（一九八五）「ダニエル書一一章について――支配者の驕慢と瀆神」『人文論究』第三五巻三号。

鶴間和幸（二〇〇二）「［書評・紹介］山本達郎編『岩波講座 東南アジア史 1 原史東南アジア世界』」『東南アジア――歴史と文化』第三一号。

徳永里砂（二〇一二）『イスラーム成立前の諸宗教』国書刊行会。

戸田聡（二〇〇九）「翻訳・バルダイサン『諸国の法の書』」『エイコーン』第三九・四〇号。

日本聖書協会編（二〇一八）『聖書：聖書協会共同訳――旧約聖書続編付き』日本聖書協会。

春田晴郎（二〇一二a）「215 パルミラ商人の東方での活動（一―三世紀）」歴史学研究会編『世界史史料1 古代のオリエントと地中海世界』岩波書店。

春田晴郎（二〇一二b）「217 パルティア王のペルシア湾頭遠征（二世紀半ば）」歴史学研究会編『世界史史料1 古代のオリエントと地中海世界』岩波書店。

范曄撰（二〇〇一―〇七）『後漢書』全一〇冊・別冊、吉川忠夫訓注、岩波書店。

三津間康幸（二〇〇九）「セレウコス朝およびアルシャク朝時代の王権の展開と都市バビロン――『日誌』を主要資料とした研究」東京大学、博士論文。

三津間康幸（二〇一二a）「212 セレウコス朝の衰退（前二世紀後半）」歴史学研究会編『世界史史料1 古代のオリエントと地中海世界』岩波書店。

三津間康幸（二〇一二b）「213 アルサケス（アルシャク）朝の苦難（前一三〇年代―前一〇〇年代）」歴史学研究会編『世界史史料1 古代のオリエントと地中海世界』岩波書店。

三津間康幸（二〇一三）「バビロン――天空を仰ぎ見る学知の都市」本村凌二編『ローマ帝国と地中海文明を歩く』講談社。

三津間康幸（二〇一五）「アルシャク朝時代の「市民」と「長老会」との関係について――未公刊のバビロン天文日誌 BM35269+35347+35358 からの展望」『オリエント』第五八巻一号。

三津間康幸（二〇一九）「古代メソポタミアの占星術における「媒介するモノ」――『諸国の法の書』の「カルデア人」におけるその変容をめぐって」津曲真一・細田あや子編『媒介物の宗教史』上巻、リトン。

三津間康幸（二〇二〇）「古代バビロニアの天文学と星占い」鈴木董・近藤二郎・赤堀雅幸編『中東・オリエント文化事典』、丸善出版。

三津間康幸・石渡巧（二〇〇五）「「カルカー・ド・ベート・スロークとその地の殉教者達の歴史」訳注・一」『エイコーン』第三一号。

三津間康幸・石渡巧（二〇〇六）「「カルカー・ド・ベート・スロークとその地の殉教者達の歴史」訳注・二」『エイコーン』第三三号。

山本弘道（一九七五）「「イシドロスのパルティア道里記」訳註」松田壽男博士古稀記念出版委員会編『東西文化交流史』雄山閣。

吉田豊（一九九二）「パルティア語」亀井孝・河野六郎・千野栄一編『言語学大辞典 第三巻 世界言語編（下-1）』、三省堂。

吉田豊（二〇一六）「唐代におけるマニ教信仰——新出の霞浦資料から見えてくること」『唐代史研究』第一九号。

吉田豊・古川攝一（二〇一五）『中国江南マニ教絵画研究』臨川書店。

劉昫等撰（一九七五）『舊唐書』全一六冊、中華書局。

ADART Hermann Hunger and Abraham J. Sachs (1988-2014), *Astronomical Diaries and Related Texts from Babylonia*, Vols. 1-3, 5-7, Wien, Verlag der Österreichischen Akademie der Wissenschaften.
Aelius Spartianus (1993), "Antoninus Caracallus", *The Scriptores Historiae Augustae*, Vol. 2, with an English translation by David Magie, Cambridge, MA, Harvard University Press, reprint.
Appianus Alexandrinus (1962), *Appian's Roman History*, Vol. 2: *Books VIII Part II-XII*, with an English translation by Horace White, London, Heinemann, reprint.
BCHP Robartus J. van der Spek, Irving L. Finkel, Reinhard Pirngruber, and Kathryn Stevens (forthcoming), *Babylonian Chronographic Texts from the Hellenistic Period*, Atlanta, Society of Biblical Literature.
BM　大英博物館所蔵粘土板
Boiy, Tom (2007), *Between High and Low: A Chronology of the Early Hellenistic Period*, Frankfurt am Main, Verlag Antike.
Chabot, Jean-Baptiste (1902), *Synodicon orientale, ou Recueil de synodes nestoriens*, Paris, Imprimerie nationale.
Curtis, Vesta Sarkhosh, Alexandra Magub, Elizabeth J. Pendleton, and Edward C. D. Hopkins (2020), *Sylloge Nummorum Parthicorum*, Vol. 2, *Mithradates II*, Wien, Verlag der Österreichischen Akademie der Wissenschaften.

Garsoian, Nina（2005）, "Tigran II", *Encyclopædia Iranica*, online edition（https://www.iranicaonline.org/articles/tigran-ii）最終閲覧日二〇二一年四月五日。
Gaslain, Jérôme（2016）, "Some Aspects of Political History: Early Arsacid Kings and the Seleucids", Vesta Sarkhosh Curtis et al.（eds.）, *The Parthian and Early Sasanian Empires: Adaptation and Expansion*, Oxford, Oxbow Books.
Gregoratti, Leonardo（2017）, "The Arsacid Empire", Touraj Daryaee（ed.）, *King of the Seven Climes: A History of the Ancient Iranian World (3000 BCE-651 CE)*, Irvine, Jordan Center for Persian Studies.
Hill, George F.（1922）, *Catalogue of the Greek Coins of Arabia, Mesopotamia and Persia*, London, The Trustees of the British Museum.
Huyse, Philip（1999）, *Die dreisprachige Inschrift Šābuhrs I. an der Kaʿba-i Zardušt* (ŠKZ), Vol. 1, London, School of Oriental and African Studies.
Jackson Bonner, Michael R.（2020）, *The Last Empire of Iran*, Piscataway, NJ, Gorgias.
Leichty, Erle, Irving L. Finkel, and Christopher B. F. Walker（2019）, *Catalogue of the Babylonian Tablets in the British Museum*, Vols. 4-5, Münster, Zaphon.
Mitsuma, Yasuyuki（2018）, "A New Attestation of Ardaya, the General of Babylonia under the Declining Seleucid Rule", *Orient* 53.
Neugebauer, Otto, and Henry B. Van Hoesen（1987）, *Greek Horoscopes*, Philadelphia, The American Philosophical Society, reprint.
Rochberg, Francesca（1998）, *Babylonian Horoscopes*, Philadelphia, The American Philosophical Society.
Sachs, Abraham J., and Donald J. Wiseman（1954）, "A Babylonian King List of the Hellenistic Period", *Iraq* 16.
Schindel, Nikolaus（2005）, "Sasanian Coinage", *Encyclopædia Iranica*, online edition（https://iranicaonline.org/articles/sasanian-coinage）最終閲覧日二〇二一年四月一八日。
Schmitt, Rüdiger（2011）, "Arachosia", *Encyclopædia Iranica*, online edition（https://iranicaonline.org/articles/arachosia）最終閲覧日二〇二一年三月二四日。
Schmitt, Rüdiger（2012）, "Isidorus of Charax", *Encyclopædia Iranica*, online edition（https://iranicaonline.org/articles/isidorus-of-charax）最終閲覧日二〇二一年三月二四日。
Schoff, Wilfred H.（1989）, *Parthian Stations by Isidore of Charax*, Chicago, Ares, reprint.

Sellwood, David (1980), *An Introduction to the Coinage of Parthia*, second edition, London, Spink.

Shahbazi, A. Shapur (2005), "Sasanian Dynasty", *Encyclopedia Iranica*, online edition (https://www.iranicaonline.org/articles/sasanian-dynasty) 最終閲覧日二〇二一年四月一三日。

Skjærvø, Prods O. (2003), "Paleography", Michael Alram and Rika Gyselen, *Sylloge Nummorum Sasanidarum*, Vol. 1, *Ardashir I.–Shapur I.*, Wien, Verlag der Österreichischen Akademie der Wissenschaften.

van der Spek, Robartus J. (2020), "BCHP 11 (Invasion of Ptolemy III Chronicle)", Livius. org (https://www.livius.org/sources/content/mesopotamian-chronicles-content/bchp-11-invasion-of-ptolemy-iii-chronicle/) 最終閲覧日二〇二一年四月二日。

Strabo (1961), *The Geography of Strabo*, Vol. 5, with an English translation by Horace L. Jones, London, Heinemann, reprint.

Strootman, Rolf (2015), "Seleucus", *Encyclopædia Iranica*, online edition (https://www.iranicaonline.org/articles/seleucus-kings) 最終閲覧日二〇二〇年一一月一日。

Toumanoff, Cyril (2016), "Arsacids vii. The Arsacid Dynasty of Armenia", *Encyclopædia Iranica*, online edition (https://www.iranicaonline.org/articles/arsacids-vii) 最終閲覧日二〇二一年四月一九日。

Zadok, Ran (1985), *Geographical Names According to New- and Late-Babylonian Texts*, Wiesbaden, Reichert.

コラム｜Column

ナバテア王国の興亡とローマ帝国

桑山由文

ナバテアは、起源ははっきりしないものの、アラビア半島西北で遊牧生活を営んでいたらしい人々が、都市ペトラ(現ヨルダン南方に位置)を中心に建てた国家である。ヘレニズム時代初めには一定の勢力を形成しており、遅くとも前二世紀前半には王権が確立、南アラビア産の香料やインド洋方面の物資の、地中海域への中継貿易で富裕となった。貨幣や碑文史料からは、王国の人々がアラム語系の言語と文字を用い、「ナバテア人」という明確な自己認識を持っていたこと、主神ドゥシャラなど独自の神に加えて、周辺と共通の神々も信仰していたことなどが分かる。ただし、こうした史料からの情報は断片的である。ナバテアについて詳述する文献史料は、ストラボン、シチリアのディオドロスら外部の人によるギリシア語のものが主で、記述の正確さは慎重に見極める必要がある。したがって、社会の実態については不明な点が多い。

ナバテアが強勢となったのは前一世紀初めである。セレウコス朝の弱体化を受けて台頭し、一時はダマスクスを支配した。ギリシア辺諸国と覇を競い、アルメニアやユダヤなど周風の貨幣を発行し、王が「ギリシア人の友」を称するなど、ヘレニズム国家としての性格を強めてもいた。ところが、混沌としたシリア情勢に共和政ローマが介入し、ポンペイウスがセレウコス朝を滅ぼして属州とすると、事態は激変した。ナバテアは周辺諸国ともどもローマの傘下に入り、その東方支配体制に組み込まれたのである。

これより後、ナバテアは、ローマ帝国の動向に左右される歴史を歩んでいく。ローマ共和政期には元老院議員の抗争にしばしば巻き込まれた。とくにアントニウスが東方を根拠地とした際には、ナバテアと争うことの多かった隣接勢力のプトレマイオス朝とユダヤが、アントニウスと親しい関係を築いたため、両者から圧迫された。帝政期に入ってからも、アウグストゥスが前二五年頃南アラビアへ遠征軍を派遣して帝国東南方への権益拡大を狙ったため、ナバテアは兵力と道案内とを提供し、侵略の尖兵役を務めた。

この遠征の成果について研究者の見解は分かれるが、遠征失敗をナバテアの裏切りに帰すストラボン『地誌』の記述が濡れ衣という点では一致している。実際、ナバテアがこの件でローマから厳しく扱われた証拠はない。それどころか遠征から十数年後、ナバテアで王位争いが生じ、新王アレタス四世がローマの承認なく登位した時には、アウグストゥスは当初不満を示したが、結局追認した。ナバテアは従属諸国の中でかなり独立した立場を許されていたといえる。他国の王が、皇帝の意向次第で領地替えや退位・復位を強制される、不安定な状況にいたのと好対照であった。ローマ領から王国中心が遠く、介入が容易でなかったことが主因かもしれないが、ともかく、アレタス四世以降の三代はいずれも三〇年以上の治世を誇り、ナバテアは内外が安定して最盛期を迎えた。

当時、王国の版図はローマ帝国東南辺沿いに、シナイ半島やアラビア西北からシリア東南へ延びていた。紅海・インド洋交易に詳しい『エリュトラー海案内記』からは、王国が紅海東岸の一港を支配し、関税収入を得ていたことが読み取れる。ナバテア商人の活動はエーゲ海や南アラビアに及び、都ペトラは各地から人々が訪れる、一大国際都市であった。ペトラだけでなく、王国南方の要衝ヘグラ(マダーイン＝サーリフ)でも建築活動が頂点に達し、現在も訪問者を驚嘆させる、岩窟墓などの独特の建築物が作られ、ナバテア文化が花開いた。それらにはメソポタミアやエジプト、ギリシア、ローマなど様々な地域の様式が取り入れられており、中でもギリシア文化の影響は神々の図像などにも見られ、顕著である。

ペトラ岩窟墓の19世紀半ばの様子(Honoré d'Albert, duc de Luynes, *Voyage d'exploration à la mer Morte, à Petra, et sur la rive gauche du Jourdain*), The New York Public Library Digital Collectionsより.

一世紀後半には王国北半で灌漑(かんがい)システムの整備が進み、農地も拡大していった。とくに東北部はペルシア湾から地中海に至る交易路にも位置したため、都市ボストラが急速に成長、同世紀末には新たに王国中心地となったらしい。なお、従来は、同時期に王国経済が他の交易路の台頭を受けて低調となったとの主張が根強かった。だが、根拠が明確ではなく、前述の建築活動とも符合しないため、近年は、ナバテアの交易路が依然健在だったとの見解が有力である。

もっとも政治面では、王国周辺の雲行きは怪しくなっていた。七〇年代以降、ローマ帝国が東方政策を転換し、従属王国の属州化を積極的に進めていったのである。ナバテアもその波に呑まれ、二世紀初頭トラヤヌス帝により併合され、属州アラビアとなった。ローマ軍駐屯や新トラヤヌス街道建設など、帝国の直接統治体制は比較的円滑に敷かれたとされる。帝国東部の支配言語であるギリシア語の使用も盛んになった。ただし、新属州の中心は変わらずボストラとペトラであり、ナバテアが育んだ地域的まとまりと文化は存続した。イスラーム期に入る頃ペトラは放棄され、一九世紀にヨーロッパ人に「再発見」されるまで忘れ去られるが、ナバテア文字の使用は広がり、アラビア文字へと発展した。王国の「遺産」は、その後の西アジアに大きな影響を与えたのである。

問題群｜*Inquiry*

古代世界の経済とローマ帝国の役割

池口　守

はじめに

二〇一八年五月にドイツのケルンとボンで開催された第一九回国際古典考古学会(International Congress of Classical Archaeology)では、古代世界の考古学と経済(Archaeology and Economy in the Ancient World)を共通テーマに、古代経済に関連する一二八のセッションで計九〇〇本もの発表が行われた(1)。一九八六年にケヴィン・グリーンの『ローマ経済の考古学 *The Archaeology of the Roman Economy*』(Greene 1986)が刊行されて以来、考古学が経済史研究に対してなし得る貢献と、歴史家にとっての考古資料の実用性が広く知られ、考古学と歴史学がかなり接近してきてはいたが、この学会の活況は、考古学者が経済史研究への関与をさらに高めようとする象徴的な出来事と筆者の目には映った。近年、遺構や遺物の観察・分析に加え、埋蔵物の地中レーダー探査、都市遺跡の三次元レーザースキャンなど、様々な科学的手法や先端技術が考古学に応用されるようになり、その成果が経済史研究にも盛んに取り込まれている。また、遺跡調査は国際的・学際的な協力体制を取ることが増えており、ローマの外港ポルトゥスを調査対象としたポルトゥス・プロジェクト(Portus Project)や、それと関連して地中海の港湾全体を視野に入れたポルトゥス・リーメン・プロジェクト(Portus Limen Project)は、その典型といえよう。一方、オックスフォード大学が二〇〇五年から続けているオックスフォード・ローマ経済プロジェクト(Oxford Roman Economy Project)も国際的な協力を得て数々の成果を発表し、ローマ経済史研究に大きく寄与している。

このような現状をふまえて、本稿は、「バトルグラウンド」(Hopkins 1980: ix)たる古代経済史のうち、とりわけローマ帝政初期の経済を中心に、近年の考古学の成果を参照しつつ概観し、今後の学界の方向性を見定める一助たろうとするものである。まず古代経済史論争の展開と現状を要約した上で、生産活動と流通・消費の実態を解説する。さらに議論の鍵となる帝国内の輸送について近年の知見と私見を提示し、最後に、領域外まで拡大した交易へと視野を拡げてみたい。

一、古代経済史論争

古代の経済をめぐる論争の起源は、ドイツの経済学者ビュッヒャーの論文集『国民経済の成立』(K. Bücher, *Die Entstehung der Volkswirtschaft*, Tübingen, 1893)にある。古典古代は生産・消費活動が家を単位として行われる「封鎖的家内経済」を特徴としており、その後、都市経済、国民経済へと歴史的に変化したという独自の発展段階説を唱えたものであった。ローマの大所領は自給自足的であり、長距離貿易も(希少性の高い天然資源や高価な工芸品のみを扱ったので)経済構造の理解にはさしたる意味をもたないとして、近代経済学の概念を古代に適用できないことを主張したのである。これに対して、古代経済と近代経済の間に経済成長などの類似性を認める歴史家のマイヤー(Eduard Meyer)は、ホメロスの時代からギリシア古典期、さらにヘレニズム時代にかけて段階的に産業と貿易が発展し、ローマ時代には「資本主義が十分に発達」したとしてビュッヒャーを真っ向から批判(一八九五年フランクフルトでの講演)、ここに論争の火蓋が切られた。その後まもなく、ビュッヒャー説を支持したヴェーバー(Max Weber)が古典古代に近代性を想像する危険性を強調し、ビュッヒャー自身もさらに自説を展開したが、古代史学界では殆ど顧みられることはなかった。逆にマイヤー説は一定の批判を浴びながらも優勢を保ち、この流れを汲むロストフツェフの『ローマ帝国社会経済史』(Rostovtzeff 1926)が、考古資料を含む多様な史資料を用いてローマ経済の発展と近代経済との類似を強調した。ローマ帝国の経済発展の過程では、まずはイタリアで、ついでガリアなどの属州で工業化がおこり、大都市では「資本主義的な大量生産」(*Ibid.*: 174)が進んだとする。ビュッヒャーやヴェーバーに対立するロストフツェフのこの著作によって、古代経済に近代性を読み取るいわゆるモダニズムがさらに勢力を強めた。

転機は一九七〇年代に訪れる。産業革命を経て市場経済が成立する以前、経済は社会に「埋め込まれ」ていた(embedded)とするポランニー(Polanyi 1944)の影響を受けて、フィンリーは著書『古代経済』(Finley 1973)で次のように主張する。すなわち、そもそも古代人は現代人のような経済的観念をもたなかったので、現代経済学の概念は古代に適用できないこと、古代人が経済的合理性を欠いており、経済活動を通じて得られる利潤よりも地位や名声に関心があったこと、市場の機能も統合も限定的であったことなど、古代経済と現代経済の(規模の違いよりも)質的な差異に注目すべきことを力説したのである。古代経済の計量的分析を可能にするデータが不足している以上、経済の基礎構造に対応するモデルを構築すべき、というのがフィンリーの立場であった。工業が農業と比較して貧弱であり、交易や市場の役割も限定的であるといった古代経済の描写はジョーンズ(Jones 1964; 1974)などにもみられたが、下部構造から古代経済の特質を説明する試みは過去に例がなかったこともあって、フィンリーのプリミティヴィズムは学界を席巻し、その後の古代経済史研究に多大な影響を及ぼすことになる。

フィンリーが社会や文化に焦点をあてた質的な議論に特化したのは、既述のようにデータの不足が大きな理由であった。碑文やパピルス文書が新たに発見されることも少なくないが、統計的に処理して経済の分析に役立てられるほどの史料の増大は望めない。一方、当時の考古学は、豪華な建築物や美術的価値の高い遺物を主な対象としており、経済の概観に役立つ広範なデータの収集は進んでいなかったから、フィンリーは考古学の貢献についても懐疑的であった。しかし、その後、フィールド・サーベイ(後述)によって農村部の遺跡の空間的分布から定住形態の推移を概観したり、水中考古学的調査や発掘から難破船やそこに積載されたアンフォラのデータを得て交易の実態を析出したり、花粉・種子・骨など動植物の遺存体を分析して農畜産業や食習慣に関する知見を得る、といった新たな考古学的手法が考案・導入されて、データの数量化が一定程度可能となったことが一因となり、フィンリー説の個々の論点に対して異論が噴出するようになった。

プリミティヴィズムとモダニズムの間の論争は、経済人類学の概念であるサブスタンティヴィズム(実在主義)とフォーマリズム(形式主義)の対立とも理解されるが、これと関連するのが経済的な統合のメカニズムであり、国家やエリートが徴税や地代徴収など直接の権力行使を行ったことを重視するか、それとも国家の支配が経済活動に望ましい条件を与えて間接的に市場を活性化させたと考えるか、という問題がある(Scheidel 2012: 8-10)。前者の例として、ローマに税を払うため属州が経済活動を活発化させる必要に迫られるなどして、税と交易品の流れが活発化したとするホプキンズ(Hopkins 1980)のモデルがある。有力なエリートの経済活動が拡大して形成されたムガル帝国の市場(バザール)との類似を指摘してローマの市場を理解しようとするバン(Bang 2008)の比較史的考察も同じ部類に属するといえよう。一方、後者の例としては、帝政初期の海賊の制圧により海上輸送のコストが低下したと考える池口やシャイデルの研究(後述)などがある。

経済の規模を評価する上で決定的に重要な人口の問題に関しても、属州はおろかイタリアについてでさえ合意がみられないなど、議論の前提を確定することさえ難しい。論争の収束が見えない状況が続いているが、ノース(North 1990)に代表される新制度派経済学の影響を受け、社会や文化の特質が経済活動を規定するという観点から橋渡しを試みる動きもある(前述のバンの研究もこの視点を含む)。また、そもそもロストフツェフ説とフィンリー説は共通点が多いにもかかわらず対立が誇張されているとしつつ、経済成長の是非よりもそのペースに注目して有効な議論を行うべきとするサラーの指摘など(Saller 2002)、過熱した論争を整理しようとする動きもみられる。

以上、古代経済に関する議論を概観したが、(2) ここで触れた各々の論点は、以下で具体的な経済活動を分析する際に不可欠な視点となろう。

二、生産活動と流通

農畜産業・鉱工業

古代ローマの基幹産業は農業であり、人口の大部分が農民であったと考えられている。農業史研究の基本史料であるカトー、ウァロー、コルメラの農事誌(Cato, *De agricultura*; Varro, *De re rustica*; Columella, *De re rustica*)は、穀物畑や葡萄(ぶどう)・オリーブ園の開設に際して購入する土地の選定、労働力たる奴隷の数、家畜の種類、肥料の種類と効用などについて詳細な指南を与えている。しかし、これらは主にイタリア中部(ローマ周辺やカンパニア地方など)を念頭に書かれており、イタリアの他地域や、まして属州諸地域の実態まで詳しく伝えるものではないし、他の文献資料や碑文資料から得られる知見も断片的と言わざるを得ないから、近年の農業史研究において考古学への依存度は増している。イタリアで発掘された大規模なウィラ・ルスティカ(農業設備をもつ別荘)としては、エトルリア沿岸のコサに近いセッテフィネストレ(Settefinestre)のウィラが特に有名で、これを所有したと思われるセスティウス家(ルキウス・セスティウスは前二三年のコンスル)が、二世紀末までにガリア向けのワイン生産から養豚業に軸足を移したと考えられるなど、イタリアの農畜産業の盛衰を考察する上で貴重な情報が得られた(Carandini 1984)。ポンペイに近いウィラ・レジーナ(Villa Regi-

図1　ウィラ・レジーナのドリア（掲載許可：イタリア文化省・ポンペイ遺跡公園――複製・転載禁止）

na）はやや小規模ではあるが、発掘後に復元され、ワインを醸造するために地中に埋められた多数のドリア（甕）［図1］も確認できる。

遺跡の詳細な情報を得るには発掘が不可欠だが、資金と時間がかかるので、一般にフィールド・サーベイと呼ばれる簡易な調査方法がローマ・ブリティッシュ・スクールのウォード＝パーキンズ（John Bryan Ward-Perkins）によって考案され、一九五〇年代から七〇年代にかけてエトルリア南部で広く実施された。これは主に農村部の畑地や草地で、露出した遺構の観察と散乱する遺物の収集を行い、そこから遺跡の地理的分布と時間的推移を読み取って定住形態や農畜産業の研究に役立てようとするものである。その後、調査・分析方法が洗練され、調査地・調査機関も増加するにしたがい、（データの解釈方法に課題を残しつつも）その有効性が広く認められるとともに、各地の社会や経済について文献資料や発掘だけでは得られない貴重な情報がもたらされている（Ikeguchi 2000; Launaro 2011）。

一方、畜産業については、舎飼いならば厩舎と思しきものが発掘により確認されることもあるが、放牧の場合も併せて考えると、遺構からだけでは畜産の全体像が見えにくい。そこで期待されるのが動物考古学という分野であり、遺跡から出土した動物遺存体（獣骨・魚骨・貝殻等）の動物種や部位を同定し、確認される破片数、想定される個体数、それらから算出される食肉の重量比等を通じて、動物利用の実態を明らかにする試みがなされている（King 1999; MacKinnon 2004）。文献資料をもとに、豚肉を古代イタリアの主たる食肉とみなすのが通説だが、獣骨データは牛肉の消費量が他の家畜の肉よりも多かった可能性を示唆しており、それは文献資料での言及が相対的に少ないイタリア北部と南部で顕著である(池口 二〇一〇、Ikeguchi 2017)。

工業として代表的なものは、食器、アンフォラ、ドリアなどの土器・陶器の生産であった。テラ・シギラタ(*terra sigillata*)と呼ばれる赤色の陶器の生産が共和政末期にイタリア北東部のアレティウムで始まり、帝政初期にガリア中南部などにも拡大したが、一世紀末から北アフリカや小アジアで生産された淡紅色の陶器(Red Slip Ware)が優勢となる。このように、時期によって生産されたタイプが異なるから、陶器は遺跡の年代決定の鍵にもなるので、その類型に関する研究が盛んに進められてきた。一方、アンフォラについてはドレッセル(Heinrich Dressel)が『ラテン碑文集成 *Corpus Inscriptionum Latinarum*』で整理した類型を基本としつつも、さらなる分類が進んでおり、形状からワイン用(長距離輸送用と短距離輸送用)、オリーブオイル用、ガルム(魚醤)用などの用途も分かる。(3)

鉱山の採掘も盛んに行われた。イタリアには貴金属の鉱山が少ないので、スペイン南東部の銀鉱山やマケドニアの金鉱山など属州の鉱山が利用され、採鉱や選鉱に水力を用いるなどして、多くは後一、二世紀に生産量が最大となった。国家が所有して直接経営または請負契約がなされる鉱山は多く、労働力として奴隷(戦争捕虜など)も自由民も使用された。

流通と消費

経済的統合のメカニズムとして国家権力と市場のいずれを重視するかという問題を、古代経済史論争に関連する論点として指摘したが、経済に対する国家権力介入の代表的な例がアンノーナ(*annona*)、すなわち国家が首都ローマ等の都市住民に対して行った食料供給である。前一二三年にガイウス・グラックスが固定価格での穀物配給(*frumentatio*)を始めた後、前七三年のテレンティウス・カッシウス法で配給量が一人一カ月当たり五モディイー(一モディウスは八・七三リットル)、したがって年間六〇モディイーとされ、前五八年に無料配給となった。帝政期にはアウグストゥ

図 2　ポンペイの製粉・製パン所（筆者撮影）

図 3　ポンペイの居酒屋（筆者撮影）

ス以降の皇帝が食糧供給を安定させる任務（*cura annonae*）を引き受け、実務を司る食料供給管理者（*praefectus annonae*）には騎士階級の者が選ばれた。アウグストゥスは変動していた首都ローマの受給者数を二〇万人に固定したので、ローマだけで年間一二〇〇万モディイーを配給することになったが、一人当たりの実際の必要量を年間四〇モディイーと推定すると、約一〇〇万人の人口を擁した帝政初期の首都ローマは四〇〇〇万モディイー（約二七万トン）を必要としたはずであるから（Rickman 1980: 10）、アンノーナはその三割を満たしたにすぎないことになる。実際には年間六〇〇〇万モディイー（約四〇万トン）の穀物をローマが輸入していたという通説（後述）にしたがえば、アンノーナが賄った割合はさらに下がって二割となる。つまり、首都に対する穀物供給の七、八割は市場での売買に委ねられたと考えられる。

売り買いの場としては、元来はフォルムが中心であり、ローマでは家畜市場（*Forum Boarium*）や野菜市場（*Forum Holitorium*）など特化された市場もあったが、前一世紀には食物市場はマケルム（*macellum*）と呼ばれるようになった（Varro, *De lingua Latina*, 5.145-146）。ポンペイの場合、フォルムの隣にマケルムが併設されており、ここで獣肉を含む様々な食料が売り買いされた。近年、重要性が指摘されているのは市（*mercatus*）や定期市（*nundinae*）であり（Frayn 1993; de Ligt 1993）、これらは国家の承認を受けたものである。定期市は農民と都市住民の間で売買を行う場であり、後一世紀のイタリアについては定期市のカレンダー(*indices nundinarii*)にあらわれる二五の都市が裁判機能を持っていたことから、裁判の日に合わせて定期市が開催されたと考えられている。

ローマ人の食習慣としては、まず穀物が摂取カロリーの大部分を占め(Foxhall and Forbes 1982)、残りは豆類、オリーブオイル、ワインなどで賄われて、獣肉や魚介類が占める割合は小さかったというのが通説である。穀物のうち小麦は粥としても食されたが、製粉・製パン所(*pistrinum*)[図2]がポンペイには多数確認され、オスティアのそれは大規模であった。またポンペイにはカウンターで飲食物を振る舞う食堂ないし居酒屋(*thermopolium*)[図3]が多数見られ、外食の習慣が古代ローマ人に一定程度根付いていたと考えられる。

三、帝国内の物資の輸送

陸路と内陸水路

生産地と消費地を結ぶ輸送に関する議論は、広域の市場統合を否定したフィンリーに対する反応として一九八〇年代にも盛んに行われたが(Garnsey et al. 1983など)、近年は考古学の発展がもたらす知見によりさらに活発になっている。ローマが舗装道路を整備したのは、不測の事態に軍隊を迅速に送り込むためであり、経済的目的というより政治的目的が主であるとフィンリーは考えた。また、ウシが牽引する荷車の遅さが指摘されたり、同一距離の輸送コストの比率(海路:内陸水路:陸路＝一:四・九:三四―四二。Duncan-Jones 1982: 366-369)が試算されたりして、陸上輸送の非効率も強調されてきた。しかし、生産地と消費地の両方が海港や河港に隣接する場合は別として、多くの場合、これらの輸送手段は相互に接続され全体として機能するのだから、少なくとも短・中距離の陸上輸送についてはその重要性を認めるべきであり、道路建設の副次的な効果として経済的利用の可能性も想定するのが自然であろう。なお、動物としてはロバ、ラバ、ラクダなどが一般の平地だけでなく丘陵地あるいは乾燥地でも駄獣として活躍したことが注目され(Laurence 1999: 95-108; Adams 2012: 229-230)、舗装されていない道路も含めて陸上輸送を考える必要がある。また、アウグストゥスによって創設された公的な駅伝制度、クルスス・プブリクス(*cursus publicus*)(南雲 二〇一四など)については、史料が比較的豊富な帝政後期の実態しか分からないが、速度を重視する場合は馬などが用いられ、約一〇マイルごとに輓獣の交換所(*mutatio*)、約五〇マイルごとに宿駅(*mansio*)が設置された。クルスス・プブリクスは許可証を発行された公用の使者や役人の移動に用いられたものであり、物資の輸送に果たした役割は小さかったと考えられるが、陸上に一日約五〇マイルという速度の通信手段が存在したことは、情報伝達速度の観点で注目に値する。

内陸でも航行可能な河川があれば輸送に利用された。コルメラは農地の選定に関する指南として、「海か航行可能な川から遠くない土地を持ちたい。それによって農産物を搬出し、購入物を運び込むことができるように」(Columella, *De re rustica*, 1.2.3)と述べている。ローマを流れるティベリス川では、オスティアおよびポルトゥスとローマとの間で艀船による物資の輸送が盛んに行われ、オスティアとローマでは河港付近に穀物等を貯蔵する倉庫が多数建設された。また、必要に応じて運河が掘削された。ラティウムのポンティーノ湿原を排水するためにアッピア街道に平行して前二世紀に掘削された運河はむしろ通行に利用されたし、アウグストゥスはポー川河口とラヴェンナの間に運河を掘削して港も築造した。ネロ帝は無謀にもカンパニアのクマエとローマの海港オスティアを長距離の運河で結ぼうとしたが(Suetonius, *Nero*, 31.3)、運河輸送はそれほどに安全かつ効率的な輸送形態であった。

海上輸送

長距離輸送の主役はやはり海上輸送であった。帝政初期の首都ローマについて、フラウィウス・ヨセフスの『ユダヤ戦記』(Josephus, *Bellum Judaicum*, 2.386)と、四世紀末に書かれた著者不詳の『皇帝略史』(Epitome de *Caesaribus*, 1.6)の二つの史料をもとに、アフリカから年間四〇〇〇万モディィー、エジプトから年間二〇〇〇万モディィー、計六〇〇〇万モディィーの穀物が輸入されたとする説が(一定の疑義も示されているが)有力である。エジプトからの穀物船はプテオリで荷揚げされて倉庫に保管され、必要量が適宜オスティアを経由してローマへ転送されていた。オスティアではティベリス川が上流から運ぶ土砂が堆積して港が使用に耐えなくなったため、沖合で艀船への積み替えを行うようになったが、これは危険を伴う作業であった。そこでクラウディウス帝はオスティアの北の海岸線を掘削して巨大な人工港(通称クラウディウス港)を築造したが、六二年の暴風雨で多数の船が沈み安全性の問題が明らかとなったため、トラヤヌス帝が正六角形の内湾(通称トラヤヌス港)を築造した[**図4**]。

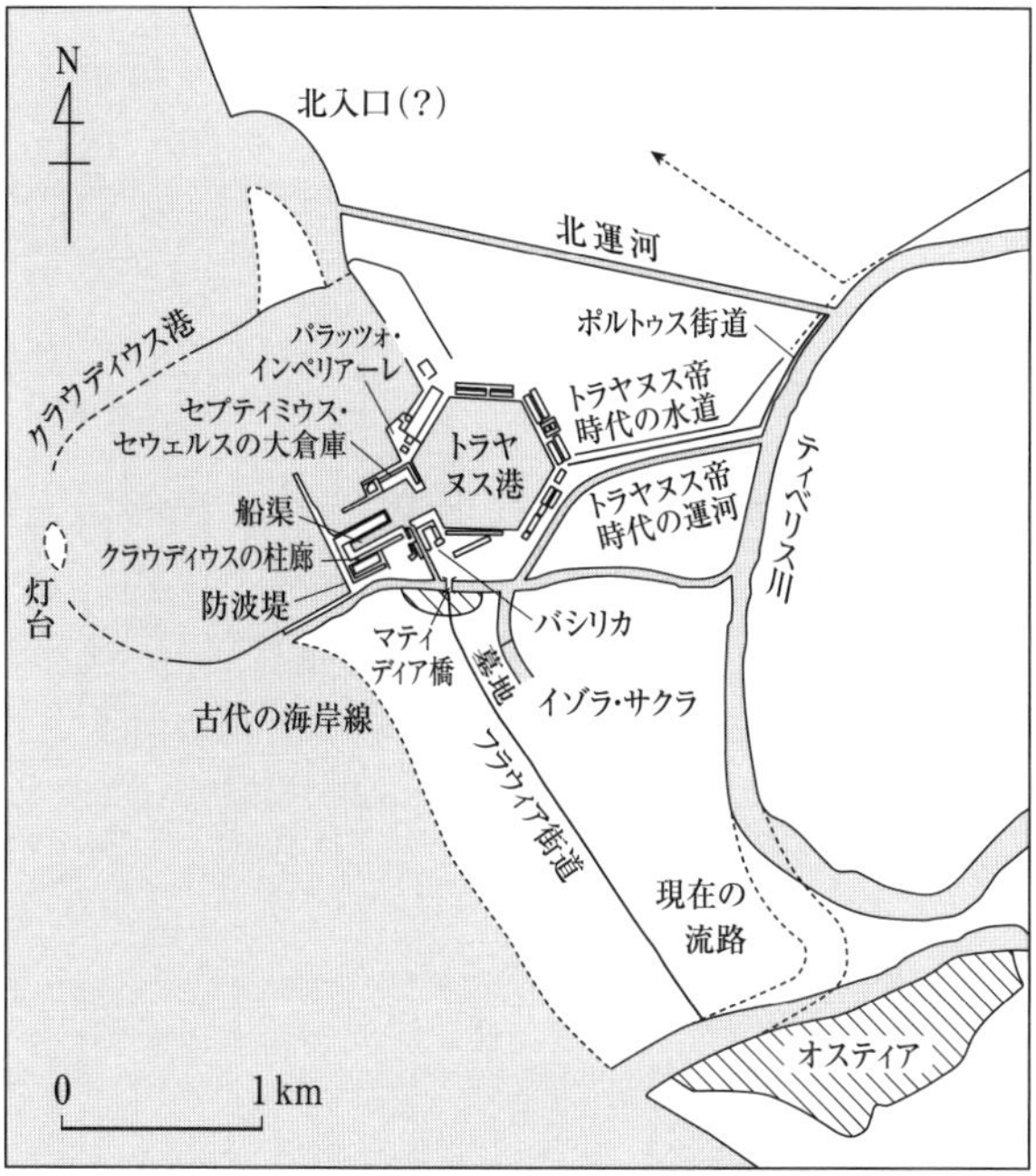

図4 トラヤヌス帝時代のポルトゥス(Keay and Paroli 2011をもとに)

二〇〇〇年頃からサウサンプトン大学のケイを中心としてこのポルトゥスに関する学際的調査(ポルトゥス・プロジェクト https://www.portusproject.org/)が実施され、それまで論争の的となっていたクラウディウス港の出入口と灯台の位置(港の北側でなく西側)が明らかとなったほか、小規模の円形闘技場なども発掘された。港湾の周

合計面積（m²）

	オスティア	ポルトゥス	合計面積
1世紀	17,667	32,790	50,457
2世紀初め	57,882	92,278	150,160
2世紀後半	72,118	145,072	217,190

図5　ポルトゥスとオスティアの倉庫面積

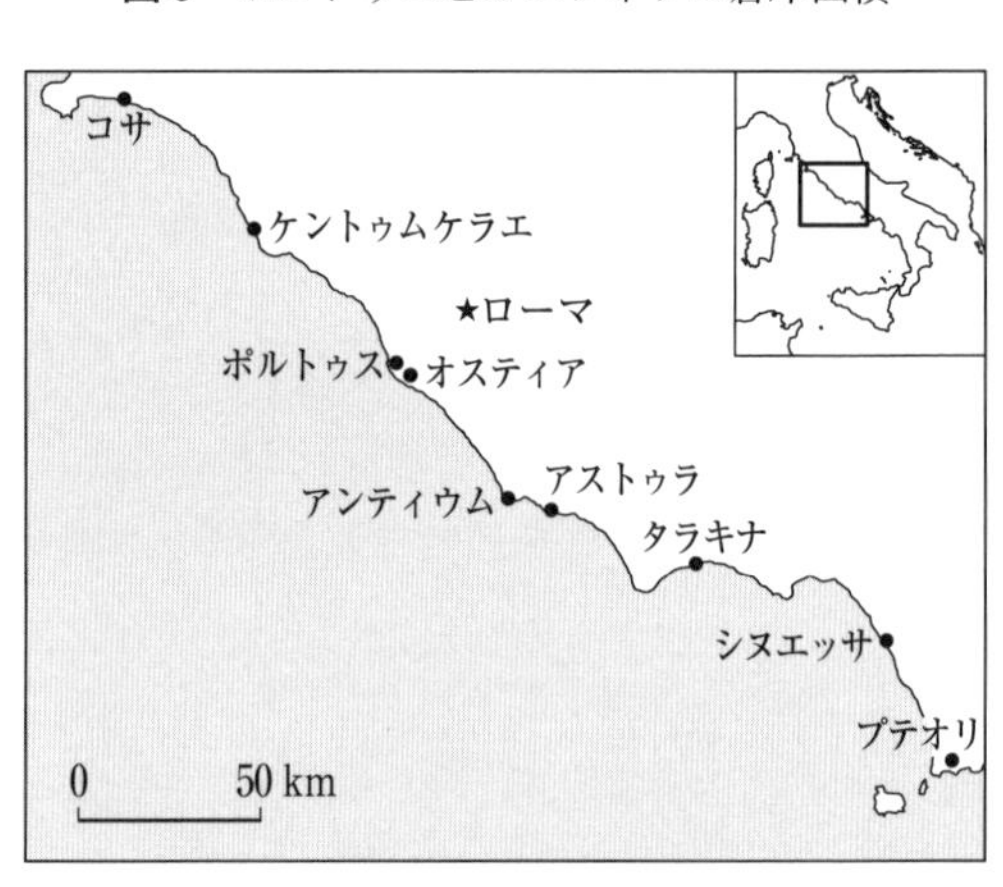

図6　ティレニア海沿岸の港湾ネットワーク

囲にいくつかの運河も確認され、これらとティベリス川を航行する艀船により、ポルトゥスとローマが緊密に結ばれていたことが分かっている。遺構の観察と地中レーダー探査によりオスティアとポルトゥス双方の倉庫面積も推定されている。近年、ポルトゥスとオスティアの間に位置するイゾラ・サクラに少なくとも三つの倉庫（新たに確認されたオスティアの市壁の内側に位置する）が発見され、これらのレイアウトがオスティアの大倉庫（通称 Grandi Horrea）と類似するなどの理由から、後一世紀から二世紀にかけての建築と考えられている（Germoni et al. 2018）。それを含めた二世紀後半の倉庫面積[図5]は、オスティアで七万二一一八m²、ポルトゥスで一四万五〇七二m²となり、オスティアの二倍の倉庫面積をもつポルトゥスの貯蔵力が注目されるが、オスティアの倉庫面積も一世紀から二世紀後半にかけて四倍に拡大していることから、その経済的地位が低下したとはいえず、両者は連携して首都への物流を支えたと考えるべきであろう。

両者の合計の倉庫面積は、計算上は二一万七一九〇m²だが、オスティアであらたな倉庫が確認されつつあることも念頭に、ひとまず合計で二二万m²と仮定する。その貯蔵容量は約二二万トンと考えられるので、首都ローマが年間四〇万トンの穀物を輸入したという通説にしたがうなら、オスティアとポルトゥスの貯蔵可能量はその五五%程度しか満たさなかったことになる。さらに、倉庫の一部はオスティアおよびポルトゥスの両都市で消費される穀物や、その他の物資の貯蔵にも用いられたはずであることを考慮に入れると、これらの倉庫での穀物貯蔵量が十分だったとは考えにくい。穀物倉庫の不足は、アレクサンドリアからの穀物を貯蔵したプテオリの倉庫を引き続き使用したり、ケントゥムケラエやタラキナなど近隣の「衛星港」に貯蔵の一部を肩代わりさせるなどして解消した可能性がある［図6］(Schörle 2011: 98)。つまり、これらの港が相互にリンクされて一種の港湾ネットワークを形成し、首都や周辺諸都市に対する物資供給の安定化に寄与していたと考えられよう(池口 二〇一九)。

「我らが海」

海上輸送による経済的な統合を、ティレニア海沿岸だけでなく地中海全体の現象として論じることはどの程度可能だろうか。エジプトを併合したことでローマ帝国の内海となった地中海を、ローマ人は「我らが海」(*mare nostrum*)と呼び、海上覇権を謳歌した。属州への課税が属州の経済活動と交易を刺激したとするホプキンズのモデルは、海上覇権にもとづく権力行使が経済の統合と活性化をもたらしたことを示唆するものだが、ここではローマの海上覇権が交易活動の安全を保障したことにより、地中海沿岸諸地域の市場が一定程度結合された可能性を指摘したい。というのは、共和政末期から帝政初期にかけて海賊(ポエニ戦争で海賊が利用された例など、一種の「私掠船」も含む)が討伐・制圧されて減少したことにより、船舶の保守整備費、船員の維持費、冒険貸借の利息(海上保険費にあたる)が低下し、全体として海上輸送費が下がった結果、交易が活性化したと考えられるからである(池口 二〇〇三、Ikeguchi 2004. cf. Scheidel 2011)(4)。海上交易の安全を示す文献資料としては、海賊が無力化されて船乗り達が安心していると伝えるストラボンの『地誌』(Strab. 3.144)や、船の乗員・乗客が航海の安全をアウグストゥスに感謝する様子を描写するスエトニウスの

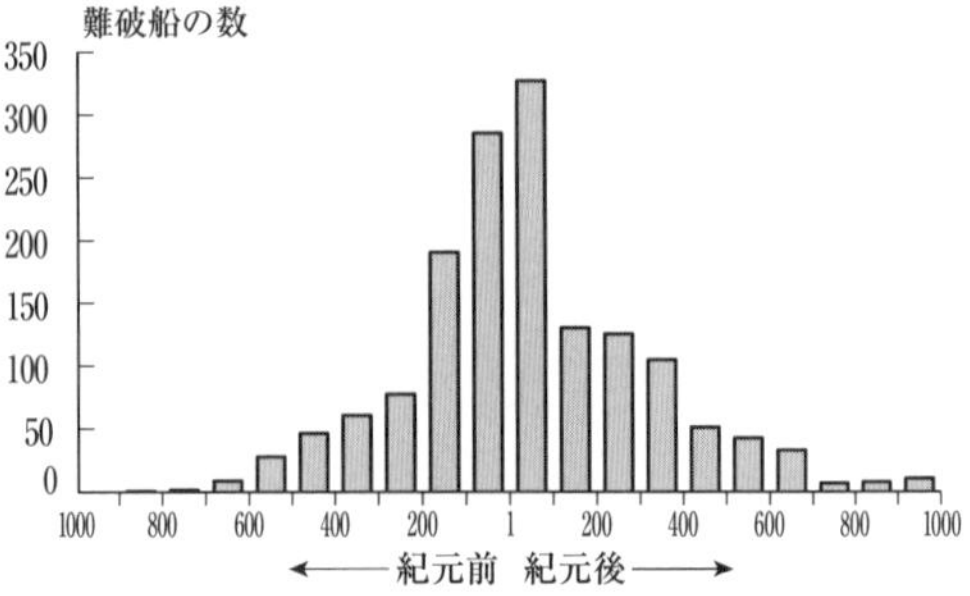

難破船の数

図7　地中海の難破船(Wilson 2011a をもとに)

図8　エルコラーノで出土したボート
(掲載許可：イタリア文化省・エルコラーノ遺跡公園——複製・転載禁止)

『ローマ皇帝伝』(Suetonius, *Divus Augustus*, 98)などがあげられる。

海上交易の活性化を示す資料としては、一九九二年にパーカーが発表し、近年オックスフォード・ローマ経済プロジェクト(http://oxrep.classics.ox.ac.uk/)の一環でアップデートされた地中海の難破船のデータが注目される。一六世紀までの地中海の難破船(二〇二一年九月現在で一七八四件)のうち大部分がローマ時代のものであるが、特に前一世紀と後一世紀の難破船が多く、この時期に海上交易がピークを迎えたと考えられる[図7]。後一世紀から二世紀にかけて急減しているように見え、他の考古資料(この時期に港湾建設が活発化したことなど)との矛盾が問題となっているが、これについてウィルソンは、積載される輸送用容器がこの時期にアンフォラから樽へと代わったため難破船の木材が腐食して拡散しやすくなった可能性や、北アフリカでの水中考古学調査が遅れているためこの地域のデータが過小評価されている可能性などを指摘している(Wilson 2011a: 33-37)。

船のサイズについても研究の進展がみられる。同プロジェクトのデータによると積載量として二〇〇トン以上の比較的大型の船は全体の一五%にすぎず、一〇〇—二〇〇トンの中型船が二五%、一〇〇トン未満の小型船が六〇%を占めている(Wilson 2011b: 212)。一辺約一〇〇メートルの六角形の内湾をもつポルトゥスは大型船が停泊できる大規模な人工港であったが、地中海の一般的な船のサイズは小・中型だったといえそうである。造船技術としては、通常、竜骨にまず外板を接続し、そこに肋骨を貼り付けていくという方法が採られた[図8]。竜骨にまず肋骨を接続してこれに外板を貼る(主に中世以降の)造船法と比較して堅牢性が不十分にも思えるが、波に対して柔軟性を持つ構造で嵐に強く、設計上の融通も利くという利点が指摘されている(Greenhill 1976: 73; Wilson 2011b: 219)。

四、交易の拡大

前史

ローマ人の交易活動は領域の周辺部や域外にも拡大した。特に重要なのが紅海・インド洋を経由したインドとの交易であるが、近年の研究では、ローマの参入以前からインド洋交易は活発であり、ローマ時代の交易はそれを継承し発展させたものであるとの見方が強い。

古典期のギリシア人にとってインドは伝説の土地であり、エチオピアと混同されてもいたが、ヘレニズム時代にはアレクサンドロスの遠征によりインド北西部の情報が伝わるようになる。恒常的な海上交易はまだ行われていなかったが、東地中海、近東、インド、中国を結ぶ隊商路を通じた交易は一定程度行われた。ティグリス河畔のセレウキア(セレゥケイア)からエデッサやアンティオキア(アンティオケイア)などを通ってエフェソスに至るシリア砂漠北方を迂回するルートが重要であったが、その後、セレウコス朝とプトレマイオス朝の対立、アルシャク(アルサケス)朝パルティアの勢力拡大により交易の安全に不安が生じたため、シリア砂漠を横断してパルミラ、ダマスクスを経由し、地中海に抜けるルートが開かれた。ローマとアルシャク朝の緩衝地であったパルミラは、後一七年頃にローマ帝国に編入されるも多くの特権を認められる。その後、一〇六年に南のナバテア王国がローマに征服されたこと、一二九年に

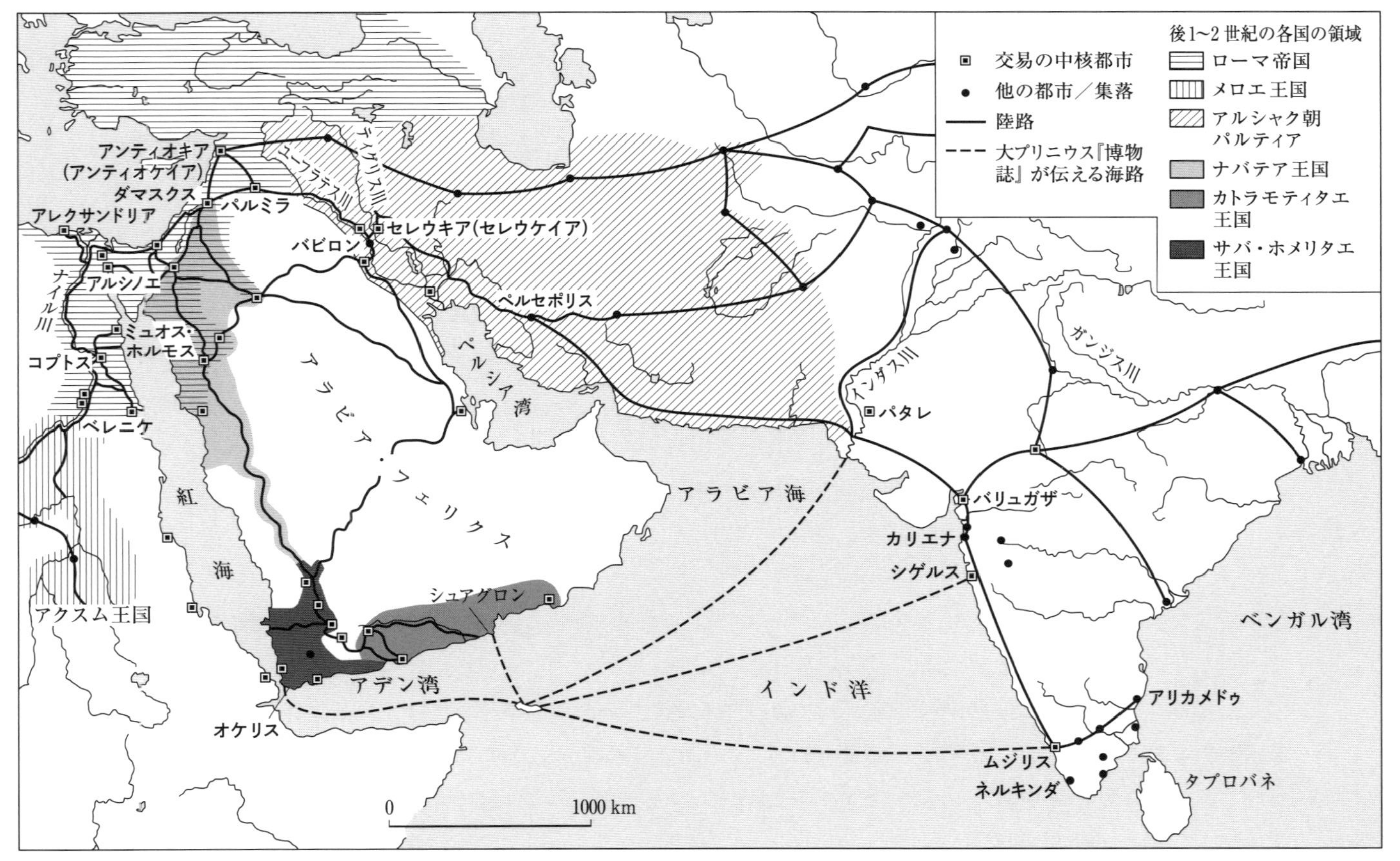

図9　エリュトラー海交易のルートと拠点(Drexhage 2005をもとに)

ハドリアヌス帝がパルミラを訪問して自由を認めたことなどを背景に、パルミラは隊商都市として大いに繁栄したが、領土拡大を図った女王ゼノビアが二七三年にアウレリアヌス帝により捕らえられ、都市は破壊された。

インド洋交易の主たる文献資料は著者不明の『エリュトラー(エリュトゥラー)海案内記 *Periplus Maris Rubri*』(村川堅太郎訳註 一九九三、蔀勇造訳註 二〇一六)、ストラボンの『地理学』、大プリニウスの『博物誌』などである。エリュトラー海(ギリシア語で *Erythra Thalassa*/*Thalatta*、ラテン語で *Rubrum Mare*)は現在の紅海、アデン湾、アラビア海、ペルシア湾、インド洋、場合によってはベンガル湾までも含む、東方の海域の総称であった[図9]。ここでの海上交易はもともと南アラビアの商人達が独占していたが、前二世紀末にモンスーン(後に「ヒッパロスの風」と呼ばれた)を利用してアラビア半島南岸とインド北西岸を結ぶ航路が開かれ、プトレマイオス朝とインドとの直接の交易が始まる。プトレマイオス朝は、ナイル川沿いのコプトス(Coptos)と紅海沿岸のミュオス・ホルモス(Myos Hormos)およびベレニケ(Berenice)とを隊商路で繋ぐことにより、ナイル河口に位置するアレクサンドリアをインド洋交易の拠点とした。

インド洋交易のルート、貿易港、交易品

ローマはエジプトを併合すると、このプトレマイオス朝の遺産を活用してインド洋交易に乗り出す。アウグストゥスが命じたアラビア・フェリクス(南アラビア)への遠征(前二五年頃)は失敗したが、紅海におけるローマ海軍の優位が確立されたことでローマの商人による活動が容易になった。プトレマイオス朝から引き継いだ二つの港のうち、ミュオス・ホルモスは前一世紀から後一世紀にかけて栄え、二世紀に没落して三世紀に遺棄されたこと、ベレニケは後一世紀が最盛期で同じく二世紀に没落したが、四世紀に繁栄を取り戻したことなどが考古学調査により分かっている。コプトスとミュオス・ホルモスおよびベレニケを結ぶ隊商路には一定の距離ごとに小さな砦(*praesidia*)が設置されてお

り、特にユリウス・クラウディウス朝時代(前二七―後六八年)に砦、井戸、貯水槽の建造や修復が進んだと考えられていたが、近年の調査によりフラウィウス朝時代(六九―九六年)が中心とみられるようになった。コプトス―ミュオス・ホルモス間のルートでは計六五棟の櫓(*skopeloi*)が確認され、隊商を襲う盗賊を警戒していたと考えられる。

大プリニウスは紅海からインドへの海上ルートとして、アラビア半島南部のシュアグロン(Syagron)からインダス川下流のパタレ(Patale)や現在のムンバイに近いシゲルス(Sigerus)に至るルート、あるいは紅海の出口に位置するオケリス(Ocelis)からインド南部のムジリス(Muziris)に至るルートを伝えているが(Plinius, *Naturalis historia*(以下、*HN*), 6.100-104)、インダス河口のバリュガザ(Barygaza)やインド南東部の現ポンディシェリーに近いアリカメドゥ(Arikamedu)なども重要な貿易拠点であった。一般的な旅程は、紅海の港を七月に出て翌年の二月から三月に帰港するというもので(ローマ―アレクサンドリア―インドの全旅程としては一三―二〇ヵ月)、船舶の形状は地中海のものとよく似ていたが、積載容量は平均一八〇トン程度とやや大きめであった(Cobb 2018: 278; 304)。

交易品

インドからローマへ輸入された交易品は主に贅沢品であり日用品には船倉のスペースが割かれなかったとカッソンは考えたが(Casson 1989: 16)、近年ではそのような見方が支持されなくなってきている。たとえば、香辛料の用途は宗教的儀式、薬、料理などと多いが、大プリニウス(*HN*, 12)が伝える価格は低めで一定の経済力があれば比較的に楽に購入できたと考えられ、香辛料がローマの貴族の生活には必需品と見られていた可能性をサイドボサムが指摘している(Sidebotham 1986: 45)。中国産の絹に対するローマ人の需要は大きかったが、輸入ルートは陸路も含めて複数あり、バリュガザやムジリスで購入できた絹は中国製だけでなくインド製も含まれていた可能性が高まっている。大プリニウスが言及した米(*HN*, 18.55)は実際にベレニケで発見されているし、コクタン、チーク、ビャクダンなどの木材も同じくベレニケで出土した。一方、高級品としてはオパール、アメジスト、ダイヤモンドなどの宝石類や象牙がインド方面から輸入され[5]、金属としては鉄も多く輸入された。文献資料やモザイクにみられるゾウ、サイ、トラ、ヘビなどの動物もインド方面から(少なくとも一部は海路で)輸入されたと考えられる。

一方、ローマからインドへの輸出品として特に注目されてきたのが金貨と銀貨であった。インドのとりわけ南部と東部の多くの遺跡で、主にユリウス・クラウディウス朝のアウレリウス金貨やデナリウス銀貨が退蔵の形で発見された。通貨としてではなく貴金属として輸入されたと考えられ、クシャーナ(クシャーン)朝はローマの金貨を溶かして独自の硬貨を鋳造したとの説も根強い。インド社会では金貨・銀貨以外にはローマからの輸入品にあまり需要がなく、日用品は船倉の空いたスペースを埋める程度の扱いだったと多くの研究者が考えてきたが、遺跡から出土した遺物の情報と船倉内の積載の理論をもとに、コブが疑義を唱えている(Cobb 2018: 216–286)。遺物としては、インドの五〇以上の遺跡(特に北西部のグジャラート州やマハーラーシュトラ州)から主に前一世紀と後一世紀のアンフォラが出土しており、南部のアリカメドゥで出土した数百のアンフォラの破片にも、ワインの長距離輸送に使われたドレッセル2-4のタイプのものが多数含まれる。ローマからアラビア・インド方面へ輸出されたワインに関する記述は多く、たとえばバリュガザには、主としてイタリア産や小アジアのラオディケア産のワインが輸出されたし(*Periplus Maris Rubri*, 49)、アリカメドゥではガルム用のイベリア半島産アンフォラも出土した。また、鋳塊や工芸品の形で、真鍮、鉄、錫、鉛、銅などがアラビア、インド方面へ輸出され、アリカメドゥなどでは一定数のガラス製品も出土している。ただし、これらの輸入品の一部は現地に滞在するローマ商人のコミュニティで消費された可能性があり、現地のインド社会がどの程度関心をもったかは定かでない。

インド洋交易の盛衰と帝国の関与

大プリニウスは、インドがローマとの交易によって毎年五〇〇〇万セステルティウス以上の富を帝国から奪い(*HN*, 6.101)、ローマ人女性らの贅沢のせいで毎年一億セステルティウスがインド、中国、アラビア半島へ流出していると述べていることから(*HN*, 12.84)、帝政初期のローマはインド洋交易において輸入超過の状態にあったとの説もあるが、実際にはローマ商人の利益や税の徴収という形で多くの富がローマに残ったとも考えられるし、女性の贅沢の件は教訓めいた話をしているにすぎない(Parker 2002: 73-74)など、近年は異論が増えている。

ストラボンはアウグストゥスの時代に毎年一二〇隻の船がミュオス・ホルモスからインドへ向かったことを伝えており(Strabo, 2.5.12)、既述の硬貨やアンフォラなどの出土遺物の情報を俯瞰しても、やはり後一世紀がインド洋交易のピークであったとの印象が強い。その後、二世紀前半にどの程度の活力を維持していたかで議論が分かれているが、パルミラがこの時期に繁栄したことを理由に、ペルシア湾とパルミラを経由するルートで交易が活発化した可能性と、紅海を経由するインド洋交易が衰微した可能性とを関係づける仮説をコブが提示している(Cobb 2018: 301)。いずれにしても、アントニヌスの疫病が発生する二世紀後半にはインド洋交易が衰退期に入ったように思われる。(6)

最後に、ローマ政府または皇帝一族がインド洋交易にどの程度の関与をしたか、という問題に触れておこう。サイドボサム(Sidebotham 1986: 113-114)は政府が商業的な関心からこの貿易に深く関与したと主張し、ボウマン(Bowman 2010: 106)も同様の見方を述べている。ローマがインド洋交易に一定の関心をもったことは、アレクサンドリアでインド方面からの輸入品に課されるテタルテ(*tetarte*:「四分の一」すなわち二五%の関税の意)が帝国の重要な収入源になっていたことから窺えるし、(7) コプトスと紅海を結ぶ隊商路を監視するため多くの砦を築いたこと、トラヤヌス帝が紅海に艦隊を編成したとの史料があることなど(Eutropius, *Breviarum ab urbe condita*, 8.3)、通商の安全を重視したことも想像できる。しかし一方では、コプトスを通過する人・動物にかけられた通行料を示す後九〇年の「コプトス通行料」碑文などから、隊商が独自に警備を雇ったことが分かり、海軍が紅海の外まで活動範囲を拡げたことも確認できないので、大プリニウスも証言しているように(*HN*, 6.101)、海賊の攻撃に対応すべく商船が一定の自衛能力を保持したと考えられる(Cobb 2018: 117-118)。したがって、ローマ政府はインド洋交易から得られる関税や通行料には強い関心を向けたが、交易の安全を目的とする保護は一定の水準にとどまるという見方が妥当であろう。

おわりに

一二〇年を超えて続く古代経済史論争は今もって決着をみない。サラーが指摘するように、ロストフツェフとフィンリーの違いが誇張されてきたことにも原因があるが、そもそも古代経済と近現代の経済をそれぞれ均質な単位と理解して相互に比較することがどの程度可能なのか、そしてそれが困難なら、各々の時間と空間を十分に限定して議論する必要があるのではないか(帝政初期のローマ帝国と産業革命期のイギリスなど)、といった疑問が十分には解消されていないことも一因といえよう。古代史の専門家は近現代を一枚岩と見做しがちだが、それは事実とは異なるということに特に留意すべきである。

ただ、そのように時空間を限定したとしても、実際には議論が最終的に決着する可能性は低い。というのは、経済の様々な指数(経済成長率など)や指数化できない要素(経済的合理性など)が仮に十分に明らかになったとしても、それぞれの判断基準にどの程度の相対的重要性を認めるかについて容易に合意が得られないので、類似点も相違点も出てくるような場合には経済全体を総合的に評価するのが困難だと予想されるからである。つまるところ、どの判断基準を重視して評価するかにより、古代経済と近現代の経済は似ているようにも異なるようにも見えるであろう。したがって、経済の総合的な評価にまでは踏み込まず、諸側面の類似や相違を明らかにすることで満足すべきだと筆者は考えている。フィンリーはこの問題に立ち入らず、経済の基本構造を掘り下げてまでプリミティヴィズムに徹したが、結果として論争を十分に刺激することはできた。実際、その後の議論の過程で様々な論点が提示され、その考察を通じて古代の経済や社会の諸側面が明らかになってきたのだから、そこにフィンリーの真の功績があるといえよう。

本稿では生産、流通、消費、輸送、交易などの諸問題を概観し、可能な範囲で私見も示してきたが、それらの多くがやはり古代経済史論争のさまざまな論点と深く関わっていた。ローマ帝政初期に関する限り、文献・考古資料から一定程度の経済成長と経済的統合を想像することは可能だと筆者は考えるが、それをもたらしたのが帝国政府の権力行使か、それとも市場の働きによるものかという二項対立的な議論はあまり生産的でなく、両者の結合とバランスという観点で考えるべきであろう。ただ、帝国政府は、内海(地中海)の輸送については食料輸送の必要性などもあり、海賊の活動を抑え込み港湾インフラも整備したし、さらに近隣海域(紅海)までは商人達に一定の保護を与えたが、外海(アラビア海・ペルシア湾・インド洋)においても安全を保障して交易を主導したとまでは言えず、基本的には商人達の自衛と自主的な活動に委ねていたと思われる。

注

(1) その全貌については、ウェブサイト(https://www.aiac2018.de/)で公開されている要旨集、および刊行が開始されたプロシーディングズを参照されたい。
(2) 古代経済史論争の展開を批評的に概観したものとして、日本では(伊藤 二〇一〇)などがある。
(3) 土器・陶器については、(Peacock 1982; Peña 2007; 馬場 二〇二〇)などがある。
(4) 海賊の討伐としては、前一〇二年のマルクス・アントニウスによる討伐、前一〇〇年の海賊掃討を決めた法、前六七年の大ポンペイウスによる討伐などがある。帝政初期には海軍が整備されてフォルム・ユーリイー、ミセヌム、ラヴェンナなど各地に拠点がおかれ、海賊の制圧状態が維持されたと考えられる。

(5) ポンペイでは象牙製の女性像が発見され、これはインド神話でビシュヌ神の妃であるラクシュミー(美と繁栄を司る女神で、仏教の吉祥天にあたる)と考えられてきたが、近年はこの説に異論(Parker 2002: 53-54 など)も出ている。

(6) 三世紀以降のインド洋交易の盛衰については、井上文則「三世紀の危機とシルクロード交易の盛衰」(本巻、二八一—二八二頁)を参照。

(7) テタルテがローマの国家財政に占めた重要性については、井上文則、同上、二八二—二八五頁、および(McLaughlin 2010: 164-168)を参照。

参考文献

池口守(一九九八)「古代イタリア農村部における定住形態の推移について——農業構造の変化に関する考古資料からの検討」『史学雑誌』一〇七巻一一号。

池口守(二〇〇三)「ローマ帝政初期を中心とする農産物輸送費の低下と農業立地の変化」『歴史学研究』七八一号。

池口守(二〇一〇)「古代イタリアにおける肉食の実態と変容——牛肉の生産と消費を中心に」桜井万里子・師尾晶子編『古代地中海世界のダイナミズム——空間・ネットワーク・文化の交錯』山川出版社。

池口守(二〇一九)「ローマ期ティレニア海沿岸の港湾インフラの発達と海上輸送費の低下」『久留米大学文学部紀要』三六号。

伊藤貞夫(二〇一〇)「史料研究と学説史——古代経済史の場合」『日本學士院紀要』六四巻二号。

蔀勇造訳註(二〇一六)『エリュトラー海案内記』全二巻、平凡社東洋文庫。

南雲泰輔(二〇一四)「クルスス・プブリクスの統制と運用——後期ローマ帝国下における地中海世界の結合性をめぐって」『関学西洋史論集』三七号。

馬場典明・山本晴樹編(二〇二〇)『ローマ大土地所有制研究』(DOI: 10.15017/4103493)。

村川堅太郎訳註(一九九三:改版二〇一一)『エリュトゥラー海案内記』中公文庫。

Adams, C. (2012), "Transport", W. Scheidel (ed.), *The Cambridge Companion to the Roman Economy*, Cambridge, Cambridge University Press.

Bang, P. F. (2008), *The Roman Bazar: A Comparative Study of Trade and Markets in a Tributary Empire*, Cambridge, Cambridge University Press.

Bowman, A. (2010), "Trade and the Flag: Alexandria, Egypt and the Imperial House", D. Robinson and A. Wilson (eds.), *Alexandria and the North-Western Delta*, Oxford, School of Archaeology, University of Oxford.

Carandini, A. (ed.) (1985), *Settefinestre: una villa schiavistica nell'Etruria romana*, (3 vols.), Modena, Panini.

Casson, L. (1989), *Periplus Maris Erythraei: Text with Introduction, Translation, and Commentary*, Princeton, Princeton University Press.

Cobb, M. A. (2018), *Rome and the Indian Ocean Trade from Augustus to the Early Third Century CE*, Leiden, Brill.

de Ligt, L. (1993), *Fairs and Markets in the Roman Empire: Economic and Social Aspects of Periodic Trade in a Pre-Industrial Society*, Amsterdam, Gieben.

Drexhage, H.-J. (2005), "India, trade with", *Brill's New Pauly*, Vol. 6, Leiden, Brill.

Duncan-Jones, R. P. (1982), *The Economy of the Roman Empire: Quantitative Studies* (2nd ed.), Cambridge, Cambridge University Press.

Finley, M. I. (1973), *The Ancient Economy*, Berkeley and Los Angeles, University of California Press.

Foxhall, L. and H. A. Forbes (1982), "Sitometreia: the role of grain as a staple food in classical antiquity", *Chiron*, 12.

Frayn, J. (1993), *Markets and Fairs in Roman Italy: Their Social and Economic Importance from the Second Century B. C. to the Third Century A. D.*, Oxford, Oxford University Press.

Garnsey, P. D. A., K. Hopkins and C. R. Whittaker (eds.) (1983), *Trade in the Ancient Economy*, Berkeley and Los Angeles, University of California Press.

Germoni, P. et al. (2018), "Ostia beyond the Tiber: Recent Archaeological Discoveries in the Isola Sacra", M. Gervasoni et al., *Ricerche su Ostia e il Suo Territorio: Atti del Terzo Seminario Ostiense*, Nouvelle édition (en ligne).

Greene, K. (1986), *The Archaeology of the Roman Economy*, London.（池口守・井上秀太郎訳、本村凌二監修『ローマ経済の考古学』平凡社、一九九九年）

Greenhill, B. (1976), *Archaeology of the Boat: A New Introductory Study*, London, A. and C. Black.

Hopkins, K. (1980), "Taxes and trade in the Roman Empire", *JRS*, 70.

Ikeguchi, M. (2000), "A Comparative Study of Settlement Patterns and Agricultural Structures in Ancient Italy: A Methodology for Interpreting Field Survey Evidence", *Kodai*, 10.

Ikeguchi, M. (2004), "Settlement Patterns in Italy and Transport Costs in the Mediterranean", *Kodai*, 13/14.

Ikeguchi, M. (2017), "Beef in Roman Italy", *JRA*, 30.

Jones, A. H. M. (1964), *The Later Roman Empire 284-602: A Social, Economic and Administrative Survey*, Oxford, B. Blackwell.

Jones, A. H. M. (P. A. Brunt (ed.)) (1974), *The Roman Economy: Studies in Ancient Economic and Administrative*, Oxford, Blackwell.

Keay, S. and L. Paroli (2011), *Portus and Its Hinterland* (Archaeological Monographs of the British School at Rome 18), London, British School at Rome.

King, A. (1999), "Diet in the Roman World: A Regional Inter-Site Comparison of the Mammal Bones", *JRA* 12.

Launaro, A. (2011), *Peasants and Slaves: The Rural Population of Roman Italy (200 BC to AD 100)*, Cambridge, Cambridge University Press.

Laurence, R. (1999), *The Roads of Roman Italy: Mobility and Cultural Change*, London, Routledge.

MacKinnon, M. (2004), *Production and Consumption of Animals in Roman Italy: Integrating the Zooarchaeological and Textual Evidence*, Portsmouth, R. I., Journal of Roman Archaeology.

McLaughlin, R. (2010), *Rome and the Distant East: Trade Routes to the Ancient Lands of Arabia, India and China*, London, Continuum.

McLaughlin, R. (2014), *The Roman Empire and the Indian Ocean: The Ancient World Economy and the Kingdoms of Africa, Arabia and India*, Barnsley, Pen & Sword Books.

North, D. C. (1990), *Institutions, Institutional Change and Economic Performance*, Cambridge, Cambridge University Press.(竹下公視訳『制度・制度変化・経済成果』晃洋書房、一九九四年)

Parker, A. J. (1992), *Ancient Shipwrecks of the Mediterranean and the Roman Provinces*, *BAR* 580, Oxford, Tempus Reparatum.

Parker, G. (2002), "Ex Oriente Luxuria: Indian Commodities and Roman Experience", *Journal of the Economic and Social History of the Orient*, 45-1.

Peacock, D. P. S. (1982), *Pottery in the Roman World: An Ethnoarchaeological Approach*, London, Longman.

Peña, J. T. (2007), *Roman Pottery in the Archaeological Record*, Cambridge, Cambridge University Press.

Polanyi, K. (1944), *The Great Transformation: The Political and Economic Origins of Our Time*, New York, Rinehart & Company.(野口建彦・栖原学訳『大転換——市場社会の形成と崩壊』東洋経済新報社、二〇〇九年)

Rickman, G. (1980), *The Corn Supply of Ancient Rome*, Oxford, Oxford University Press.

Rostovtzeff, M. (1926; 1957(2nd ed.)), *The Social Economic History of the Roman Empire*, Oxford, Clarendon Press. (坂口明訳『ローマ帝国社会経済史』東洋経済新報社，二〇〇一年)

Saller, R. (2002), "Framing the Debate over Growth in the Ancient Economy", W. Scheidel and S. von Reden (eds.), *The Ancient Economy*, New York, Routledge.

Scheidel, W. (2011), "A Comparative Perspective on the Determinants of the Scale and Productivity of Roman Maritime Trade in the Mediterranean", W. V. Harris and K. Iara, *Maritime Technology in the Ancient Economy: Ship-Design and Navigation,* Portsmouth, R. I., Journal of Roman Archaeology.

Scheidel, W. (2012), "Approaching the Roman Economy", W. Scheidel (ed.), *The Cambridge Companion to the Roman Economy*, Cambridge, Cambridge University Press.

Schörle, K. (2011), "Constructing Port Hierarchies: Harbours of the Central Tyrrhenian Coast", D. Robinson and A. I. Wilson (eds.), *Maritime Archaeology and Ancient Trade in the Mediterranean*, Oxford, School of Archaeology, University of Oxford.

Sidebotham, S. E. (1986), *Roman Economic Policy in the Erythra Thalassa 30 B. C.-A. D. 217*, Leiden, Brill.

Sirks, B. (1991), *Food for Rome: The Legal Structure of the Transportation and Processing of Supplies for the Imperial Distributions in Rome and Constantinople*, Amsterdam, J. C. Gieben.

Wilson, A. I. (2011a), "Developments in Mediterranean Shipping and Maritime Trade from the Hellenistic Period to AD 1000", D. Robinson and A. I. Wilson (eds.), *Maritime Archaeology and Ancient Trade in the Mediterranean*, Oxford, School of Archaeology, University of Oxford.

Wilson, A. I. (2011b), "The Economic Influence of Developments in Maritime Technology in Antiquity", W. V. Harris and K. Iara, *Maritime Technology in the Ancient Economy: Ship-Design and Navigation,* Portsmouth, R. I., Journal of Roman Archaeology.

焦　点 | *Focus*

焦点｜*Focus*

西アジアの古代都市

春田晴郎

一、都市を基礎とする地域としない地域

本稿では、ハカーマニシュ(アカイメネス)朝ペルシア時代からサーサーン朝ペルシア滅亡前後までの西アジアの都市について扱う。時代的には紀元前六世紀半ばのハカーマニシュ朝勃興から紀元後七世紀半ばのイスラーム勢力の西アジア征服の頃までとする。

本巻の他の論考に比べ古い時代から始まっているのは、イラン高原の都市を論じるにはハカーマニシュ朝から扱う必要があるためであり、他方、本巻の時代では西アジアの西部(アナトリア、シリア等)やエジプトはギリシア・マケドニア系の諸王朝やそれに続くローマの支配下にあるので、基本的には触れない。したがって、メソポタミア以東の都市が主対象となる。もちろん、古代メソポタミアでは古代都市の伝統ははるかに古く、イラン高原でも青銅器時代から都市が栄えてきたが、その歴史については本稿では省略する。

この時代とくにアルシャク(アルサケス)朝パルティアからサーサーン朝時代にかけてのイラン高原の都市については、資料が非常に少ない。この理由の一つには、当該の時期が粘土板と紙の間の時代にあたり、かつ支配王朝がパピ

ルスを産するエジプトを領土としておらず、ために後世に残りやすい材料に記録が記されにくかったという事情も大きい。また、王朝が変わるごとに行政用の言語が変わるのみならず、文字も変わるので情報の蓄積が行われにくいことも、文字史料が少ない理由に挙げられる。

しかし、都市のあり方自体も史料の欠乏に深く関係している。紀元後一世紀以降、ギリシア・ポリス的な自治都市が衰退してからは、都市が何かを決議する、あるいは功績を上げた市民を顕彰する、有力市民が公共建築物を建造、寄進し、そのことを自ら書き記す、というような同時代のローマ帝国下で広く見られた慣習はアルシャク朝やサーサーン朝では確認されない。墓碑もほとんど発見されないし、まして都市内の官職や活動について記しているものはない。都市が自ら語ってくれる史料がないのである。これは、少なくとも公的な制度面において、支配の基盤に都市がないからといえる。

むろん、アルシャク朝・サーサーン朝時代にも、考古学・建築学的に都市は存在しているし、中にはテースィフォーン複合都市のように非常に大きなものもある。しかし、文字史料上から都市というものの姿を非常に描きづらいのも確かであり、そのことを抜きにしてこの時代の西アジア都市は語れない。

なお、本稿の対象地域では、考古学的な発掘も地中海周辺の諸地域に比べればまったく不足している。その意味では、本稿で述べる内容も、限定された資料の中での作業仮説に留まる面が大きいことに留意されたい。

もちろん、西アジア地域と言っても多様であり、都市のあり方もさまざまである／あった。最も広い領域を支配したハカーマニシュ朝を例にとれば、メソポタミアやフェニキア、イオニア(ギリシア)等は都市を基盤とした社会の地域である。後世になるが、中央アジアのソグド地域もやはり都市国家が社会の基盤となっている。都市をあらわすメソポタミアのアッカド語アールやイオニアのギリシア語ポリスは、場所・動作の対象のみならず行為主体としても使用される。「都市」という存在が言語の上からも重要な意味を持っている。

しかし、そのような地域もあるいっぽう、都市が社会の基盤となっていないとおぼしき地域もある。イスラーム以前のイラン高原がそのような地域であったろうと本稿の著者は考えている。そしてそれは、帝国自体の領土のとらえ方にも関係してくるだろう。ハカーマニシュ朝のダーラヤワウ[1](ダレイオス)一世によるビーソトゥーン碑文古代ペルシア語版では、帝国の基礎単位は「ダフユ」と呼ばれる「州」であって、この語はまた「人々」の意味でも使用され、反乱の主体としてもしばしば現れる。対して次節で触れるように、古代ペルシア語において「都市」をあらわす語が何であるかははっきりしない。

時代はくだって、サーサーン朝ペルシア時代でも、行政区分の上では都市よりも「州」(ただしハカーマニシュ朝時代よりははるかに細分化されている)の方が基礎的な単位として考えられているようである(第四節参照)。

都市が社会の基盤となっていない理由は、騎兵の軍事力が伝統的に重要で、馬の飼養が都市に限定される必要がない、などの仮説を措定できるが証明は難しい。しかし、ともかく、都市のあり方がギリシア諸都市やローマ帝国下の諸都市とは大きく異なる地域も存在する、という点は押さえておこう。

本稿の中心はイラン高原とその周辺地域なので、行政区分に関連する重要なペルシア語二語の時代による変化について触れて、第一節の結びとする。現代のペルシア語で「都市」をあらわす語は、シャフル šahr であるが、この語はサーサーン朝時代後期の中期ペルシア語では「州」であり、ハカーマニシュ朝時代の古代ペルシア語クシャスラ xšaθra- はより広く「王権、王国」を意味する。現代ペルシア語で「村」をあらわすデフ deh は、イスラーム最初期の中期ペルシア語文書でもほぼ同じ意味であろうと推察されるが、元になった古代ペルシア語ダフユ dahyu- は先に述べたとおり「州、州の人々」をあらわす。このように、時代がくだるにつれ、同じ語があらわす行政区分が細分化されていくのがペルシア語の特徴であり、それは地方行政の変化に対応するもの、と考えても大きな間違いはないであろう。都市のあり方を考える際にも、このような変化を踏まえておくことが必要とされる。

二、ハカーマニシュ朝ペルシアの都市

都市をあらわす語

まずはハカーマニシュ朝ペルシアの支配民族の言語である古代ペルシア語で「都市」を何と呼んだか、考察してみる。(2) 古代ペルシア語は王碑文等王室関係以外にはほぼ用いられず、分量もわずかだが、それでもビーソトゥーン碑文のような比較的長い史料も存在する。しかし、それらの史料を見ても「都市」にあたる語を明確には示せない。小さい町にあたる単語(vrdana-)はあるが、大きな都市に対して用いられていたようには見えない。もちろん、ハカーマニシュ朝領内にはイラン側にもペルセポリスやスーサ(古代ペルシア語スーシャー Çūšā-)などの王都があり、メソポタミア以西にもバビロンやサルディスなどの大都市が存在した。しかし、それらの地名が王碑文古代ペルシア語版にあらわれる時は、固有名詞のみであらわれ、そして多くは州名と区別できない。バービル Bābiru- という語はバビロン/バビロニア、スパルダ Sparda- はサルディス/リュディア、どちらも指しうる。

帝国行政の共通語であったアラム語史料から判断すると、「城砦」をあらわす語(byrt᾽: 対応する古代ペルシア語は didā-)が都市にもあてられていたようだ。しかし、アラム語史料では、この語は場所、客体としてのみあらわれ、ギリシア語ポリス、アッカド語アールのように時として行為主体として使われることはない。城壁で囲われていなくてもこの語が用いられた可能性もある。一例だけではあるが、主体としてのギリシア語ポリスに対応する語として「州」を本来あらわすアラム語単語(mt᾽: 対応する古代ペルシア語は dahyu-)が使用されている例がある。行為主体として使える語には限りがあり、より社会的に重要な「州、州の人々」の語が転用されたのかもしれない。

いずれにしても、古代ペルシア語では「都市」にあたる語がはっきりしない、という点だけを取り上げても、メソ

ポタミアや地中海周辺諸地域とは都市のあり方がかなり異なっているのではないか、と推察できるだろう。

王都ペルセポリス

もちろん、考古学的、建築史的にはハカーマニシュ朝時代さまざまな都市が存在した。なかでも、二〇世紀以降、研究の中心になってきたのは王都の一つであるペルセポリスである。古代ペルシア語による名称は在証されていないが、同地から出土したエラム語粘土板文書によって、州名と同じパールサ(ペルシア)と呼ばれていたであろうと推測されている。

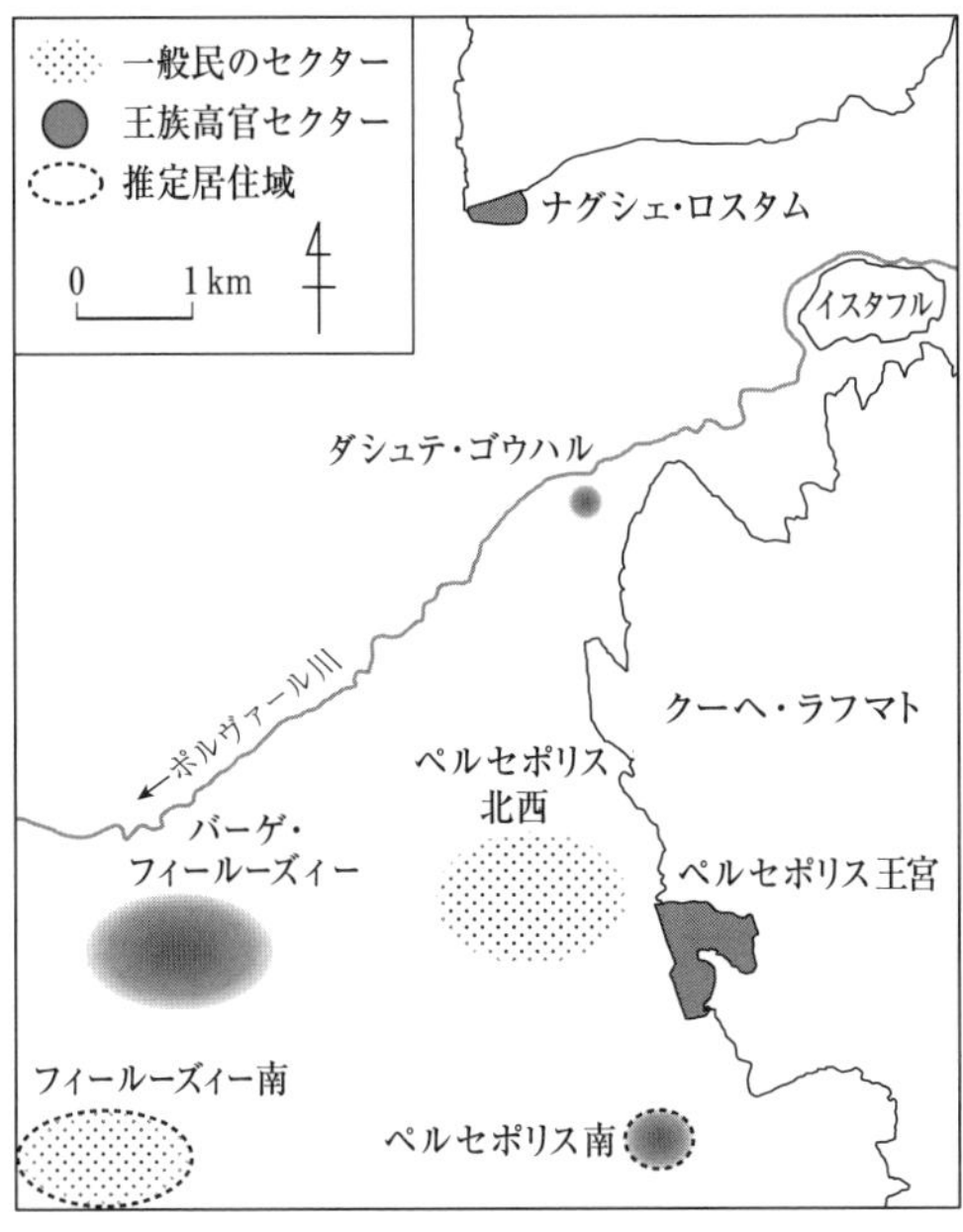

図 1　ペルセポリス複合都市
(出典：Gondet 2018: Fig. 4 を基に改変)

さて、ペルセポリスは一九三〇年代の発掘以降、遺跡として一番印象に残る王宮部分を中心に研究が進められていたが、二一世紀になってイラン・フランス隊ついでイラン・イタリア隊の調査によって、周辺も含めてペルセポリス複合都市とでも呼べるような構造をしていることが分かってきた[**図 1**]。また、その中のバーゲ・フィールーズィー地区からペルセポリスより古い王宮跡(トレ・アージョリー)が発見され、都市計画がダーラヤワウ一世以前から開始されていたことも判明した。

ペルセポリスおよびその周辺における近年の発掘調査や、その北に位置しクル(キュロス)二世が建設したパサルガダエ（推定古代ペルシア語形パースラガーダ）の発掘結果をもとに、ゴンデはハカーマニシュ朝の都市（王都）の特徴について考察している（Gondet 2018: 201-202）。彼がまとめる都市像は、メソポタミアや地中海周辺諸地域のそれとはかなり異なったものである。それは、非常に広い面積を占め、多くの構成要素が配置され、推定人口からも「都市」といえる。しかし、中心部に人口が集中することもなく、居住域はいくつかに分散している。王族高官用と思われる建物跡が残る居住域もあれば、平民層が住んだと推定される居住域もあり、住み分けはなされていたらしい。広大な都市域全体を囲む城壁も、各居住域を隔てる内部の壁も存在しない。各居住域や王宮等は（考古学上の）オープンスペースによって隔てられており、それらは庭園（ギリシア語パラデイソス）、テント場などにあてられていた、と考えられる。パサルガダエでは、中心に庭園と宮殿が位置しており、庭園は王都の重要な構成要素である。このようなゴンデの考察に加えて、ペルセポリス王宮の壁について研究したブシャルラも同様に、この壁が軍事的防御的なものでない、すなわちペルセポリス王宮は城砦ではなく、むしろ、その威容を遠くから眺められるように計画されていた、そのためにも邪魔な建物のない王宮の周りのオープンスペースが重要な役割を果たしていた、と述べている（Boucharlat 2020）。

要約すれば、これらの王都は非常に分散的であり、王宮や庭園が景観上重要であった。城壁市壁は存在しないか、あっても大きな役割は果たさない。このような特徴は、イラン南西部の平野に位置する王都スーサについてもだいたいあてはまる。イラン高原において、庭園や牧地が重要な役割を果たしている都市を羽田正は「牧地都市」と呼んだが（羽田 一九九〇）、彼の対象はモンゴル時代以降であり、トルコ・モンゴル系の遊牧民の影響として考察されていた。しかしながら、ここで見たように、庭園が都市プラン上欠かすことのできない要素となっているのは、ハカーマニシュ朝時代以来観察できるものであり、はるかに長い伝統を引き継いでいる可能性が考えられる。

ただし、分散的な王都について、はたしてどこまでを「都市」と呼ぶべきなのか、という問題が生じうる。都市景観の範囲を超えた地区まで都市の一部として扱うのは、たとえば、外港、現代においては空港がそうであるが、**図1**の範囲外の庭園などをペルセポリスの一部として見てよいのか、ということである。あるいは、そういった範囲外の庭園とペルセポリス王宮に接する庭園とで、都市の構成要素でない/あるという差異があるのだろうか。庭園がなぜ重要な役割を果たしてきたかというと、そこに王、王族が貴顕らを招いて接待したり、贈り物の授受がなされたりしたからであり、それによって強化される相互の関係こそが帝国支配の要の一つであった。庭園などでの(宗教的な儀礼を伴う)大規模な宴会の一種をペルセポリス出土エラム語粘土板文書ではシプと呼ぶが、それらはパサルガダエなどペルセポリス王宮から数十キロメートル離れた地の庭園で行われる場合もあった(Henkelman 2011)。ペルセポリス—パサルガダエを「首都圏」と呼ぶことはできようが、パサルガダエはペルセポリスとは別の王都であって、ペルセポリスの一部とみることはさすがに無理である。一方で、これらの宴会は、王都ペルセポリスの都市機能の一部であることも事実であろう。接受を重要な機能とする離宮や庭園が都市市街部から遠く離れた場所に存在する、というのは中国でもヨーロッパでも見られることであり珍しくないが、中心的な市街部が存在するこれらの地域と、そのような核がはっきりしないペルセポリスとでは位置づけが相対的に異なる。他の分野とあまりに異なった都市の定義も有用ではないだろうから、ここではペルセポリス複合都市は**図1**の範囲内としておくが、そもそも都市が社会の基盤ではない社会であり、都市か都市でないか、都市の範囲はどこまでか、という問い自体にそれほど重きをおく必要はないかもしれない。

なお、他に王都として名の挙がるバビロンは市壁を持っていたし、エクバタナ(古代ペルシア語ハグマターナ、現ハマダーン)もそのように考えられている。したがって、上述のような分散的な都市だけが王都の形態ではない。しかし、これらの都市についても、郊外のテント場や庭園の存在も含めて、都市機能を考えていく必要があろう。

いっぽう、現地出土文字史料から王都ペルセポリスの性格を追究する研究も数多くなされている。出土したエラム語行政経済文書の内容や印章の印影から分かるのは、ペルセポリス行政経済圏を管轄する責任者——役職名は記されないがパールサ州総督に相当する——の業務が多様かつ膨大である、ということである。出土文書の年代は狭い範囲に限定されているが、ダーラヤワウ一世時代の責任者は、王の叔父とも推定されるファルナカがその任に就いていた。その業務は、旅券の発給など州の総督の業務と共通すると考えられるものも多く、ペルセポリスが州都としても機能していたことが判明する。王都として帝国の威光を示す場であるとともに、州行政の中心でもあるのがペルセポリスであった。これはウージャ(エラム)州都スーサなどにも共通する点である。

こうした王都のあり方は、各州の州都やそれに準じる都市などの範ともなる。以下、それらの都市について見ていこう。

州都、小宮殿

先にも述べたようにハカーマニシュ朝の地方行政の基礎単位は、帝国に二十数個設けられた「州」である。州の総督が州内のかなり細かい事業にまで関与していることは、帝国最末期のバクトリア(現アフガニスタン北部)出土の文書からも窺い知ることができる(Naveh & Shaked 2012)。やはり業務量は多く、州行政を司る都市、州都の役割は大きかったと推定される。また、ごく少数ではあるがアフガニスタン南西部のカンダハルからもエラム語粘土板文書が出土しており、この地では、小規模ではあろうがペルセポリスと同様の地方行政がなされていた可能性が高い。

広大な帝国の中で、バビロンやサルディスのように旧来の都市を州都とすることもあり、新たに都市を建設することもあった。後者の代表例が、アナトリア西北端に位置するダスキュレイオンである(3)。旧来の都市を州都とする場合でも、新たに総督府を建てたり、庭園を設けたりしたものと思われる。また、州都ではないが、それに準じる地に小宮殿が建てられることも多かった。その代表としてペルシア州の外港にあたる現ブーシェフル近郊のボラーズジャーン地域が挙げられる。これら総督府や小宮殿の趾からは、帝国様式の柱、柱頭などが出土しており、景観的にも小王都・小王宮として存在していたことが分かる。庭園が重要な位置を占めていたこともダスキュレイオンなどで確認される(阿部 二〇一五：七九―八〇頁)。ペルセポリス複合都市にみられる分散的な形態はボラーズジャーン地域でも観察される。ここでは小宮殿跡が三カ所発見されているが、相互間の距離は五キロメートル、一〇キロメートル、一三キロメートル、とかなり離れている(Zehbari 2020)。中心市街の内部あるいはすぐ傍にモニュメントが並ぶ、というような都市景観ではない。

王都やその政庁・宮殿を範として地方の町や政庁を建設していく、という点では、日本の律令時代の地方官衙(かんが)と比較できるかもしれない。古代における強力な国家形成に伴う、中央の行政や文化の地方への浸透、という点では両者は共通するだろう。

三、ヘレニズム・アルシャク朝時代の都市とその変容

ギリシア都市

アレクサンドロス大王の征服によってハカーマニシュ朝は滅亡し、西アジアは新しい時代、ヘレニズム時代に入った。都市のあり方も非常に大きく変化した。アレクサンドロス大王やそれをアジアにおいて継承したセレウコス朝の諸王(あるいはさらにバクトリア王国の諸王)によって、ギリシア都市や軍事植民地が西アジアから中央アジアの各地に建設されたからである。コーエンは、アルメニア、メソポタミア以東に建設されたこのような都市(以下、軍事植民地も含める)を挙げているが、インドを除いて重複や不明なものも含めて一五〇以上、重複を除いてもおそらく一〇〇近くにはなるかと思われる(Cohen 2013)。これらの中には、名前だけ変えたものや都市プランに大きな変更は加えなか

ったものもあろうが、新たに建設された重要な都市も少なくない。中でも、ティグリス河畔のセレウケイア(セレウキア)とオロンテス河畔のアンティオキア(現トルコ領内アンタキヤ)はセレウコス朝の王都として繁栄した。アフガニスタン北部、バクトリアの地に建設されたアイ・ハヌム(ギリシア名は諸説あるも不明)も東方における重要なギリシア都市である。これらの新たに建設されたギリシア都市は、市壁で囲まれヒッポダモス式と呼ばれるグリッド状の街路を持ち、劇場やギュムナシオンといった市民生活を送る上で必要とされる公共建築物を擁していた。メソポタミアのバビロンのように古来からの都市であるが、新たに劇場が建設されている場合もある。これら東方のギリシア都市からの出土史料はそれほど多くないが、少なくともギリシア市民は西方のギリシア都市と同じような市民生活を送っていたと考えてよいだろう。

紀元前二世紀初め、アンティオコス三世がローマに敗れるころからセレウコス朝の支配は徐々に揺らぎ始め、同世紀後半にはアルシャク朝パルティアがイラン高原とメソポタミアの支配権をセレウコス朝から奪い取った。前三世紀半ば過ぎにギリシア人が自立して建国したバクトリア王国も前二世紀後半には中央ユーラシアの遊牧民に蹂躪され滅びていった。こうした政治史上の変化はあったが、ギリシア都市の地位はアルシャク朝支配期の前半(西暦紀元前後まで)はあまり大きく変化しなかったようだ。そのことを明瞭に示すのがスーサ(ギリシア名エウラウオス河畔のセレウケイア)出土のギリシア語史料で、後一世紀初めまではギリシア都市としての体裁が存続していたことが分かる(粟野 一九五〇)。スーサやティグリス河畔のセレウケイア(以下単にセレウケイア)は都市が銅貨を発行していたが、後一世紀半ばまでに両都市とも自治貨幣の発行は終了する。スーサはエリュマイス王国の支配下に入りそこで同王国の貨幣を発行するようになるが、都市内部の体制についてはまったく分からなくなる。貨幣銘文は当初ギリシア文字であったがやがて土着の文字に替わられる。セレウケイアは、後一世紀半ばの反乱が鎮圧された後、自治貨幣の発行は止み、都市の内部の状況も不明となる。ただし、ギリシア語銘文を持つアルシャク朝の貨幣は同朝滅亡時まで発行し続けるし、後二世紀半ば過ぎのギリシア語パルティア語二言語碑文も出土しており、ギリシア文化が死に絶えたわけではなかった。エクバタナなど他のアルシャク朝都市で発行されていた貨幣のギリシア文字は、後一世紀前半には単なる模様に近くなっており、少なくともギリシア都市としての生命は終わっていたと判断できる。

なお、このような「自治都市の消滅」を重視する立場は地中海型の都市モデルに縛られすぎている、という批判もあるが、西暦紀元前後の数世紀にギリシア都市でない都市にもみられるもので、やはり無視できない変化ではないだろうか。たとえば、アルシャク朝に従属していたメソポタミア北部の都市ハトラは内部的には後二世紀後半に長老会などの自治的機関から王に権力が集中し始め、外部的には三世紀前半にサーサーン朝によって完全に滅ぼされてしまう。ローマ側ではあるが、シリアのパルミラも三世紀には王および女王の権力が伸長し、同世紀後半にはローマから独立しようとして滅亡する。

ギリシア都市以外の都市

アルシャク朝時代におけるギリシア都市以外の都市はどのようなものだったのだろうか。まず、セレウケイアのティグリス川対岸(東岸)に建てられたテースィフォーン(ギリシア語名クテシフォン)を取り上げてみる。クテシフォンの名はアルシャク朝支配以前のポリュビオスにもあらわれるが、アルシャク朝のメソポタミア進出後は、セレウケイアの対岸の地に高官等がしばしば滞在していることが『バビロン天文日誌』から読み取れる。ここが発達してやがて都の一つになったと考えられる。残念ながら、アルシャク朝時代のテースィフォーンはその後ティグリス川の流路にあたってしまい、調査もほとんど行えていないが、ハトラなどとおなじような丸い市壁に囲まれた街であったと推定される(後述図3参照)。次節で述べるように、テースィフォーンはサーサーン朝時代には複合都市となっていくが、その萌芽はセレウケイア・テースィフォーンが並立したアルシャク朝時代にまでさかのぼる。

図 2　エクバタナの丘 アルシャク朝時代規格住居趾(出典：Google Earth 画像取得日 2014 年 5 月 28 日)

もう一例、今度はトルクメニスタンのニサをみてみよう。アシュガバート近郊に位置する変形五角形の城砦である古ニサ遺跡から、パルティア語の陶片文書が多数出土している。パルティア語は中期ペルシア語と非常に近い言語であり、古代ペルシア語や現代ペルシア語を含めて、比較して論じることができる。また、日本語の漢字の訓読みに似て、アラム語の単語をパルティア語で訓じて読むので、そのアラム語訓読語詞の綴りをハカーマニシュ朝時代のアラム語と比較することもできる。アラム語の訓読語詞を用いるのは中期ペルシア語も同じであるが、年月が経ち過ぎていて綴りの乱れが大きく、比較がより難しくなっている。その点、ニサのパルティア語文書はアラム語の綴りも大きな変化がなく利用しやすい。

このニサ文書から分かることを簡単にまとめてみる。まず、この文書で「都市」をどう表現しているか、そもそもそのような語があるのかだが、これは分からない。ただ、文書の出土した古ニサはミフルダートキルト都城と呼ばれていたことは判明する。都城にあたるアラム語詞の綴りは BYRTA であり、これはハカーマニシュ朝時代のアラム語 byrtʾ と同じである。この語に対応するパルティア語は diz で、これは古代ペルシア語 didā- にあたる。ニサ文書の経済圏がどこまでか判断するのは非常に難しいが、おそらくニサ東南東約一〇〇キロメートルに位置し、ギリシア語史料で都市とされるアビーヴァルドまで含まれていると考えられる。しかし、文書で BYRTA/diz と表現されるのはミフルダートキルト(古ニサ)しかない。「州都」のような意味で使われていたと考えられる。ミフルダートキルトには「都城の長官」がいるが、他にフシャフラプ xšahrap という高官もおり、こちらはニサを含む地方行政圏全体の長官であったかと思われる。フシャフラプは、ハカーマニシュ朝時代のクシャサパーワン(ギリシア語サトラペス)が変化した形である(ただし古代ペルシア語形の直系の子孫ではない)。

アルシャク朝時代の都市の例として、最後にイラン高原西部に位置し、都の一つであったエクバタナを挙げておく。現ハマダーン市の中央にある「エクバタナの丘」(タッペイェ・ヘグマターネ)はイラン隊が長年にわたって調査してきた遺跡である。彼らの発掘はハカーマニシュ朝およびそれ以前のメディア王国の都の跡を見つける意図であったが、パルティア時代の規格住宅を発見することとなった。時代は後一世紀以降のアルシャク朝後期とされる。**図2**から分かるように、グリッド状の街路に二列の規格住宅がずらっと並んでいる。一ユニットは一七・五メートル平方である。ギリシア・ローマ建築を思わせる街並みと家の間取りであり、発掘者らはローマ建築のアトリウムの影響も指摘している(Hozhabri & Olson 2013)。

一般にアルシャク朝後期は、同朝とローマ帝国とが激しく対立した時代と考えられており、この時代にきわめて地中海的な街が建設されたことは意外に思える。ローマ軍の捕虜を用いた、という説も出されているが(Hozhabri & Olson 2013)、そもそもアルシャク朝とローマ帝国の対立が、間断なく熾烈なものであったのかどうか、再考する必要があるのかもしれない。

以上、アルシャク朝パルティア時代の都市をいくつか記述した。発掘資料、文字史料とも乏しく、結論として導けることは少ないが、市壁で囲まれた都市が多くなってきているということは言えるだろう。

四、サーサーン朝ペルシア時代の都市

サーサーン朝は都市的か

サーサーン朝ペルシアの都市については、事例を紹介する前に、いくつかの代表的な見解をまず挙げて、論点を整

理してみよう。

ケネディは二〇〇六年の論文で、とくに同時代のシリアと比較して、サーサーン朝ペルシアは全然都市的ではなく、田舎の景観が主である、と断じた(Kennedy 2006)。彼の過激ともいえる主張に対して、ホワイトコムは反論し、いくつかの間違いを指摘した(Whitecomb 2018)。シンプソンもサーサーン朝の都市についてまとめ、都市が重要であると論じている(Simpson 2017)。

たしかにケネディの論には無理な点も多く、その点ではホワイトコムの反論も首肯できる。地中海型の都市がないという主張に対しては、スーサの東北東約二〇キロメートルに位置し、オロンテス河畔のアンティオキアに範をとった「ウェフ・アンディヨーグ・シャーブフル」(後のジュンディー・シャープール)が反証となる。この都市名の意味する「シャーブフル(一世)の良きアンティオキア」が示すように、グリッド状の街路を持った地中海型の計画都市である。あるいは、職業ごとの街区などない、という主張に対しては、ホワイトコムはトルクメニスタン南部のメルヴの発掘成果を挙げてその誤りを正している。

また、ホワイトコムが指摘するようにケネディはあまりにも地中海型の都市モデルにとらわれすぎているように思える。彼は、庭園を都市的な要素として含めないが、第二節で述べたように、分散的開放的な景観も都市的であるとすれば、都市の景観に含めることができるだろう。ただ、このように考える際は、従来の都市概念をいくぶんかは変更する必要がある。

では、ケネディの主張はまったく成り立たないものだろうか。たとえば、彼はファールス州(いにしえのパールサ)東南部のハージーアーバードの田舎の邸宅を挙げ、こういった農村部に拠点を置く貴族の重要性を指摘している。そして、ホワイトコムやシンプソンの論に欠けているのは、サーサーン朝ペルシア内部の文字史料から見て、都市がそれほど重要な存在と言えるか、という点である。この点については、後で印章銘文の研究を紹介する際に触れるとし、まずは考古学建築史からサーサーン朝の都市を概観してみよう。

都市の外観

サーサーン朝の建国者アルダフシール(アルダシール)一世は王国の本拠地であるファールス地方(ペルシア本土)を中心に多くの都市を建設した、と伝えられるが、確実に彼によると確認される都市遺跡は数個しかない。そのうちの一つ、アルダフシール・フワッラ(現フィールーザーバード)は直径一九五〇メートルの真円形の都市プランで有名である。ちなみに、宮殿はこの円城の外にあり、これもケネディが都市的でないと指摘する点だが、分散的開放的な景観をキーワードに考えれば、都市景観の一部として見ることができる。ファールス州では、ダーラーブゲルドも真円形の都市遺跡である。さらに、ファールス州から遠く離れたテースィフォーンの対岸に彼が建設した都市が、ウェフ・アルダフシールである。この都市は、従来は丸くはあるが真円形ではないと考えられてきた。しかし、ハウザーは前記二都市の形態などから、これも真円形の都市ではないか、という仮説を唱えている(Hauser 2007)[図3]。彼の説は十分に受け入れられているわけではなく、また今後とも証明は難しいように思えるが、大きな利点もある。それは、イスラーム時代になってアッバース朝第二代カリフ、マンスールが新都バグダードを建設する際、なぜ真円形のプランを採用したのか、の説明がきわめて容易になることである。たとえ半ば廃墟になっていたとしても、クーファや建設予定地バグダードのす

図3　テースィフォーン複合都市
(出典：Hauser 2007：Fig. 6を基に改変加筆)

ぐ近くで、かつ一〇〇年少し前まで存在していた王朝の都の一部であった真円形の都市を見たのならば、それを新都のプランに採用することは不自然ではない。テースィフォーン、ウェフ・アルダフシールなどの諸都市は全体でテースィフォーン複合都市をなし、それをシリア語では「マーホーゼー」(諸都市)と呼んでいた。アラビア語のマダーインはこれを訳した形で意味はもちろん「諸都市」である。ただし、後述するように両大都市は別々の「州」に属していた。

アルダフシール一世の後を継いだのがシャーブフル一世で、彼もいくつかの主要な都市を建設した。彼は西方への遠征でローマ軍に再三勝利し、多くの捕虜を連れ帰って、土木建設事業に従事させたと言われる。そうして作られたのが、先に触れた「ウェフ・アンディヨーグ・シャーブフル」であり、ファールス州の「バイ・シャーブフル」(ビーシャープール)である。どちらも地中海型のグリッド状の街路を持つ計画都市である。

新設都市についていえば、真円形であれ方形グリッド状街路であれ計画都市であり、それはその後も続いたと考えられる。しかし、新設都市でも時間が経つにつれて「中東の都市」化が起こるようである。具体的には全体としてグリッド状を維持しながらも細かく見ると道が曲がりくねったり、袋小路があらわれたりするような形態である。道自体も狭くなっていく。このような例は、アルシャク朝末期のセレウケイアでもみられるが、ウェフ・アルダフシール(別名コーへー Coche)でも観察されるということをイタリア隊は報告している(Ricciardi & Mancini 1984: 100-104)。ハマダーンのように古い時代からイスラーム時代以降現代にまで継続して居住される都市ももちろんあるが、調査は困難でサーサーン朝時代の実態はほとんど分からない。

現地文字史料からみた州、首邑、都市

続いて、サーサーン朝の公的な文字史料から「都市」について考察する。とはいっても、サーサーン朝の都市を内

部から語る史料はきわめて少ない。王朝初期の三世紀に書かれたいくつかの王碑文の他は、王朝後期、六世紀以降に属する印章の捺された封泥の銘文がほとんどである。公的な印章には官職または部局名と管轄する地方行政区が記されており、それによって行政区と官職の対応、ひいては都市についても情報を与えてくれる。一九八〇年代末以降の印章銘文研究の進展は、サーサーン朝の研究を大きく変えたが、それを先頭に立って牽引してきたのがギズランであり、二〇一九年には研究の集大成ともいえる単著を出版した(Gyselen 2019)。彼女の研究成果をもとに、「都市」に関係しそうな行政区分と官職について考察を進めてみる(転写など多少変えている場合がある)。

サーサーン朝後期の行政区分は階層的になっており、なかでも「州」という区分は複数の官職が管轄としており基本的な区分である。ただし、ハカーマニシュ朝の「州」に比べると細分化されている。「州」を管轄とする官職にはシャフラブ šahrab(パルティア語フシャフラプ、古代ペルシア語クシャサパーワン、ギリシア語サトラペスに対応)、オースターンダール(オースターン長官 ōstāndār)などがある。この両職は担当州が重なることはない。前者はガイ(現エスファハーン)、グルガーン、ウェフ・アルダフシールなど、後者はダーラーブゲルド、ゲーラーン、ハレー(現ヘラート)などを管轄州としている。オースターンダールの担当する「州」はその名の通りオースターン ōstān と思われる。シャフラブについていえば、三世紀の王碑文などを参考にすればシャフル šahr と呼ばれていた可能性が高い。ただし、シャフルの指す領域は広狭かなりの範囲に及び、かつオースターンの担当州名にもシャフルがつく場合があり、州の総称として使用される場合があるかもしれない。オースターンは所有関係において他のシャフルとは区別されると思われる(同時代史料からは明確には示せないが、たとえば、王領をあらわしている可能性)。

これら「州」の下位区分に「マグ局」と仮に訳す部局 mowūh が担当する「地区」がある。「地区」という用語は印章銘文にはあらわれないが、この中にシャフリスターン šahristān という語が付く地区名がある。シャフリスターンは直訳すれば「シャフルのところ」であるが、「シャフル(州)の首邑」という意味で用いられている。たとえば、「テースィフォーン・シャフリスターンのマグ局、フスラヴ・シャード・カワード（州）」という銘文からは、フスラヴ・シャード・カワード州の首邑がテースィフォーンであることが分かる。この州はティグリス川東岸に設けられた州で、西岸のウェフ・アルダフシール州と区別される。ウェフ・アルダフシール州の首邑（シャフリスターン）は同名のウェフ・アルダフシールであることが別の印章銘文から判明している。

このシャフリスターンが「都市」にあたる語と言える。もちろん、州行政の中心を担うのが州の首邑であるから、首邑＝シャフリスターンが重要な役割を果たしていることは疑いない。しかし、それはあくまで州行政であって、都市そのものの管轄ではない、ということに留意すべきである。この語は、少なくともサーサーン朝後期において公的には「州の首邑」であって、一般的な都市という意味では用いられないようである。たとえば、ライ（現テヘラン南方）という州には九以上の地区名が数えられるが、首邑ラーム・ペーローズ（イスラーム時代の都市ライ）以外にはシャフリスターンという語は付かない。地区名の同定が難しいのでライ州の範囲を決定することも容易ではないが、首邑の南方では現コム市などは確実に含んでいると考えられる。その中でもシャフリスターンは一つだけ、ということになる。表面的な類似ではあるが、江戸時代の一国一城の制度、藩領と城下町の関係を思わせる。

なお、アフガニスタン北部で書かれたバクトリア語文書はサーサーン朝後期からイスラーム時代初期にわたる時期に作成されたものであるが、そこにもシャフルという語があらわれる。この語は「都市」と訳されてきたが、宮本亮一の指摘するように、同時代の中期ペルシア語印章銘文と同じく、「州」と訳すのが適当と思われる（宮本 二〇二〇：一〇三―一〇四頁、注二四）。

イスラーム時代への変化

最初に述べたように、イスラーム時代の新期ペルシア語（現代ペルシア語と基本的に同じ）になると、「都市」をあらわす語としてシャフルが使われるようになる。「州」からどのようにして意味が変化していったのだろうか。推測に過ぎないが、以下のような筋道が考えられる。サーサーン朝時代には、「州」に相当するオースターンとシャフルにはおそらく所有関係によって使い分けがあり、管掌する官職も異なっていた。しかし、このような区別はアラブ・イスラームの征服によって、まったく意味をなさないものとなる。このときに、おそらく領域をあらわす語としてはオースターンが選ばれた。イスラーム時代初期の中期ペルシア語文書が近年出版され研究されているが、そこでは官職としてオースターンダールはあらわれるが、シャフラブはまったく姿を消してしまう。シャフルは指す領域を縮小して都市を指すようになり、玉突きでシャフリスターンは州の首邑をあらわす語から都市の城内市街部へと範囲を縮小する。このようなことが起こったのではないだろうか。

都市と都市を含む周辺領域とが同じ地名であらわされる、という特徴がイスラーム時代の都市でよく指摘される。これはむろん、オアシス都市など降水量の少ない都市全体にみられる特徴でもあるが、イランにおいてはその前にシャフルという語が「州」から「都市」に変化した、という事実を踏まえるべきであろう。

また、すでにサーサーン朝後期において、とくに生産力の高い地域、すなわちメソポタミアやイラン南西部の平野で「州」の細分化が進んだようである。理由は都市(州の首邑)を建設して、そこを囲む州を独立させた、という見方もできるが、カワード一世・フスラウ(ホスロー)一世の税制改革によって耕地の等級による定額制に変わって、州ごとの徴収予定量が目に見える形になったことも要因ではないか、と推測することも可能だろう。徴収予定量が他州に比べて多い州を分割して、均衡を図るという目的となる。州には首邑が必要であり、細分化された小さな州では、首邑と区別がしにくい場合も出てくるだろう。

イスラーム時代の初期にかけてさらに細分化が進んだ可能性がある。イブン・フルダーズビフの地理書には、サワード(メソポタミア)地域に多くのクーラ・ウスターンという行政区分があることが記されている。ウスターン ustān はオースターンのアラビア語・新期ペルシア語形、クーラはギリシア語 chōrā がアラビア語に入った形であり、共に「州」という意味になる。クーラ・ウスターンの数の多さは州がそれだけ細分化されたということを示すものと考えられよう。

このように考えると、アラビア語史料からサーサーン朝都市史を考察する際の注意点も明らかになる。タバリーなどの史料に「都市(マディーナ)を建設しクーラを置いた(kawwara kūra)」という表現がしばしばみられる。そのまま読めば、都市建設が主でクーラが従のように思えるが、サーサーン朝時代の中期ペルシア語で考えれば、「シャフリスターンを建設し、シャフル(あるいはオースターン)を置いた」となる。首邑となる都市を建設して州を分割した、と取ることもできるが、州を分割して新設した州にその首邑を置いた、と解釈することもできよう(4)。新しい首邑名には王の名が冠せられることが多いから、きわめて旺盛に都市建設が進んだようにも受け取れるが、必ずしもそうでもないかもしれない。

五、小結

以上、イランを中心に西アジアの古代都市を概観してきた。残念ながら、中央アジア西部で都市国家中心の社会を築いてきたソグド地域や、独自の文明を育んできたアラビア半島の都市については触れることができなかった。それぞれ、吉田豊と蔀勇造の研究(吉田 二〇一一、蔀 二〇〇二:一一五―一二四頁)などを参照されたい。

また、古代の都市については、考古学的建築史的な成果を中心に語られることが多いが、本稿では「都市」を何という語で表現したのか、に重きをおいて記述してきた。その結果、「都市」をどう呼んでいたのかよく分からない、という他地域ではなかなか想像できない所から始めざるをえず、また非常に推測が多くなってしまっている。

しかし、そういった分かりにくさはあるものの、ハカーマニシュ朝の王都の特徴として挙げた分散的開放的な都市景観、庭園やオープンスペースの重要性、についてはイスラーム時代におけるイランの都市の底層に流れ続けているのではないか。そのような予想を述べて、本稿の結びとする。

注

(1) 本稿では古代ペルシア語は語幹形であらわす。
(2) ハカーマニシュ朝時代における「都市」を意味する語については、初歩的暫定的であるが春田晴郎の論稿(春田 一九九七)参照。
(3) ダスキュレイオンについては、阿部拓児の研究(阿部 二〇一五:七三—九八頁)参照。
(4) もちろん、灌漑などの大規模土木作業に従事される人間を確保するために都市を建設し、工事完成後はその都市および周辺領域に住まわせた、という可能性も考えられる。

参考文献

阿部拓児(二〇一五)『ペルシア帝国と小アジア——ヘレニズム以前の社会と文化』京都大学学術出版会。

粟野頼之祐(一九五〇)「安息王アルタバノス三世王令のギリシア碑文について」『出土史料によるギリシア史の研究』岩波書店。

蔀勇造(二〇〇二)「シリア・アラビア半島」佐藤次高編『西アジア史 I』山川出版社。

羽田正(一九九〇)「「牧地都市」と「墓廟都市」——東方イスラーム世界における遊牧政権と都市建設」『東洋史研究』第四九巻第一号。

春田晴郎(一九九七)「古代ペルシア語および王朝アラム語における「都市」」『西南アジア研究』第四六号。

宮本亮一(二〇二〇)「ワフシュ神とラームセート神——バクトリア語文書から見たトハーリスターンにおける宗教事情の一側面」『東洋学術研究』第五九巻第二号。

吉田豊(二〇一一)「ソグド人とソグドの歴史」曽布川寛・吉田豊編『ソグド人の美術と言語』臨川書店。

Boucharlat, Rémy (2020), "Arriving at Persepolis, an Unfortified Royal Residence", *The Art of Empire in Achaemenid Persia: Studies in Honour of Margaret Cool Root*, Leuven, Peeters.

Cohen, Getzel M. (2013), *The Hellenistic Settlements in the East from Armenia and Mesopotamia to Bactria and India*, Berkeley, University of California Press.

Gondet, Sébastian (2018), "Villes achéménides de Perse : essai de définition", *L'Orient est son jardin : hommage à Rémy Boucharlat*, Leuven, Peeters.

Gyselen, Rika (2019), *La géographie administrative de l'empire sassanide : Les témoignages épigraphiques en moyen-perse*, Bures-sur-Yvette, Groupe pour l'Étude de la Civilisation du Moyen-Orient.

Hauser, Stefan R. (2007), "Vēh Ardashīr and the Ruins at al-Madā'in", *Facts and Artefacts: Festschrift for Jens Kröger on his 65th Birthday*, Leiden, E. J. Brill.

Henkelman, Wouter F. M. (2011), "Parnakka's Feast: šip in Pārsa and Elam", *Elam and Persia*, Winona Lake, Eisenbrauns.

Hozhabri, Ali & K. G. Olson (2013), "Investigation into the Mud-Brick Architectural Units at Ecbatana-Hamadan", *Iranian Archaeology*, 4.

Kennedy, Hugh (2006), "From Shahristan to Medina", *Studia Islamica*, 102/103.

Naveh, Joseph & Shaul Shaked (2012), *Aramaic Documents from Ancient Bactria: From the Khalili Collections*, London, The Khalili Trust.

Ricciardi, Roberta Venco & Maria Maddalena Negro Ponzi Mancini (1984), "Coche", *The Land Between Two Rivers*, Torino, Il Quadrante Edizioni.

Simpson, St. John (2017), "Sasanian Cities: Archaeological Perspectives on the Urban Economy and Built Environment of an Empire", *Sasanian Persia*, Edinburgh, Edinburgh University Press.

Whitecomb, Donald (2018), ""From Shahristān to Medīna" Revisited", *Eurasian Studies*, 16.

Zehbari, Zohreh (2020), "The Borazjan Monuments: A Synthesis of Past and Recent Works", *ARTA* 2020.002 (http://www.achemenet.com/pdf/arta/ARTA_2020.002_Zehbari.pdf) 最終閲覧日二〇二一年七月二〇日。

集点 Focus

ローマ帝国社会における女性と性差

髙橋亮介

はじめに――「祖国の母」リウィア

後二九年、初代ローマ皇帝アウグストゥスの妻で二代皇帝ティベリウスの母であるリウィアが八六年の生涯を閉じた。元老院議員で歴史家のタキトゥスは、『年代記』に彼女の死を記したあと、次のように評している。

彼女は家庭において、伝統的な貞節を固く守り通した。その社交性は、昔の女の是認する限度を超えていた。母として尊大に、妻として従順に振る舞い、夫の狡猾と息子の偽装を向うに廻してうまく渡り合えた女である。

（五、一、国原吉之助訳）

リウィアは息子ティベリウスを帝位につけるべく、他の後継者候補を排除し、死の床にあるアウグストゥスの傍らで準備を整えたという。ことの真偽はともかく、ティベリウスの母との関係は良好ではなかった。タキトゥスや皇帝の伝記を著したスエトニウスによれば、リウィアを避けるため隠遁したと伝えられるティベリウスは母の死に立ち会わず、彼女の遺言の執行と元老院による神格化を拒んだ。三世紀の歴史家カッシウス・ディオによれば、それでも元老院は一部の女性たちに一年間喪に服すよう命じ、女性としては前例のない記念門の建設を提案している。リウィアが少なからぬ議員の命を救い、多くの子供を養い、議員の娘たちの嫁資の支払いを助けたからだという。そしてリウィアを「祖国の母」と呼ぶものたちもいたという(『ローマ史』五八、二)。だが、この称号は登位直後のティベリウスがその公的な授与を拒否していたものであった。

リウィアはアウグストゥスの生前から、その名前を冠した柱廊の建設、護民官のもつ身体の神聖不可侵権など、これまでの女性には認められなかった特権と名誉を得て、アウグストゥスの決定にも影響力を及ぼした。彼の死後には、その相続人かつ養女となりユリア・アウグスタと名乗り、アウグストゥス礼拝神官にも就任し、さらに高い権威をもち政治への関与を深めていった。ティベリウスは「支配権を母と共有することを軽蔑しながら、この支配権を母の贈り物として貰っていた手前、その地位から母をしめ出せなかった」という(タキトゥス『年代記』四、五七、国原吉之助訳)。だが「女性に向かない重要な仕事は遠慮すべきだと、母に再三忠告し」(スエトニウス『ローマ皇帝伝』「ティベリウス」五〇、国原吉之助訳)、リウィアが邸宅にアウグストゥスの像を具え、元老院議員と騎士をその妻たちとともに饗応しようとした際に、これを拒否し、自らが男性を、リウィアが女性たちをもてなすように変更している(ディオ『ローマ史』五七、一二)。ティベリウスは母の振る舞いを従来の性差にもとづく規範のうちに押し留めようとしたのである。

リウィアに力を与えたのはいうまでもなく皇帝の夫、そして母という立場である。「元老院や軍営、民会にあえて立ち入らなかったことを除けば、彼女は単独の支配者であるかのように、すべてを取り仕切ろうとした」というディオの言葉(五七、一二)は、帝政の成立により「アウグストゥスの家 *domus Augusta*」が一つの家でありながら、旧来の、そして男性によってのみ構成される政治組織と併存し、それらを凌駕しうる政治機関となったことを示している。妻・母に求められた家庭と家族への配慮が、皇帝の家においては国家の運営と維持に直結するようになったのである。したがって皇帝家の女性たちが力を得るのは当然であった。ティベリウスとリウィアの間の緊張が個人的なものであったとしても、それは同時に、今後数百年続くローマ帝政に組み込まれた構造的なものであった(Milnor 2012)。

ところで叙述史料、とりわけタキトゥスはリウィアとユリウス・クラウディウス朝の女性たちに厳しい眼差しを向けるが、同時代の出土文字史料は、ディオが描く元老院議員と同じく、リウィアの力と権威がごく自然に受け入れられていったことをうかがわせる。ティベリウスの後継者と目されていたゲルマニクスが一九年に急死した際に、毒殺の疑いをかけられたシリア総督グナエウス・ピソは自殺するが、その妻プランキナはリウィアから恩赦の確約を内密に得たとされる。それを伝えるタキトゥスの筆は女性同士の密約を匂わせるが、ピソを弾劾する元老院決議を刻んだ青銅板によれば、プランキナの免罪は「我らが元首を生んだのみならず、各身分の男たちに対する数多くの大きな恩恵ゆえに、国家にとって最も価値があり、元老院から許可を得るべきことについて、公平かつ適切に大きな力をもったが、とても慎ましやかに用いた、ユリア・アウグスタゆえに、また我らが元首の母に対する至高の孝心ゆえに」与えられており、元老院はリウィアの力をはっきりと認めている(『碑文学年報』一九九六、八八五、一一五—一一九行)。またティベリウスが拒否した「祖国の母」という称号も地方都市では公のものであるかのように用いられている(Barrett 2002: 157)。北アフリカのレプキス・マグナでは「アウグスタ、祖国の母」という銘をもつ貨幣(『ローマ属州貨幣』一、八四九)が、イベリア半島南部の属州バエティカの植民市ロムラでは「ユリア・アウグスタ、世界の母」という「母なるウェヌス女神」を連想させる銘を伴い、世界を表す球体とともにリウィアを象った貨幣(『ローマ属州貨幣』一、七三)が造られている。同じく属州バエティカの別の都市の皇帝礼拝神官はリウィアを「世界の母」と称えている(『ラテン碑文集成』二、二〇三八)。このようにリウィアの存在をどう認識するかは、地域によって、そして史料によって異なっていたのである。

本稿の課題は、ローマ帝国社会における女性と性差の諸相を概観することである。とはいえローマ帝国は、多様な人間集団を内包する広大な領域を長きにわたり支配しており、網羅的な記述は望むべくもない。そこで都市ローマの状況や叙述史料・文学作品に現れる女性たち、歴史人口学がもたらした成果についてはアシャール(二〇一六)、長谷川・樋脇(二〇〇四)、樋脇(二〇一五)、本村(二〇一四)などに譲り、本稿では帝政前期の属州に目を向け、出土文字史料(碑文とパピルス文書)を用いて、地方都市とエジプトで女性たちがどのような活動をしたのか、その広がりと限界がどのようなものであったかを明らかにする。

一、地方都市における女性の公的活動

ローマ市の公的空間において記念物や建築物を通じて圧倒的な存在感を示すのは、皇帝家であり、次いで男性のみから構成される元老院である。そこに皇帝家に属さない女性たちの姿はなかなか現れない。一方、帝国の地方都市に建てられた碑文には、都市で公的に活動し、その存在を認められた女性たちがしばしば言及される。彼女たちの多くは地方名望家である都市参事会員身分に属していた。しかし、なかには帝国貴族である元老院議員・騎士身分に属するものも、富裕な解放奴隷もいた。永続的な公開を目的とした碑文に女性はどのように姿を現すのであろうか。

東方の地方都市

小アジアのカリアの都市アプロディシアスからは、一世紀に生きたタタという女性を顕彰するギリシア語の碑文が発見されており、次のように書かれている。

評議会、民会、長老会は、第一級の名誉を、タタ、ディオドロスを父としレオンを実父とするディオドロスの娘、ヘラ女神の聖なる終身神官、「都市の母」に授ける。彼女はアッタロス、「ステパネポロス」、ピュテアスの息子に嫁ぎ、その妻でありつづけた。彼女自身、第一級の輝かしい家族の一員であり、皇帝礼拝の神官を二度務めた。

夜のかなりの間にもオイルの器から満たされた小瓶でオイルをふんだんに競技者に二度提供した。彼女は「ステパネポロス」であり、皇帝たちの安寧のために幾年にもわたって犠牲を捧げ、全員の寝椅子がある宴を市民のために何度も開いた。演奏と演劇の競技のために、アシアで優れた演者を彼女自身が初めて連れてきて、祖国で上演させた。近隣の都市も演者たちの披露に集まり祝った。彼女は出費を惜しまず、名誉を愛し、美徳と慎み深さに誉れある女性である。

(『アプロディシアス出土碑文』一二、二九ii)

アプロディシアスの名望家に生まれたタタは、都市の神官職を務め、オイルや宴、娯楽の提供をしている。ローマ帝国の都市の公共施設やインフラストラクチャ、市民生活が、都市公職者の義務的な出費あるいは名望家の恩恵施与行為(エヴェルジェティスム)によって支えられていたことはつとに知られており、タタの行為もそうした例である。

ヘレニズム期からローマ帝政前期にかけてのギリシア本土と小アジアの諸都市における女性の神官職や都市公職就任、恩恵施与行為や公共奉仕を論じたファン・ブレーメン(van Bremen 1996)は、タタのような女性が姿を見せ始めたことをもってして、女性が自立し解放されていったと捉えることに疑念を呈している。たしかに女性は自らの名前で公職に就き、恩恵施与を行い顕彰されたが、その数は男性に比べると圧倒的に少ないという事実もさることながら、こうした行動は生家であれ婚家であれ自らの所属する家族ゆえになされたと理解すべきというのが彼女の主張である。神官職には、都市の暦に名を残す紀年神官であれ皇帝礼拝神官であれ、夫とともに就任している例は少なからずあり、タタとその夫アッタロスもステパネポロスという宗教に関わる紀年公職に就いており、夫婦で同時に就任した可能性がある。ほかの公職を含めた夫婦での就任は一世紀になってから見られる現象である。また女性が父や他の祖先と同じ公職に就く例も知られている。タタの顕彰決議が刻まれた石には、夫アッタロスと父ディオドロスに対する顕彰決議も記されている。夫への決議文は断片的だが、父は皇帝礼拝神官および競技者にオイルを提供するギュムナシアルコス(「体育場(ギュムナシオン)の長」)を務めていた。

こうした「女性の進出」は、「第一級の家族」と称されるような有力な地方名望家が都市の政治において存在感と重要性を増し、公共奉仕や恩恵施与行為、公職・神官職就任時の醵金(きょきん)を求められるにつれて生じた。こうしてヘレニズム期には限定的であった、女性が都市公職や神官職に就く道が開かれたのだが、この「進出」は富と地位を誇りうる女性にのみ関わり、そうした女性も家族という枠組みや一族の伝統の制約を受けていた。夫婦がともに恩恵施与をする例は前二世紀初めから知られているが、この早い時期にはほとんどの事例で夫と妻がそれぞれ別個に恵与をなしているのに対して、一世紀以降は夫婦での共同恵与が増えていく(van Bremen 1996: 116)。妻が常に夫の意向に従っていたかどうかは分からないものの、女性が自由に振る舞えたかどうかには疑いが残るのである。

地方都市における名望家の影響力の増加は、女性の「進出」をもたらしただけではない。名望家と市民との関係が垂直的に理解され、都市全体が有力家族に率いられる家族に喩えられていく言説もローマ帝政期に見られるようになる(van Bremen 1996: 156-170)。元老院議員にして哲学者でもあったアテネの有力者ヘロデス・アッティクスの死に際して、アテネのあらゆる年代の人々は「良き父親を失った子供たちと同じほど」悼み(ピロストラトス『ソフィスト列伝』五六五―五六六)、ギリシア中部を舞台にしたアプレイウスの小説『黄金の驢馬』のなかで名望家の息子は「人々のあいだで一級であり、見た目も麗しい若者であり、彼を都市が一致して「公の息子」に選出した」(四、二六)と言われている。そしてタタの顕彰決議碑文も「都市の母」という称号が都市により正式に与えられたものであったことを示すのである。

西方の地方都市

帝国西部の都市からも有力者の活動を記念する碑文が知られるが、女性の事例はやはり男性のそれに比べて少なく、皇帝礼拝神官就任や恩恵施与の事例は男性の五分の一程度である(Hemelrijk 2015: 162)。属州バエティカのカルティマで初めてローマ騎士となった人物の娘であるユニア・ルスティカは、一世紀後半に様々な恵与を行い、都市から彫像を建てる名誉を与えられた(Donahue: 2004)。彼女を記念する碑文の文面は以下の通りである。

ユニア・ルスティカ、デキムスの娘、カルティマ人のムニキピウム〔自治市〕における終身の、そして第一の女神官は、老朽化により崩れた公共柱廊を再建し、浴場の土地を提供し、公租の支払いを引き受け、フォルムにマルス神の青銅像を建て、彼女の土地に浴場脇の柱廊を、池とクピドの像とともに提供し捧げた。その際に自らの出費による贈り物として宴が開かれ見世物が催された。彼女自身と息子のガイウス・ファビウス・ユリアヌスのために、カルティマ人の都市参事会によって決議された彫像を、そのための支出を免れさせた上で、また彼女の夫であるガイウス・ファビウス・ファビアヌスのために自らの出費で彫像を作成し捧げた。

(『ラテン碑文集成』二、一九五六)

ユニアは自らの出費によって、フォルムの神像や柱廊の修復、浴場の建設用地、見世物や宴を提供している。それに対して都市当局は公共空間に彼女と息子の彫像を建てることを決定したのだが、ユニアはその費用を自弁したのみならず、夫の彫像も付け加えている。ユニアの振る舞いも家族の名誉を高めるための行為であるが、彼女の恵与がなければ息子と夫の彫像は建てられなかったという事実に注目したい。イタリアと西部属州の諸都市における女性の公的活動を分析した研究者たち、例えば皇帝礼拝神官や他の神官職、都市やコレギアのパトロンや「母」という称号、恩恵施与、彫像の設立や公葬の挙行といった顕彰に注目し、約一四〇〇点のラテン語碑文を検討したヘメルライク(Hemelrijk 2012, 2015)や、約三五〇人の女性がなした約三八〇例の恵与を考察したマイヤーズ(Meyers 2019)も、神官職への就任や恩恵施与を女性の自発性や個性の発露として捉えている。彼女らが注目するのは、東方と比べて西方では夫婦での神官職就任を一般的な傾向として見出し難いこと、史料中に女性とともに付される父や夫の名前を、必ずしも女性たちの行動が家族の枠組みにとらわれている、つまり一族の一員として家族の利益を追求している証拠とはみなさずに、あくまで個人を同定するための慣例的な表記法とみなしている点にある。公的な役職に就くことのできなかった女性は、個人の名前だけでは自らの地位や身分を示す手段がなく、男性親族の名前を付したのである。そして、ユニアのように「自らの出費」をなすこともあった。こうした理解は、東方からの同種の史料を分析したファン・ブレーメンの見解とは異なっている。もちろん、西方の事例を研究した論者も家族の役割を否定はしておらず、女性が自由に財産を都市のために使えたとしても、その財産は両親からの相続や夫からの贈与によって得たことは認めている。ただし、女性の行動を家族というまとまりのなかで解釈しつつも、彼女たちの個人の選択や個性の発露の余地があったこと、都市の内外で女性同士の競争や模倣が起こっていたと考えている。このように西方の事例に目を向けた研究者たちは、女性の主体性を高く評価する傾向にある。

　またヘメルライクは女性の公的活動に関する碑文史料約一二〇〇点の年代・地域分布をまとめ[図1]、イタリアから属州へと女性の活動が広がっていった状況を見て取っている。最も事例の多いイタリアでは前一世紀の例があり、一―二世紀をピークに三世紀に減少する。次いで多くの事例を提供する北アフリカおよびイベリア半島では二世紀に急増し、北アフリカは三世紀に最も多くの事例を残す。史料の分布は、ラテン語碑文の残存状況と概ね一致するが、皇帝家の存在が大きい都市ローマは空白地帯であり、ガリアや北方の軍事属州からの

	イタリア	北アフリカ	イベリア半島	ガリア	その他
不明	122	78	20		
3世紀	66	127	14	8	20
2世紀	180	113	117	31	27
1世紀	153	16	32	25	9
前1世紀	26			4	8
合計	547	334	183	68	64

図1　女性の公的活動を記録した碑文の年代・地域分布
(Hemelrijk 2015：20, Figure 1.2をもとに作成)

事例が少数にとどまることから、ローマ帝政期における碑文慣習のみでは説明できない。

それでも史料の分布は、都市化とローマ市民権の拡大と一致している。属州におけるローマ文化やローマ的な生活様式の受容、いわゆる「ローマ化」の進展は、かつて考えられたよりも表層にとどまっていたとされるが、イタリアと西部属州の地方名望家に属する女性は、公職に就くことはできなかったにせよ、男性たちと同じくローマ化とともに自らの存在を誇示していく手段を手に入れたと言えよう。彼女たちの自己認識が完全にローマ人となっていたかはともかくとして、彫像が建てられる場合は、慎み深さというローマの女性の美徳を表すトゥニカとパッラ(マント)を着た姿で、ときには貴婦人のシンボルであるストラも身につけて表された(Hemelrijk 2015: 293-305)。女性らしい徳が公に建てられた彫像で喧伝されるのは、一見奇異に思えるかもしれないが、むしろ現実離れした理想のローマ人女性として表象されることで、地方名望家の女性に与えられる名誉は受け入れやすくなったのかもしれない。またローマ法に基づき、女性は両親からの遺産を受け取り、無手権婚という結婚方法の広まりにより、夫から独立した自らの財産をもつことができた。二―三世紀の地方名望家層においては女性のもつ財産の割合は三〇―四五%に達していたとの推計もある(Hemelrijk 2015: 24)。

アプロディシアスのタタとカルティマのユニア・ルスティカはいずれも男性と同じように共同体に貢献し名誉を得た。彼女たちのように、地方都市がその存在と力を認め、碑文史料に現れる富裕な女性たちは例外として無視できるものではない。またこれらの女性は元老院に認められたリウィアを想起させ、皇帝家の女性が地方の女性たちのモデルとなったかのような印象を与える。しかし近年の研究が重視するのは、ローマ市民権獲得とローマ法の影響であり、帝国貴族を含めた地方の富裕層の女性同士の相互の影響や、都市ローマと地方で女性の活動が同時に並行して活発になっていったと見ている(Donahue: 2004; Cooley 2013; Hemelrijk 2015: 169-170)。ただし、こうした見解は地方都市における女性の活動を複合的に説明しようとするものであり、皇帝家の役割を否定するものではない。都市ローマにおいて公的なモニュメントを残しえたのが皇帝家の女性であり、彼女たちは女性の徳目の表明と公的な活動を両立させていた。そして皇帝礼拝の対象に皇妃が含まれることで女性の神官就任が可能になり、模倣すべき対象となりえた(Treggiari 2005)。ローマの支配は、都市の制度的・物質的な発展、寡頭的支配体制の確立と地方名望家同士あるいは都市間の競争、ローマ市民権の拡大とローマ文化の受容、そして帝国住民の皇帝礼拝や女性を含めた皇帝一族への注目を同時に引き起こしたのである。東方ではヘレニズム諸王家の恩恵施与の伝統を無視しえないという指摘もある(Kearsley 2005)。帝国の地方都市での女性の活動についても多面的な理解が求められているのである。

女性の公的活動は、数量的には男性のそれと比べれば少ないものの、一定の規模で行われ、彼女たちの姿は都市ローマよりも目立っていた。だが碑文史料に名を残す女性たちは帝国支配身分か都市参事会身分に属する名望家層であり、解放奴隷がいたとしても十分な財をもっていたものたちである。ローマ社会に存在した富と身分の格差は忘れられるべきではない。また女性がなした恩恵施与には、女性を対象とした子弟の養育基金(アリメンタ)(Hemelrijk 2015: 148-154)やすべての身分の女性の饗宴への招待もあったが(Donahue 2017: 114-115)、男性たちも同時に同等かより多くの恩恵を受けるのが一般的であった。富裕女性の活動は男性のそれをモデルとしたもので、男性優位の社会構造に疑義を示すものではなかったのである。

二、属州エジプトのパピルス文書からみる女性

記念物として建てられた碑文が女性たちの公的な活動を明らかにするのに対し、エジプトから出土するパピルス紙に書かれたギリシア語実務文書は、女性たちの日々の活動を詳らかにする。エジプトは帝国のなかでローマの文化や統治制度になじまない特別な属州だと考えられてきた。しかし、ローマの支配の開始とともに地方富裕層に行政の実

務を委ねるローマの統治原則が導入され、地方名望家層の育成と優遇のために、身分・税・土地所有に関する諸制度の改革がなされた。徴税や文書管理といった業務は、所有財産額に応じて課された義務的公共奉仕の担い手に任されたのである。とはいえ、三世紀初頭まで領域部の諸都市に参事会が設置されることはなく、二一二年のローマ市民権の全般的付与まで住民にローマ法は適用されず、在地の慣習は存続し発展しつつも、ローマ文化の受容も起こるという独特の状況が生じた(髙橋 二〇〇六)。

したがって属州エジプトの女性の活動を規定したのは、エジプトの、そして三〇〇年前に持ち込まれ浸透していったギリシアの法慣習である。女性の活動には男性の家族・親族が務める後見人が必要とされる一方で、ギリシア的な嫁資による結婚時の贈与とエジプト的な均分相続(長男が多くを受け取る場合もある)により、女性は自らの財産を有した。女性には貴金属や宝飾品を与えることが好まれたが、それでもローマ時代に女性が土地を手にする可能性は増えた。一般化は難しいものの、いくつかの村落の徴税記録などによれば、土地所有者のなかで女性の割合は、約三割、女性が所有する土地の割合は六分の一から四分の一であったと推測される(Rowlandson 1998: 220-221)。女性の財産所有は男性にのみに課された義務的公共奉仕を避けるための家族戦略であったとする見解もあるが、未婚の女性にも同程度の財産所有が見られるために支持し難い(Vandorpe 2012: 267)。後見人を必要としながらも財産をもったエジプトの女性たちは、パピルス文書が伝える様々な活動のなかでどのように現れるのだろうか。以下、経済活動、識字能力、嘆願書の提出について、男女の活動の違いを数値で示しながら見ていきたい。

経済活動と債務

ギリシア語パピルス文書が豊富に出土するのが中部エジプトのファイユーム地方である。その一村落テプテュニスからはグラペイオンという文書作成機関に由来する一世紀前半の文書群が見つかっている。そのなかに四五年夏からの一年間に作られた契約書を主とする文書目録(『ミシガン・パピルス』二、一二三)がある。ホブソン(Hobson 1984)によれば、目録中の約八四〇件の取引のうち、女性が契約当事者として現れるのは約四分の一の二〇五件である。しかし、女性が単独で現れるものは一〇八件(約一三%)にすぎず、八九件では夫や兄弟、息子とともに契約をしている。女性たちが結ぶ契約は、家庭内での妻あるいは娘としての立場に関するもので、結婚契約、嫁資の支払いや返却、乳母契約と賃金の受領、相続した土地の売却や分割などがある。一方、多くの契約が作られた金品や農地の貸借に女性が単独で関わる例はごく少数にとどまる。契約書の作成を要した経済活動への女性の関与は数量だけでなく契約の内容のバリエーションについても限定的であった。

この目録に記録された一四〇件の現金の貸借契約(無利子のもの、家への居住権や労働力の提供をもって返済に代えるものも含む)の債務者に注目すると、女性が単独で債務者となるのは八件(約六%)にすぎないが、夫とともに借り入れる例は四六件(約三三%)にのぼる。こうした状況について次のような解釈が成り立つ。一つは、女性たちは自らの財産も担保になりうることを示し、夫とともに家族という単位で借金をしたという考え方である。もう一つは、女性が自らのために借金が必要だとしても、夫を共同契約者としなければ契約ができなかった可能性である。無論、単独で契約する女性もおり、しかも少なからぬ額の現金を貸し付ける女性もいるので、女性の経済活動が全般的に制約を受けていたわけではない。それでも契約の仕方に男女の違いがある。

だが、こうした状況をどこまで一般化できるのであろうか。ホブソンは家族を単位とする借金の多さを、四五年のナイル川の氾濫(はんらん)の不調によって引き起こされた困窮と結びつけるが、同年の深刻な経済危機を疑う研究者もいる。ここに出土文字史料の解釈の難しさがあるが、より広い地域と時代の事例を考察した研究は、ローマの支配の進展が女性の借金の仕方にもたらした変化を指摘している。

テプテュニスを含む五つの都市・村落での前三〇年から後二八四年までの金品の貸借契約およそ四三〇例を分析し

たルルクセル(Lerouxel 2006)は、性別が判明する債務者のなかの女性の割合が二二%(三二三例中七二例)で、女性は男性よりも担保となる土地や建物を明示して借りる傾向があることを見出している。だが、こうした特徴が顕著になるのは、不動産登記所という機関が設置された六九年頃以降である。六九年より前の女性債務者の割合は一〇%であり、夫とともに債務者になるのも、二世紀初めまで続くものの一世紀の特徴である。ところが、六九年から一七〇年までの女性債務者の割合は二六%にまで増え、担保の明記が一般化するのも六九年以降である。不動産登記所は、個人が所有する財産を公権力が把握し、地方富裕層の財産権を守ると同時に義務的公共奉仕を円滑に行わせるためのものであったが、私的な契約で設定された抵当も記録した。契約書のなかでの担保の明示は、女性の返済能力への不信感を示すのかもしれないが、同時に財産をもつ女性であれば、夫と共同でなくとも借金をすることを容易にしたのである。さらに、この時期には女性が男性よりも多い額の借金をしていることも担保の設定の必要性を説明する(女性の借り入れ額は平均値一〇三二、中央値四五八ドラクマ、男性は平均値で六〇三、中央値で二四〇ドラクマ)。女性たちが借金をした理由は定かではないが、担保にできる財産のある女性は、夫とは独立して必要な現金を調達するという自由を享受しえたのである。このようにローマの制度改革は女性を解放することもありえた。しかし、それは財をもつ女性については、という留保が付けられていたのである。

読み書き能力

契約書は男女の識字能力の違いも明らかにする(Yiftach 2016)。グラペイオンで作られた契約書には、公証人が三人称で書いた本文に、契約当事者が一人称で契約内容の概略を記す「署名」を付したものがある。署名は自筆である必要はなく、代書人や家族による代筆も認められた。一—三世紀にファイユーム地方で作られた署名をもつ契約書は三一六例知られる。署名者の男女比はおよそ二対一(二一二対一〇四)で、グラペイオンの目録や金品貸借契約よりも高い割合で女性が契約当事者になっていたことを示すが、ここで注目したいのは、全体の四分の一を占める自筆署名の内訳である。自筆で署名する男性が三四%(七四例)であるのに対して女性は六・七%(七例)で明瞭な差があり、男女で教育を受ける機会が異なっていたことが確認できる。ただし契約に自筆の署名は必須ではないため、署名欄の文章が長く複雑になると自筆の割合は低下していく。しかし、だからこそ、自筆での署名はより主体的に契約に関わる力をもって臨んでいることを示しえたのである。

グラペイオンを介さず作成された契約書も当時は存在した。それが一人称で書かれた書簡の形式をもつ契約書で、借り手が主に土地の賃借を願い出る際に用いられた。そこには貸し手が了解した旨の署名を残すことがある。この形式の契約書からは、男女だけでなく、経済的な強者(貸し手)と弱者(借り手)の読み書き能力の差を見出せる。自筆署名を残す貸し手は、男性の場合ほぼ全員(二九例中二八例)であるのに対し、女性は七割弱(一九例中一三例)であり、男女の差が確認できる。しかし借り手側の男性たちと比較すると、彼らの自筆率は三割(七七例中二五例)にとどまっており、貸し手の女性の読み書き能力の方が高い(なおローマ期エジプトで女性の借地人はまれである)。貸し手すべてが富裕な土地所有者であり、借り手すべてが貧しい農民であるとみなすのは短絡的ではあるが、この形式の賃借契約書からは男性の読み書き能力も一様ではなく、教育を受ける機会は経済力や社会的地位によって左右されたことが分かる。

読み書きが権利や力と結びついて理解されていたことを示すのが、三世紀半ばに書かれた「三子の権」の申請書である。アウグストゥスの社会立法により、三人の子供をもうけた自由人女性は後見人なしに取り引きができた。この要件自体が「産む性」としての女性の役割を強調しているのは言うまでもないが、ローマ市民権の全般的付与がなされた後から四世紀初めにかけて、都市参事会身分を中心に三子の権をもつことを明示する女性が散見される(Evans Grubbs 2002: 37-39)。現在知られている唯一の申請書(『オクシュリュンコス・パピルス』一二、一四六七、二六三年)によれば、この権利は「とりわけ書くことを知っているものに、自ら主人となり、契約を結ぶ際に後見人なしに執り行う」

ようにするもので、申請者は三人の子供をもつだけでなく「読み書きができ、いともたやすく書くことができる」と記している。だが法文史料によれば特権の獲得に読み書き能力は求められてはおらず、実際には文字の書けない女性も三子の権を享受していた(Keenan et al. 2014: 186)。そうであるにもかかわらず、特権の申請にあたり読み書き能力が強調されたのは、主体的な契約当事者になることと文字を書くことが一体のものとして理解されていたからであろう。以上のように男女の識字能力を比べると、全般的には男性の方が高いが、社会経済的な地位を考慮すれば、高い地位にある女性は識字能力をより容易に獲得できる可能性があり、それを誇れる場合もあったのである。

嘆願書

エジプトの人々は自らの財産や権利を守るために、家族や親族、隣人、見ず知らずの他人によってなされた不正を役人らに訴え、裁きを求める嘆願書を送った。嘆願書を記したのは書記であり、その文言も嘆願者自身の言葉というよりも定型表現である。それでも下書きや写しを含め大量に残された嘆願書は女性嘆願者の特徴を明らかにする。

帝政前期(前三〇—後二八四年)の嘆願書は五六八点が残存している(Kelly 2011: 229-241)。嘆願者の性別が分かるもののうち、女性の割合は一四・二%(五一四点中七三点)にすぎない。だが嘆願書中に言及される被害者に女性が含まれる割合となると二一・八%(五二四点中一一四点)に増え、女性が単独で被害にあったか男女を含む集団が被害にあったときに、男性が代表して嘆願する傾向が見て取れる。それでも嘆願に関わる女性が少ないことに変わりはない。これは、訴えられる問題の多くが経済的損失に関するものであり、すでに見たようにローマ期エジプトにおいて女性が総体として所有する財が、男性のそれよりも少ないことによって説明できる。

嘆願書において女性たちは、「無力な女性」「孤独」「寡婦」「夫がいない」といった言葉を用いている。こうした表現は願いを聞き届けてもらうためのレトリックだろうが、事実を歪めているとまで考えるのは行き過ぎであろう。自らを偽った嘆願により出廷することになれば、係争相手に論駁(ろんばく)されかねず、裁判官の心証も悪くなるので、そこまでのリスクを犯したとは考えがたい。嘆願する女性たちの境遇や社会経済的地位は、不明なものも含め一様ではないのだが、このように頼るべき男性の家族、とくに夫と死別または離別したり、親しい男性がいないがゆえに、自ら訴え出なければならない女性がいると同時に、経済力があり自身の所有する土地や貸し付けた金品をめぐって訴えを起こす女性がいた。これら二つの類型は排他的ではないが、後者では夫を後見人としたり、夫を介して嘆願をする例もある。こうした場合に女性が主導権を握っており男性が名目的に現れているのか、逆に女性が男性に従属しており単に財産所有者として現れているのかの判断は難しい。それでも頼るべき男性がいても自らの名前で嘆願をする女性がいたことは重要である。

帝政後期になると女性嘆願者の割合が変化する(Bagnall 2004)。二八三年から四〇〇年までの時期の女性の嘆願者の割合は二六%(一九二点中五二点)にまで増え、二八四年から三四六年までで区切ると三〇%(一一八点中三八点)に達する。『ユスティニアヌス法典』に収められた勅答のうち、女性に宛てられたものが二八四年以前には約二割であるのに対して、ディオクレティアヌス治世下には約三割となっていることから、女性の嘆願の増加はエジプトに限られた現象ではなかった。

ところで三―四世紀の女性からの嘆願書には、「寡婦」のような事実の提示とは別に、例えば「女たちが生来の弱さゆえに軽蔑されるのを閣下はよくご存知です」(『オクシュリュンコス・パピルス』三四、二七一三、二九七年頃)といった「女性の弱さ」を持ち出す例が散見される。こうした表現は一般的にならなかったにせよ、同時代のローマ法学者が女性について語る「性別の弱さ *sexus infirmitas*」にも対応している(例えば、伝ウルピアヌス『法範』一一、一、Evans Grubbs 2002: 51-55)。助けを求める嘆願書において、弱さは有効なレトリックとなるので、女性たちが自らの名前で嘆願をすることを後押ししたと考えられる。ただし、こうした言説はすでに人々の間に根強くあった性差の規範を固定化し強化するものであった。

四〇〇年以降には、ふたたび女性による嘆願の割合は低くなる(一一%、一一八点中一三点)。この時期の女性嘆願者は、寡婦であるか、元夫や夫、婚約者を訴える傾向がある。さらに自ら署名できる者が多いため、高い地位にあることがうかがわれる。男性家族や親族の力を借りつつ、家庭外の問題を訴えていた、四世紀までに見られた女性たちの姿は見出しがたい。女性が嘆願する道は完全に閉ざされたわけではないが、地位のある女性が特定の問題に関わる場合にのみ認められていったようである。帝政後期の社会における女性の立場と性差の問題には立ち入ることはできないが、女性と司法との関係にも変化が生じていったのである。

おわりに

本稿では、リウィアの振る舞いを語る叙述史料と金石文や貨幣が伝える姿の差異、地方都市で活動し顕彰され碑文に名を残した女性たち、エジプトの実務文書に痕跡を残した女性たちを取り上げ、ローマ帝国社会における女性の活動の度合いを男性のそれと対比しながら論じてきた。古代ローマの女性と家族、そして性差に関する史料の読み直しが進み、新しい研究が陸続と発表される現状において、わずかな事例を紹介したにすぎないが、ここまでの議論から浮かび上がってきた、古代ローマの女性と性差を考える際に留意するべき点を指摘しておきたい。

まず女性の活動を、家族の利益や伝統の枠組みで理解すべきなのか、それとも自らの主体的な選択に基づくものと見るべきかという問題である。この点について全体の傾向であれ個別の事例であれ判断は難しい。男女ともに家族関係や伝統にとらわれていたであろうし、出土文字史料の形式的な文言から個人の主体的な選択や嗜好を読み取るのも困難である。しかし、ときには恣意的に思えるにせよ、女性たちの主体性を積極的に見出そうとする研究も増えてきている。家族は個人の行動を規定したとしても、個人の自由や主体性を発揮する機会をすべて奪っていたわけではない。とりわけ豊かな家族への帰属は、制約になると同時に機会を与えたのも事実である。

続いてローマ社会に厳然と存在した身分差と富の偏在は、女性たちの存在を多様なものにしていた。史料に現れる女性たちは男性に比べると常に少ないが、男性たちに劣らない活動をしていた女性たちもいた。こうした女性たちの存在に光が当てられるようになったのは、近年のローマ女性史研究の大きな成果である。しかしローマ社会の女性すべてにそのような道が開かれていたわけではない。女性が自らの存在の痕跡を残す可能性は、その地位と財によって左右された。性差を乗り越える女性たちの存在を確認することは、ローマ社会の人々のあいだに引かれていた異なる境界線の強固さを私たちに改めて示す。

史料に現れにくいのは貧しい女性たちだけではない。ローマの支配がもたらした安定と繁栄に寄与し、その恩恵を享受した地方名望家層の女性についても、公的な碑文の文言に現れない彼女たちの思いには想像を逞しくするしかない。また女性たちの活動を知らしめる史料が多く作られたとしても、ギリシア語・ラテン語の史料そのものがローマの支配の産物である以上、帝国各地で同じように振る舞う女性たちの姿を強調することは、現実の一面を捉えているにすぎない。ローマ帝国内には独自の伝統を持つ在地社会があり、そこでは女性の地位や立場も一様ではなかったはずである。いくつもの困難が残るものの、ローマ社会の女性たちの姿を、その実態であれ付与されたイメージであれ、追い求めることはローマ帝国とそこに生きた人々の理解に不可欠な作業である。

参考文献

アシャール、ギイ（二〇一六）『古代ローマの女性たち』西村昌洋訳、白水社文庫クセジュ。
スエトニウス（一九八六）『ローマ皇帝伝』上・下、国原吉之助訳、岩波文庫。

髙橋亮介(二〇〇六)「ローマ期エジプトにおける兄弟姉妹婚——帝国支配のもたらした地方慣習の隆盛」『史学雑誌』一一五巻二号。
タキトゥス(一九八一)『年代記——ティベリウス帝からネロ帝へ』上・下、国原吉之助訳、岩波文庫。
長谷川岳男・樋脇博敏(二〇〇四)『古代ローマを知る事典』東京堂出版。
樋脇博敏(二〇一五)『古代ローマの生活』角川ソフィア文庫。
本村凌二(二〇一四)『愛欲のローマ史——変貌する社会の底流』講談社学術文庫。
『アプロディシアス出土碑文』=Joyce Reynolds, Charlotte Roueché, Gabriel Bodard, *Inscriptions of Aphrodisias*, 2007 (http://insaph.kcl.ac.uk/iaph2007) 最終閲覧日二〇二一年八月一六日。
『オクシュリュンコス・パピルス』=*The Oxyrhynchus Papyri*
『碑文学年報』=*L'Année épigraphique*
『ミシガン・パピルス』=*Michigan Papyri*
『ラテン碑文集成』=*Corpus Inscriptionum Latinarum*
『ローマ属州貨幣』=*Roman Provincial Coinage*
Barrett, Anthony A. (2002), *Livia: First Lady of Imperial Rome*, New Haven / London, Yale University Press.
Bagnall, Roger S. (2004), "Women's Petitions in Late Antique Egypt", Denis Feissel and Jean Gascou (eds.), *La pétition à Byzance*, Paris, Association des amis du Centre d'histoire et civilisation de Byzance.
Cooley, Alison (2013), "Women beyond Rome: Trend-Setters or Dedicated Followers of Fashion?", Emily Hemelrijk and Greg Woolf (eds.), *Women and the Roman City in the Latin West*, Leiden / Boston, Brill.
Donahue, John F. (2004), "Iunia Rustica of Cartima: Female Munificence in the Roman West", *Latomus*, 63.
Donahue, John F. (2017), *The Roman Community at Table during the Principate*, New and Expanded Edition, Ann Arbor, University of Michigan Press.
Evans Grubbs, Judith (2002), *Women and the Law in the Roman Empire: A Sourcebook on Marriage, Divorce and Widowhood*, London / New York, Routledge.
Hemelrijk, Emily A. (2012), "Public Roles for Women in the Cities of the Latin West", Sharon L. James and Sheila Dillon (eds.), *A Companion*

to Women in the Ancient World, Chichester, Wiley-Blackwell.

Hemelrijk, Emily A. (2015), *Hidden Lives, Public Personae: Women and Civic Life in the Roman West*, New York, Oxford University Press.

Hobson, Deborah W. (1984), "The Role of Women in the Economic Life of Roman Egypt: A Case Study from First Century Tebtunis", *Echos du Monde Classique / Classical Views*, 28.

Kearsley, R. A. (2005), "Women and Public Life in Imperial Asia Minor: Hellenistic Tradition and Augustan Ideology", *Ancient West and East*, 4-1.

Keenan, James G., J. G. Manning, Uri Yiftach-Firanko (eds.) (2014), *Law and Legal Practice in Egypt from Alexander to the Arab Conquest*, Cambridge, Cambridge University Press.

Kelly, Benjamin (2011), *Petitions, Litigation, and Social Control in Roman Egypt*, Oxford, Oxford University Press.

Lerouxel, François (2006), "Les femmes sur le marché du crédit en Egypte romaine (30 avant J.-C.-284 après J.-C.): Une approche néo-institutionnaliste", *Cahiers du Centre de Recherches Historiques*, 37.

Milnor, Kristina (2012), "Women and Domesticity", Victoria Emma Pagán (ed.), *A Companion to Tacitus*, Chichester, Wiley-Blackwell.

Rowlandson, Jane (ed.) (1998), *Women and Society in Greek and Roman Egypt: A Sourcebook*, Cambridge, Cambridge University Press.

Treggiari, Susan (2005), "Women in the Time of Augustus", Karl Galinsky (ed.), *The Cambridge Companion to the Age of Augustus*, Cambridge, Cambridge University Press.

van Bremen, Riet (1996), *The Limits of Participation: Women and Civic Life in the Greek East in the Hellenistic and Roman Periods*, Amsterdam, J. C. Gieben.

Vandorpe, Katelijn (2012), "Identity", Christina Riggs (ed.), *The Oxford Handbook of Roman Egypt*, Oxford, Oxford University Press.

Meyers, Rachel (2019), "On Her Own: Practices of Female Benefaction in the Western Roman Empire", *Ancient Society*, 49.

Yiftach, Uri (2016), "Quantifying Literacy in the Early Roman Arsinoitês: The Case of the Grapheion Document", D. M. Schaps, U. Yiftach, D. Dueck (eds.), *When West Met East. The Encounter of Greece and Rome with the Jews, Egyptians, and Others*, Trieste, EUT Edizioni Università di Trieste.

焦点｜*Focus*

ローマ帝国時代の文化交流

田中　創

一、地中海の蠱惑

ローマとギリシア文化の邂逅

Graecia capta ferum victorem cepit et artis | intulit agresti Latio.
虜囚となったギリシアは猛々しき勝者を虜とし、野卑なラティウムに諸芸をもたらした。
（ホラティウス『書簡詩』二、一五六－一五七）

これは、ラテン文学の黄金時代を築き上げた一人である、詩人ホラティウスがアウグストゥスに宛てた書簡詩の中で歌った一節である。共和政期のラテン文学の歴史は、ヘレニズム時代に洗練されたギリシア文学を取り込むことに邁進するものであった。その血の滲むような努力が最もよく表れているのが韻文の分野である。ギリシアの韻文は、母音の長短を基にした韻律の厳格な規則を持ち、その規則に従って語を配列せねばならなかった。ギリシアでは口誦叙事詩の長い伝統もあり、韻律に合致する表現が磨かれ、豊かで彩りに富んだ詩が次々と編まれた。それはヘレニズム諸王国のもとでも受け継がれ、発展させられた。

ラテン語の韻文作品は、このギリシア文学の圧倒的な伝統の厚みを前に、自らの言語での文化構築を進めていった。同じインド・ヨーロッパ語系に分類されるとはいえ、ギリシア語とラテン語とでは使う言葉、母音の用いられ方に大きな違いがある。それにもかかわらず、ラテン語著作家たちは、ギリシア文学で使われる韻律規則を原則的にはそのまま踏襲してラテン語韻文を作るという極めて困難な作業にあたった。しかしながら、ラテン詩人たちは着実にこの課題を克服していった。エンニウスに代表されるような古い時代の詩人たちが開拓した表現は、時代を経るにつれて洗練され、アウグストゥス時代のウェルギリウスらの詩人たちに結実していくことになる。とりわけホラティウスはギリシア詩の様々な韻律形態をラテン語に取り入れ、多彩な著作を残した。

いささか細に入りすぎた導入だったかもしれない。しかし、最初にラテン詩の事例を挙げたのは、これが、東地中海地域に覇権を広げてギリシア文化圏に直面したローマの文化面の特色を象徴するからである。ローマがギリシア文化に敬意を払い、それを模倣したことは間違いない。しかしながら、ローマ人はラテン語という自分たちの言語とその表現を研ぎ澄ますことで、全面的にギリシア語を採用せずに済ませたともいえる。これは、シリア、パレスティナ、エジプトなどヘレニズム諸王国のもとに置かれた近東地域が、公用語・文化言語としてギリシア語を採用していったこととは対照的な現象である。

ヘレニズム時代にあらわになったギリシア文化の特徴は、そのきわめて普遍的な性格である。近東地域ではしばしばその用途に応じて、言語が使い分けられていたが、ギリシア語は、宗教的儀礼、商業活動、外交など多くの場面で用いられた。そして、様々な人間の活動がギリシア語で表現されたことで各地の神話、歴史、社会慣行などもギリシア語を媒介として伝わった。他にも、神を像に表現したり、地方の神にギリシア神話の神の名を与えたり、個人の名前をギリシア風にするなど、ギリシア文化は普遍的な広がりを見せた。

ギリシア語という言語を媒介することによって、それまで比較的独立して存在していた各地域の宗教実践や社会慣行が別の地域の人に理解される可能性は大きく開かれた。ただし、それは各地の固有の文化をおしなべてギリシア化したということを意味しない。土着の言語や社会慣行は残されながらも、あくまでそれがギリシア語でも表現される道が開かれたのである。したがって、それぞれの地方がどの程度ギリシア的な表現方法を選択するかには差異があった。例えば小アジアの都市エフェソスの女神アルテミスは、名前こそギリシアの女神のそれを採用しているが、図像表現上はギリシアの女神とは全く異なる形態を取った。シリアやパレスティナ、キプロス島などでは聖石信仰が根強かったが、ローマ時代ではこの石に由来する神々に対しても、ギリシア風の名前が当てられることもあれば、現地の呼び名がほぼそのままギリシア語に音訳される場合もあった。そして、図像上も男神や女神の像が採用されることもあれば、ありのままの石の姿で表されることもあった。

ローマのギリシア文化へのアプローチもまた、自らの文化的伝統を残しながらギリシア文化と接続させるものとなった。ローマ建国は基本的にはロムルスとレムスの物語と結びつけられていたものの、トロイア戦争敗戦後の流浪の末にイタリアへとやってきた英雄アエネアスがロムルスの祖とされるところなども、ギリシア神話との結びつきを求める姿勢の表れと言える。ほかにも、ファビウス・ピクトルがローマ人としてローマの歴史を著しながらも、その言語としてはギリシア語を用いたこと、ローマの貴族たちがギリシアの競技会に参加したり、ギリシア哲学を学んだりしたことなどにもギリシア文化の影響を受けるローマの姿を見出すことができるだろう。

これらの現象は純粋にエリート層に限られた知的営みではなかった。例えばローマでは多数の喜劇が上演されたが、それはメナンドロスなどギリシア新喜劇を基本的には翻案したものであり、その上演は社会的上層のみならず、都市住民にも広く開かれていた。また、ポンペイの落書きにはウェルギリウスの『アエネイス』の詩句も確認されるし、邸宅の壁画にはギリシア神話に取材したモチーフが飾られていた。ここからも、これらの文学作品が決して一部の社会層に限定されたものではなかったことが窺える。

神話の再構築

ローマ社会においてギリシア神話は単に文学上の教養ではなく、帝国各地に存在する都市が自らの由来を説明する歴史の一部であった。そして、既にヘレニズム時代から東地中海地域の諸都市は都市間、あるいはヘレニズム諸王国との外交において、自らの神話的由来をもとにして、同盟・援助関係などを築くという関係を発達させていた。

ローマが他都市との関係で、神話による由来を利用した例は、早くはポエニ戦争期のシチリア島で認められる。島西部にあるエリュクスやセゲスタといった都市は、元々はフェニキア系ということもありカルタゴとの結びつきが強かったものの、ポエニ戦争の時期にはローマとの提携を模索した。これらの都市がローマとの同盟を求める際に拠り所とされたのが、ローマと共通するアエネアス伝説と女神ウェヌス崇拝であった。エリュクスにはウェヌス女神の神域があり、この神域を紐帯とした周辺都市の同盟がローマとの外交関係の構築において、重要な役割を果たしたのである。

神話と歴史は東地中海地域の諸都市がローマからの特権を認めてもらう上でも重要な根拠となった。二世紀初頭の歴史家タキトゥスは、小アジアの諸都市がヘレニズム時代以来の神殿の聖域特権を認めてもらうため、あるいは皇帝崇拝の神殿建設を自都市に認めてもらうために元老院で自分たちの主張を展開した様子を伝えている。ここでは、各都市の使節たちが自らの都市がこれまでローマにどれだけ協力した歴史があるか、あるいは、自らの過去がどれだけ古いものであるかを語っていたことが窺える。その論において、標準的なギリシア神話とは異なった現地特有の神話が語られることもあった。たとえば、エフェソス市の使節は自らのアルテミス神域の来歴を次のように語っている。

ディアナ〔=アルテミス〕とアポロの兄妹神は、一般に世間で信じられているようにデロス島で生れたのではない。自分たちの土地には、ケンクリオス河が、オルテュギアの杜があり、まさにそこで女神レトは身重だったときにオリーブの木――当時もまだ残っていた――にもたれかかって、かの兄妹神を出産した。それで神々の忠告により、この杜が免罪聖域とされたのだ。

（タキトゥス『年代記』三、六一、国原吉之助訳を一部改変）

時代は遡るが、ヘレニズム時代に小アジア南部のクサントスに派遣されたキュテニオン（デルポイ北方の共同体）の使節は、自分たちの町とクサントスとのつながりを次のように説明している。

〔ドーリス系のキュテニオン人たちの使節は、〕私たち〔＝クサントス人たち〕に、神々や英雄たちに由来する親類関係が彼らとの間にあることを思い起こさせ、彼らの祖国の城壁が崩壊したのを見過ごさないよう促した。私たちの始祖であるレトは私たちのところでアルテミスとアポロンを生んだが、そのアポロンと、ドーロスの裔たるプレギュアスの娘コロニスとの子アスクレピオスはドーリスで生まれたのだから、と。

（『ギリシア碑文補遺』三八、一四七六、一四―二〇）

レトがアポロンとアルテミスを生んだ土地は一般的にはデロス島とされるが、興味深いことに、いずれの事例においても出生の地が移されている。双生神の誕生にまつわる伝承は古くからギリシアの物語で謳われているものの、その場所をデロス島から小アジアに移すことで、自都市における女神信仰の由来を説明したり、自都市と相手都市との結びつきを証明したりすることができたのである。ギリシア神話にはある程度広く共有された大枠や象徴的な場面はあったものの、物語の細部や話の展開については、自由に創作される余地が残されていた。そのため、各地の都市が伝承を自らの土地に引きつけるために、ギリシア神話の神や土地の名前を選択し、敢えて同名にすることも可能だったのである。

このような神話の創作をもとにして帝政期に発展を遂げた共同体の顕著な事例として、黒海南岸の集落アボヌテイコスが挙げられる。アレクサンドロスという名の着想に富んだ人物は、神がお告げを下す神託所をアボヌテイコスに設立する。神託というと、デルポイにあったアポロン神のそれや、ゼウスの神域を擁するドドナのそれがギリシア本土では有名であるが、帝政前期にはクラロスやディデュマなど小アジアの神託所が発展をとげていた。アレクサンドロスは、グリュコンという、蛇の体に人間の頭と髪の毛を持つ神を「発見」し、この神から下される神託を伝える預言者となって、アボヌテイコスに神託所を開設する。興味深いことにこのグリュコン神はアスクレピオス神の生まれ変わりにして、アポロン神の子という神話的位置づけが与えられ、アレクサンドロス自身もペルセウスやエンデュミオンといったギリシア神話の英雄と自らの結びつきを喧伝した。神託所が病気治癒や夜間の秘儀もしていたことを考え合わせるなら、アレクサンドロスの挙げた神々は神託所の機能に見事に合致するものであった。なぜなら、神託はアポロンと、医療はアスクレピオスと、夜の眠りはエンデュミオンとそれぞれ結びつきがあり、アポロンやエンデュミオン、ペルセウスは小アジアとの由縁が深かったからである。

このように文献史料からは崇敬者の獲得や近隣の哲学者集団や神域との提携に成功し、ついには有力な元老院議員の庇護までも得た繁栄する神託所の姿が浮かび上がる。その繁栄は、小アジアから発見された貨幣や碑文、黒海西岸で発見されたグリュコン神と思われる像からも裏付けられ、アボヌテイコスがついにはローマ政府からの承認を得てイオノポリスという都市に昇格したことも確認できる。ローマ帝国では共同体の公的な地位を隣接共同体同士で競い合う風潮が各地で見られたが、多数の崇敬者を抱える有力な神殿をもつことは共同体にとって大きな意味を持つものであった。

神託の利用は帝政前期ローマ社会に広く浸透していた。既に後一世紀の段階でゲルマニクスやティトゥスなどのローマの有力者たちが託宣を利用していた。三世紀初頭には、クラロスで出された託宣が帝国各地に駐屯する軍団によって碑文に刻まれるという現象も確認される。これは、皇帝の命に基づく措置と推測されている。また、ディオクレティアヌス帝のキリスト教徒大迫害も神託を契機として発生したものであったし、彼の後継帝の治世では、シリアのアンティオキアに神託所が新設され、皇帝のキリスト教迫害政策を下支えした。

これに対し、帝国の住民の間でも託宣や占いが広く浸透していたことは、碑文史料や文献史料から確認される。このような占いはいわゆる多神教徒に限られなかった可能性も高い。プリュギア地方のある人物は占いに聖書を用いていたことを碑文に残している。もちろん、神託と占いとではレベルに違いがあるものの、カエサレアのエウセビオスなどのキリスト教徒たちが同時代の神託や占いに対して入念な論陣を張らねばならなかったことからも、その影響力の大きさが推察されよう。

以上見てきたように帝政前期のローマ帝国では、ギリシア文化が広く浸透していた。そして、ギリシア神話の持つ可塑性は、帝国下の共同体がローマ政府と交渉したり、共同体同士で何かしらの連帯を築いたりする上で有効に機能した。そして、この可塑性のもとで、キリスト教やユダヤ教もギリシアの神話や哲学と互いに影響を及ぼしあった。絶対的な神から様々な抽象的な神格が派生して出現し、この世の成り立ちを説明するグノーシスの世界観が醸成されたのも、神託に見られる神観念で絶対的神格の存在が強調されるようになるのも、多様な神学的・哲学的対話の存在した帝政前期の状況がその背景にある。

二、ラテン文化の東漸

帝政後期におけるラテン語の普及

地中海沿岸地域を支配したローマ帝国のもとでも、東地中海地域ではギリシア語が広く用いられ、ローマ政府から帝国東部の諸市に宛てられた書状もギリシア語で書かれた。しかし、ギリシア側からの文化的影響ばかりを強調するのは、長いローマの歴史にあっては不適当である。なぜなら、三世紀末以降の東地中海地域では、ラテン語や西方の文化の色濃い影響も見て取れるからである。皇帝によって発せられた書簡・命令がラテン語のままで碑文に刻まれる事例が帝政後期になると多数確認されることはその顕著な例として挙げられる。

もちろん、このことは東地中海地域の住民たちが一斉にラテン語を解するようになったことを意味するものではない。ディオクレティアヌス帝の最高価格令のように同じ内容の写しが各地で確認される碑文を例にすれば、ラテン語のものと並んでギリシア語のものも多数確認されている。依然としてギリシア語が東地中海地域で重要な役割を果たしていたことに変わりはなかったのである。しかし、皇帝の命令がギリシア語の翻訳と並んでラテン語本文で掲示されていたことは文献史料からも確かめられており、帝政後期に至って、ラテン語の社会における存在感が高まりを見せたことは間違いない。そして、政府側のこのような姿勢は社会の至るところに影響を及ぼすことになった。

その典型的な影響はエジプトから発見されるパピルスに見出される。帝政後期になると、ラテン文学作品を記録したラテン語パピルスが多数確認されるのである。記録される作品の種類自体は限られており、圧倒的多数を占めるのはウェルギリウスの詩である。これに加えて、韻文ではテレンティウスやユウェナリスなどが、散文ではサルスティウスやリウィウスの歴史やキケロの弁論などが少数事例だが挙げられる。パピルスに伴われている注記の性格から、これらの文学作品はラテン語学習の一環として用いられたと推測されている。もちろん、発見されているパピルス全体から見れば、これらのラテン語作品の分量は限られたものにすぎない。しかし、帝政前期のパピルス文書からラテン語古典がほとんど確認されない事情を踏まえるならば、エジプトという帝国南東部にまでラテン語学習の熱が及んだ帝政後期の状況は注目に値する。

東地中海地域におけるラテン語学習熱の高まりは、四世紀にシリアのアンティオキアで活躍した弁論家リバニオスの著作からも窺える。彼自身はギリシア修辞学を教える立場にあり、ラテン語の素養もほとんどなかったので、若者たちの間でのラテン語学習の流行を冷ややかな形で述べている。しかし、その描写からは、東地中海地域の若者たちが首都ローマに留学して、ラテン語を学習しようとしたことや、当のリバニオス自身もギリシア修辞学と並んでラテン語を学習する機会をアンティオキアにもうけようと尽力していたことが読み取れる。従来ならギリシア修辞学を習得することで満足していた上流・中流市民子弟の学習カリキュラムの中に、新しい選択肢としてラテン語が入ってきたのである。

ラテン語を学習しようという風潮が広まったのは、東地中海地域にその政治的中心を移してきた帝国政府の存在が大きい。帝政後期には複数の皇帝による共同統治体制が一般化し、それに伴い宮廷機構は肥大化した。また地方行政の仕組みも、都市自治に大きく依存した従来の体制を改め、州総督によって地方都市の財政を厳格に統制する方式に移り変わっていった。このため、帝政前期ではひとつだった属州はしばしば複数に分割され、それぞれの地域に州総督が置かれた。これらの州総督を支える官僚団ももちろん必要であり、その雇用源となったのが、都市自治にあたっていた都市参事会会員層である。ローマ政府および軍隊内での公用語は原則としてラテン語であったため、ラテン語習得の動機としてはこのような官界への参入の道という性格が挙げられるだろう。他にも法曹の分野でローマ法に関する専門的な知識が求められ、ラテン語の知識が必要とされたことも勘案されるべきであろう。ラテン語古典作品は直接的にはこのような専門的知識の獲得には役立たなかったものの、文学作品が言語習得の教材として積極的に用いられていたことや、教養を備えた人物として社交の場で振る舞うために最低限の古典の素養が必要とされたことを思えば、それがパピルスから多数確認されることも驚くにはあたらない。

帝政後期のラテン語文学作品とその伝播

四世紀から五世紀にかけては、ラテン語を習得した東地中海地域出身者の活躍が目立つ時代でもある。タキトゥスに続く形でローマ帝国の歴史をラテン語で著したアンミアヌス・マルケリヌスは、自らをギリシア人と形容した人物であった。また、四〇〇年前後の西ローマ宮廷で活躍した弁論家クラウディアヌスは、西の皇帝や将軍を称えるラテン語韻文作品を多数残したが、エジプトの出身であった。そして、帝政後期に発展をとげるコンスタンティノープル(コンスタンティノポリス)は西方からの移住者を受け入れるなどして、東地中海地域の中でもとりわけラテン語の影響力が強い土地となった。コメス・マルケリヌスの年代記作品や、コリップスの詩、プリスキアヌスのラテン文法書などは、特にこの町の読者層に向けられたものであろう。

このような帝政後期の潮流の中で、ラテン語で書かれた文学作品がギリシア語圏で読まれるということも時に生じた。帝政後期の文化的特徴を示すものとしてはエウトロピウスの『ローマ建国以来の略史』、ルフィヌスの『教会史』などが挙げられよう。

前者は四世紀後半、帝国東部を統治するウァレンス帝に仕えたエウトロピウスが皇帝に献呈する形式で書かれたローマ史の摘要である。王政時代に始まり、共和政の領土拡張の時代を経て、歴代の皇帝たちの統治が連なる帝政期までの一一〇〇年に亘る歴史が扱われている。この著作自体は平易なラテン語で書かれていたこともあり、中世西ヨーロッパ世界で数多くの写本に残されることになるが、帝政後期にパイアニオスやカピトンといった人物によってギリシア語に翻訳されたことも見逃されるべきではない。翻訳の必要が生じたことからも、東地中海地域でローマ史の基礎教養が必要とされていた事態が窺われるのである。

ルフィヌスの『教会史』を取り巻く事情は四世紀後半の文化交流をよく反映したものである。ルフィヌス自身は北イタリアの出身ながら、エジプトのアレクサンドリアで学問を修めた人物であった。彼は、教父オリゲネスの著作をギリシア語からラテン語に翻訳して紹介することで名を馳せる。さらに、カエサレアのエウセビオスがギリシア語で著した『教会史』をラテン語に翻訳し、アクィレイア司教に献呈した。その際、単にエウセビオスの作品を翻訳しただけではなく、冗長な部分を排除して、代わりにエウセビオスが書かなかったコンスタンティヌス一世による帝国統一からルフィヌス自身の時代までの記述を加筆した。

ルフィヌスの『教会史』は、翻って約一世代後にコンスタンティノープルで『教会史』を著したソクラテスによって参照された。彼は、カエサレアのエウセビオスの『教会史』を継承する形で歴史叙述にあたり、エウセビオスが筆を擱いたところから自らの生きる五世紀半ばまでを記述した。記述はギリシア語でなされたものの、ルフィヌスのラテン語著作を利用したことを明言しており、初版ではルフィヌスの内容にあった大きな間違いをそのまま受け入れてしまっていたので、改訂版を著したとも述べている。ソクラテスの『教会史』はエウアグリオスなど、その後のギリシア語教会史家たちによって読まれ、書き継がれていく。『教会史』叙述の伝統はギリシア語圏ではエウセビオス以後一時的に絶えていたものの、ルフィヌスをひとつの媒介としながら、六世紀末まで続く流れができることになる。

なお、『教会史』において、ラテン語著作が一つの「中継ぎ」のような役割を果たした事例は、エウセビオスの別著作『年代記』についても認められる。アブラハムの時代からコンスタンティヌス一世の時代までの歴史的出来事を地域別に整理し、年表のようにして提示したエウセビオスの『年代記』は、ヒエロニムスによってラテン語に翻訳され、これまたエウセビオスが筆を擱いたところの続きをヒエロニムス自身が加筆した。『年代記』著作は中世ヨーロッパ世界に読み継がれていくことになるのはもちろんのこと、東方においても、前述したコメス・マルケリヌスによって続きがラテン語で書かれ、ユスティニアヌス一世の時代までが同じ形式で記録されることになる。この作品は東地中海地域で明確な後継者を得ることはなかったが、編年的に歴史を簡潔に叙述するという年代記記述はビザンツ世界に脈々と継承されていくことになる。このように、帝国の東西二大言語圏を往来する作品の伝播が見られ、それが東地中海地域の文化的伝統を形作っていたことも着目されるべきだろう。

ローマ法の東地中海地域における受容

ローマ法の利用は帝政期が進むにつれて、東地中海地域にも広まっていった。三世紀初頭にカラカラ帝が出したアントニヌス勅令によって、帝国内全自由民にローマ市民権が付与されたことも、ローマ法を利用できる帝国住民を増やし、ひいてはローマ法の広まりにも寄与したと推測される。実際、帝国東部の史料からは、「マルクス・アウレリウス」という名前を持つ人名が三世紀以降多数確認されるようになる。ローマ市民権を付与された人物は市民権を与えてくれた人物の名をもらうのが慣例なので、「マルクス・アウレリウス」の名前を持つ人物が多く、しかもこの名前が書類のひな型にされている史料もあることからは、公式名マルクス・アウレリウス・アントニヌスであったカラカラ帝の市民権付与が東地中海地域に大きな影響をもたらしたことを示唆している。

ともあれ、ローマ法の学習は既に後二世紀末頃から東地中海地域でも盛んになりつつあった。後に五大法学者に数え入れられることになる、三世紀のローマ法学者ウルピアヌスとモデスティヌスはいずれも東地中海地域の出身である。とくに後者はその法学著作をギリシア語で多数残しており、明らかにギリシア語圏の読者を想定した著作活動を行っている。他にも碑文史料などから、小アジアなどで活躍していたローマ法学者の存在を複数確認することができる。このような東方出身の法学者と並行して、ベリュトスのローマ法学校の存在もほぼ同じ時期から確認されるようになる。ベリュトス(現ベイルート)はエジプトとシリア地方を結ぶ交通の要衝に作られたローマ人植民市である。後にポントゥス地方でのキリスト教布教に活躍するグレゴリオス・タウマトゥルゴスは、三世紀の半ば頃にカエサレアのオリゲネスと親交を持ったが、彼がパレスティナに来た元来の理由は、ベリュトスのローマ法学校で学ぶためであった。小アジアからも人を惹きつけるだけのローマ法教育が行われていたことを示す重要な証言である。四世紀になるとベリュトスの法学校は様々な史料上に現れ、その教師たちの活動は、ビザンツ時代に編まれた『バシリカ法典』に残された註釈などをもとにある程度再構成できる。『ローマ法大全』の一部を成す『学説彙纂』や『法学提要』といった法学者著作に関わる作品の編纂にあたっても、ベリュトスの法学教師たちが多数関わっていたことが知られている。

興味深いのは法学教師たちがローマ法の伝播に関して言語面で果たした役割であろう。『ローマ法大全』はギリシア語が主流の帝国東部において、主としてラテン語で書かれた大部の専門書であった。このため、東地中海地域の人々には参照しにくい作品でもあった。そのため、コンスタンティノープルのテオピロスをはじめ、編纂に関わった法学教師たちはギリシア語の逐語訳(語順もラテン語と全く同じにして翻訳したもの)や解説を作成し、その内容を分かりやすく伝えるのに貢献した。前述の『バシリカ法典』に註釈が残されたことからも窺えるように、彼らの著作がビザンツ帝国にローマ法を伝える上で果たした役割は、『ローマ法大全』自体に勝るとも劣らないのである。また、ユスティニアヌス一世の治世下に北アフリカやイタリアなどのラテン語圏が東ローマ帝国の版図に入ったことで、法学教師たちは、ギリシア語で出されていた東の皇帝の勅法をラテン語に抄訳した。とりわけ『ユリアヌス抄録』はゲルマン人支配下の西欧にも伝わり、中世初期には『ローマ法大全』に収録された元の勅法よりも参照された。このように、地中海地域の言語の障壁を乗り越える上で法学教師たちが果たした役割を過少に評価してはならない。

三、言語と宗教の壁を超えて

キリスト教の台頭

帝政後期に起きた文化的現象で、後代へ最も大きな影響を及ぼしたものは、コンスタンティヌス一世以降のキリスト教の普及であろう。皇帝の支援を受けたキリスト教会は、壮麗な教会建築を誇り、庶民から有力者まで、多くの人々からの財産寄進も得て、社会の中で確固たる地位を獲得する。教会は単に日頃の説教や礼拝によって人々の生活の一部を構成するにとどまらず、そこでの法的行為がローマ法上有効なものと認められることで、奴隷の解放、裁判の仲裁などの場としても機能するようになっていった。これらの諸特権は帝政前期にも一部の有名な神殿に認められていたが、エフェソスのアルテミス神殿といったように、特定の都市と神格に特権が個別に限定された異教神殿とは異なり、「正統」と認められたキリスト教会は帝国内の至るところでこれらの法的特権を享受できた。

キリスト教の浸透が広い社会層に及んだことは命名法の変化からも裏付けられる。エジプトではパピルスから一般の人々の名前を多数確認できるが、キリスト教がローマ政府からの支援を受けるようになった四世紀中に、異教の神々に由来する個人名が急速に姿を消し、キリスト教名に取って代わられたことが確認されている。ニカイア公会議の参列者一覧に残された司教の名前に、異教の神々に由来するものがあることにも見えるように、命名それ自体は社会の伝統に影響されるものであり、必ずしも当人の信仰を示すものではないが、通時的なエジプトでの命名法の変化は社会全体の風潮の変化を表すものであろう。

キリスト教が公式に認められるようになったことで、聖書に収録された神話や歴史物語も、知識人の著す書物の中で市民権を獲得していくようになる。しかし、伝統的なギリシアの物語とは異質のユダヤ・キリスト教の神話、歴史上の逸話が帝国の知識人層に受け入れられるようになるまでには紆余曲折があった。とりわけ、異教信仰を擁護したユリアヌス帝は、異教の神々が登場する古典文学を教材としてキリスト教徒が文法や弁論術を教えることを禁止する勅法を発して、古典教養とキリスト教との関係性に大きな挑戦を投げかけた。

しかしながら、長期的に見れば、古典とその歴史観はキリスト教徒たちに受け入れられていき、ギリシア神話に登場する神々は大きな功績を残した人間のことだとするエウヘメロス主義はヘレニズム時代を経て、帝政後期にも受け継がれた。このため、例えば六世紀のヨアンネス・マララスの『年代記』を見れば、ゼウスやヘパイストスなどのギリシアの神々は実際には比類ない業績をあげた人間だったとして、アダムに始まる人類の系譜のなかに組み込まれている。そして、ペルセウスはペルシア人のルーツであるといった、既に古典期ギリシアにも見られた起源譚や、イタリアに存在したサトゥルヌスの王国といった古代ローマの逸話も、このような聖書に由来する人類史の中に取り込まれている。ギリシア、ローマそれぞれの神話が、聖書の物語とも融合されていく過程は、柔軟な神話解釈の伝統がキリスト教を公式宗教とした帝国下でも生き続けたことを示している。

多様なキリスト教伝承

キリスト教は既に帝政前期の段階でもグノーシスと呼ばれる思想潮流の中で、プラトン哲学やトロイア戦争の物語などギリシア文化の要素を取り込む動きを見せていた。キリスト教には聖書という書物があるために、神話などが固定化されやすいと思われるかもしれないが、実際には、十二使徒の名に仮託した福音書や行伝、黙示録などの文書が作られ、聖書と並んで普及していた。とくに『旧約聖書』にはそのまま読むと残虐で非道徳的な内容も多く含まれていたので、それに反発した宗教家たちは『旧約聖書』の多くの部分を退けて、偽作文書に頼ることもあった。

このような書物と並行して教会が取り組む必要があったのが、民間で育まれた聖者崇敬である。本稿第一節のアボヌテイコスのアレクサンドロスに関する記述を残したルキアノスは、ペレグリノスという哲学者に関する小論も著している。この哲学者はローマ皇帝を大声で批判したりするなど、実践哲学を推進した人物で、祭典の行われていたオリュンピアの近郊で燃え上がる薪の山に身を投じて自殺したことにより死後も名声を獲得した。この人物は死を迎えたときは犬儒派哲学者だったものの、それ以前にはキリスト教徒として活動していたこと、そして、逮捕され、その獄中の暮らしの中で一般信徒たちからの崇敬を浴びていたことをルキアノスは伝えている。

このように民衆の間では行動で徳を示す人物、死をも恐れずに節を全うする人物を崇敬する風潮が見られた。ローマ当局の前にも屈せずに信仰を貫く姿勢が人々に称揚されることが特に目立ったのは三世紀半ばのデキウス帝の迫害においてである。この時期にキリスト教信仰を告白した人々は、教会の司教(監督)たちにも勝るカリスマ性を発揮し、本来なら司教たちが果たすべき罪の赦しを行うなど教会組織に対抗しうる存在となった。このような崇敬は、キリスト教信仰のために処刑されてしまった死者たちにも向けられた。殉教者に対する崇敬である。その結果、帝国各地で殉教者にまつわる伝記が各地で作られ、殉教者の遺骸を納める墓所は信者たちの集まるキリスト教崇敬の場へと変えられていった。

また、三世紀から広く社会に流布するようになった修道運動も、教会の管轄外で起きたキリスト教信仰の形と言える。それは、基本的には俗世の煩わしさから離れて、神への祈りに専心する宗教実践であり、エジプトのアントニオスやパコミオスのものが初期の事例としてとりわけ有名である。この修道運動はそれ自体の魅力ゆえに各地に伝播したが、運動の広まりに拍車をつけた文学作品として、エジプトのアレクサンドリア司教アタナシオスが翻案した『アントニオス伝』が挙げられる。ギリシア語で著されたこの作品はラテン語にも翻訳され、地中海周辺諸地域で広く読者を獲得した。アタナシオスはアントニオスを現実以上に理想化した姿で描き出し、人里離れた砂漠で神を観想する求道者像を世に示し、このことが更に修道運動の発達に影響を及ぼすこととなった。

修道運動は地域によって独自の発達をとげたが、高い柱の上で数年間にわたって生活を続けたり、極端に制限された食事を何日も続けたりするなど、過激とも思えるような神への崇敬の様態を取る者も現れた。このような常人には到底耐えられない観想生活を続ける者たちは、民衆の間で尊敬を勝ち得、日常生活の助言、病気治癒、有力者へのとりなしなどの社会的機能を果たすことでますます多くの人々からの信望を集めるようになっていった。

さらに、コンスタンティヌス一世以後、ローマ皇帝とその一族が教会のみならず、民間で支持を得ていたこれらのキリスト教崇敬にも支援の手を差し伸べたことで、教会外の崇敬は社会内に大きな地歩を占めていく。例えば、殉教者崇敬に関して言えば、コンスタンティヌス一世によるアンティオキアのルキアノスの事例に始まり、聖遺物と呼ばれる殉教者の遺骸を本来の埋葬地から別の場所に移送することが行われるようになった。また、天使など、聖書の記述の中では崇敬の対象ではなかった存在にまで、礼拝堂が捧げられる動きも見られるようになる。イェルサレムではコンスタンティヌス一世らの働きかけによってキリストの墳墓が発掘され、そこに建てられた聖墳墓教会は、帝国各地はもとより、後にはフランク王国やアルメニアなど帝国外の人々をも引き寄せる巡礼の対象地になっていった。

教会による神話と空間の統制

以上みてきたように、帝政後期におけるキリスト教の崇敬は、教会の外で自生的に発達したものも多かった。イェルサレムのように、教会が聖十字架を宗教儀礼の主要なシンボルとして利用し、十字架崇敬を発達させるというような例外的な事例もあったが、総じて言えば、多くの崇敬は教会の統制の外に置かれていた。さらに、キリスト教会の組織内部でも、聖職者間の思想・信条の違い、あるいは迫害の時期に示された当局への対応の違いなどから、分派が形成された。それぞれの派閥は互いを分離派、あるいは異端などと位置づけ、キリスト教が公認されて以降、「正統性」をめぐる議論は国家からの支援を誰が受けるかという問題とも絡んで複雑な様相を帯びた。このような中、正統キリスト教会は、自らの立場を固めるべく、様々な施策を打つことになった。

その一つが正典の確定という作業である。前述のように、キリスト教もまた物語の創作という点でギリシア神話に劣っておらず、聖書に収録されていない使徒や聖母らの活躍、あるいは後代の殉教者伝など数々の著作が生みだされていた。教会はこれらの著作の中から、司牧に適すると同時に、教会の伝統に根差した古い文書を正典として固定していこうとした。カルタゴ教会会議など、地域の司教たちが集まった会議で正典に関する規定が作られ、教会で利用してよい文書が定められていった。首都ローマでも『ゲラシウス教令集』と呼ばれる文書によって、正典に含まれるべき文書が指定されている。

教会は修道運動に対しても統制の手を伸ばした。先述のアタナシオスによる『アントニオス伝』も、その中でアタナシオス自身が登場し、アントニオスが彼に従順な姿勢を取るところを見せることで、司教権力の優位を印象づける形になっている。ほかにも、教会聖職者たちは、住民たちからの敬意を集めている修道士を司祭などの聖職者に叙任することによって教会組織の中に取り入れようとすることもあった。四五一年に開かれたカルケドン会議では、都市の領域に開設された修道院は、その都市の教会を主宰する司教の監督下に置かれることも定められた。ほかにも関連する聖人の祝祭日の導入や、聖遺物の搬送などを教会側が主体的に行うことで、これらの崇敬を取り込んでいくこともあった。

ただし、これらの試みを、教会主導の統制とばかり見るのは適切ではない。なぜなら、諸々の聖所は、キリスト教を媒介にして大衆の支持を獲得しようとする貴族たちが営んでいる場合もあり、その場合はむしろ教会が貴族側の強い主導権のもとに協力を求められることもあったからである。あるいは、正統教会に対抗する組織を擁する分離派や異端によって聖所が統制されていることもあり、教会は有力な修道士を叙任したり、人々の崇敬を集める聖所に援助の手を差し伸べたりすることで、分離派や異端に対抗するという側面もあった。

聖人崇敬の取り込みや、キリスト教伝承の利用によって、司教たちが共同体の中での権威を高めたり、ある共同体が近隣の共同体よりも相対的な地位を高めたりすることもあった。とくにローマ教会においてその傾向は顕著であり、使徒ペテロと使徒パウロという著名な二人の権威に基づいた使徒座の地位を根拠として、ローマ教会は周囲の教会よりも自らが優位にあると主張するようになっていく。早くも四世紀半ばには、周囲の教会で起きた聖職者間の争いに対して、ローマ司教が訴えを受け付ける権利を主張しているし、その権威をイタリアのみならず西方各地に及ぼそうとしていた。例えば、ガリアについては、三世紀半ばにローマ司教がトロピムスという人物を同地に派遣してキリスト教布教を進めたという伝承が、ローマ教会のガリアに対する指導的地位を主張する根拠になっていた。他方で、聖人の遺骸や遺品の一部を聖遺物として移送する慣行は四世紀以降各地で見られるようになり、キリスト教の伝承が乏しい土地の教会や有力者たちも、有名な聖遺物を遠隔地から取り寄せたり、各地から聖遺物を集積したりすることによって、威信を獲得しようとした。このように、神話や歴史を基にして共同体の威信を高めようとする動きはヘレニズム時代から形を変えながらも、類似の原則は生き続けた。そして、これらの伝承の利用によって複数の共同体が連携し、新たな協力関係が構築されていったのである。

そして、キリスト教はギリシア語やラテン語といった言語によってのみ伝えられたわけではなかった。シリア語やアルメニア語、コプト語など、各地の口語が書き言葉としても発達を遂げる中で、キリスト教著作はこれらの言語に翻訳されて伝わると同時に、在地の司教や修道士の説教や賛歌もそれらの言語によって記録され、継承されていった。とりわけエフェソス会議やカルケドン会議によって異端とされた「ネストリウス派」や「単性論派」はローマ帝国を離れて、メソポタミアやアラビア半島、エチオピアなど東方に活動の場を見出した。その結果、これらの地域にも独自のキリスト教の伝承が育まれることになる。それは、単に一方的な西から東への伝承の流布にはとどまらない。例えば、メソポタミアからアラビア半島にかけて活躍したアラブ人たちの間には聖セルギオスの崇敬が広まった。この崇拝は翻って西方に及び、ユスティニアヌス一世治世にはセルギオス崇敬のための聖所がコンスタンティノープルに建築され、それは小ハギア・ソフィアと呼ばれるような壮麗なものとなった。サーサーン朝とメソポタミアの支配をめぐって争うローマ帝国にとっては、東方のキリスト教の動向も決して見過ごせるものではなく、「単性論派」の司教たちの庇護を通じて影響力を維持しようとする試みもあった。宗教文化は帝政後期に至っても重要な外交のカードとなり続けたのである。

本稿では、東地中海地域に重点を置きながら、ギリシア文化がローマに与えた影響、ラテン文化の流入とそれによる独特な文化の発展、そしてキリスト教の浸透という側面を見てきた。そこからはギリシア語を媒体として営まれてきたヘレニズム文化が、その基調的要素は保ちながらも、新しい言語・宗教の登場と社会の変化に応じて、柔軟に姿を変えていったことが窺えよう。ギリシア・ラテンの古典文学やキリスト教作品、ローマ法学などの著作はともすると、別々の専門分野によって個別に研究されてしまう対象であるが、註釈のつけ方、抽象概念の理解の仕方など本稿では十分に取り上げられなかった点で相互の強い結びつきが見て取れるのも事実である。帝国のもとでの文化を総体的に捉えることは中世イスラーム世界や西欧世界、ビザンツ世界への変容過程に対しても新たな光を投げかける可能性があることを指摘して、本稿の筆を擱きたい。

参考文献

逸身喜一郎（二〇一八）『ギリシャ・ラテン文学――韻文の系譜をたどる15章』研究社。
タキトゥス（一九八一）『年代記――ティベリウス帝からネロ帝へ』上巻、国原吉之助訳、岩波書店。
田中創（二〇一二）「ローマ帝政後期のギリシア修辞学と法学・ラテン語教育」『西洋史研究』新輯四一号。
ブラウン、ピーター（二〇一二）『貧者を愛する者――古代末期におけるキリスト教的慈善の誕生』戸田聡訳、慶應義塾大学出版会。
保坂高殿（二〇〇五）『多文化空間のなかの古代教会』〈異教世界とキリスト教〉2、教文館。
Adams, James Noel (2003), *Bilingualism and the Latin language*, Cambridge, Cambridge U.P.
Athanassiadi, Polymnia, and Michael Frede (eds.) (1999), *Pagan monotheism in Late Antiquity*, Oxford; Tokyo, Clarendon Press.
Bagnall, Roger S. (1993), *Egypt in Late Antiquity*, Princeton, NJ, Princeton U.P.
Bowersock, Glen Warren (1990), *Hellenism in Late Antiquity*, Cambridge, Cambridge U.P.
Cameron, Alan (1982), "The empress and the poet: paganism and politics at the court of Theodosius II", *Yale Classical Studies*, 27.
Cameron, Alan (2004), *Greek Mythography in the Roman World*, Oxford, Oxford U.P.
Cribiore, Raffaella (2007), *The School of Libanius in Late Antique Antioch*, Princeton, NJ, Princeton U.P.
Fowden, Elizabeth Key (1999), *The Barbarian Plain: Saint Sergius between Rome and Iran*, Berkeley; Los Angeles; London, University of California Press.

Jones, Christopher P. (1999), *Kinship Diplomacy in the Ancient World*, Cambridge, MA; London, Harvard U.P.

Honigmann, Ernest (1953), *Patristic Studies*, Città del Vaticano, Biblioteca apostolica vaticana.

Lane Fox, Robin (1986), *Pagans and Christians*, New York, Knopf.

Machado, Carlos (2019), *Urban Space and Aristocratic Power in Late Antique Rome: AD 270-535*, Oxford, Oxford U.P.

Millar, Fergus (1999), "The Greek East and Roman Law: The Dossier of M. Cn. Licinius Rufinus", *Journal of Roman Studies*, 89.

Scheltema, H. J. (1970), *L'enseignement de droit des antécesseurs*, Leiden, Brill.

Treadgold, Warren (2007), *The Early Byzantine Historians*, Basingstoke, Palgrave Macmillan.

コラム｜*Column*

ローマ法の後世への影響

佐々木健

古代ローマ人は、法を発明したと言われる。その意味は、紛争の政治的解決が、裁判を通じた法の適用という形を採る点にある。契約や損害賠償の訴えは、請求する側(原告)が請求される側(被告)の義務(債務)を立証しない限り、裁判では認められない。その際、犯罪の嫌疑をかけられた被告人が刑事裁判で無罪と推定されるのと同様に、民事裁判の被告も勝訴を推定されていることになる。このような意味で成立した「法」は、現代日本を含む後世に強い影響を与えた。

法 ivs は、必ずしも物理的強制を意味しない。現に、こんにちの国際法は、強制執行機関を持たない。武力行使 vis を背景に法の実現 Enforcement を果たそうとするのは、アウグストゥスが創設した新たな裁判機構である。市民法の伝統は、民会議決や契約といった関係者の合意に基づく自己拘束力にある。すると、民会参加資格が市民法の適用範囲と連動する。

ローマは、都市国家として存立する。その転覆を図れば、犯罪として断罪される。その際、判決を言い渡すのは、選挙で選ばれた執政官である。しかし、有罪評決は、民会で市民権者が合議する。合議に参加すべき市民を殺害すれば、被害者は投票権を行使できない。従って、殺人も犯罪となる。但し、有罪評決までは、都市国家共同体構成員として自由を享受する(推定無罪)。有罪となれば、投票権が剝奪される(死刑・追放)。犯罪の確証を得させる責任は、訴追者が負う。

ところで、ローマはイタリア半島全体へ、そして地中海を渡って外側へ、拡大する。市民権なき住民を多数抱える。交易・取引は活発化し、財産を巡る紛争は市民と非市民との間でも発生する。このとき、非市民を含む民事裁判が、ローマで実現する。法の宣言(iuris-dictio)を意味する「裁判管轄」の発明である。裁判長は、民会で選挙された法務官が務める。市民権者同士による裁判が非市民にも開放された。すると、紛争解決の基準となる「法」は、民会議決たる「法律」に限られなくなる。

非ローマ市民権者(売主)が、売買契約に基づく支払いをローマ市民(買主)に求め訴えたとしよう。民会議決によれば、損害賠償義務を負うべき事案であったかもしれない。しかし、売主(原告)は、その議決に参画していない。買主(被告)がこの点に基づき支払いを拒絶する場合、ローマ人裁判長はどのような判決を下すべきだろうか。

裁判では、合意に注目して判断される。都市国家共同体構成員も、合議により議決し、評決し、契約した。非構成員にこれを拡張する。すると、数多くの事案をローマの法廷が管轄することになる。訴訟係属数の増加に伴い、裁判は二段階に分離する。前段では、その紛争を訴訟として扱うべきかだけが判断される。選挙された法務官が、民会から任期つきで付与された裁判管轄権を行使して、訴訟要件を満たすか審査する。内容が裁判に適しない場合や、原告・被告が当事者と言えない無関係の者である場合には、訴訟は却下される（訴訟判決）。法務官が訴訟を認める場合には、後段へ送られる。後段では、名望家の名簿から選定される陪審が審理する。その際、法務官は陪審に判断を委ねる内容を列挙する。非ローマ市民がローマ市民に穀物を売却した場合を想定すれば、約束に見合った品質か、代金支払いが遅れたか、具体的な事情を考慮する（事実認定）。陪審の審議事項は、前段で設定された枠組みに依存する。被告が支払義務を負うと認定されれば、請求は認容される（実体判決）。

訴訟二段階制

　問題は、事実認定に窮する場合である。原告は、現状に不服があるため、請求し訴訟提起にまで至っている。被告が応じないため、判決が必要とされたのである。契約が締結されたと言えるのか、支払期日はいつだと設定・合意されたか、猶予する素振りや地域的慣行がなかったか、判断は多岐に亘る。判決が出なければ、支払義務は確定せず、被告にとって有利である。そこで、義務の確証が得られない（真偽不明の）場合には、被告勝訴判決を下すよう、前段で法務官は後段担当陪審に命じた。原告は敗訴が推定されている訳で、これを覆す立証責任を負う。但し、契約成立と代金未払いを原告が立証すれば、猶予が認められたかどうかは被告が立証しなければならない。こんにち、「要件事実」と呼ばれる民事訴訟の基本的な仕組みは、ここに由来する。

　陪審は、名望家であって法の素人である。民会で投票する事理弁識能力さえあれば良い。彼らは審議付託事項について、事実を審査する。判定に近い。その判断を補助するため、類型的に契約メニューが用意されている。これが売買・賃貸借など「典型契約」として伝わる。市民と非市民が交わした約束に注目し、該当するメニューを選び出す。あとは、義務の存否と額の算定評価で良い。

　こうして下された判決は、強制を待たず履行される。前段の裁判長は、軍事指揮権をも有する法務官である。その裁判管轄に従い後段で下された判決を守らなければ、将軍に対する挑戦（反逆）を意味するからである。まるで、判決の前に、裁判上の和解で決着する現代日本の紛争を見るようである。

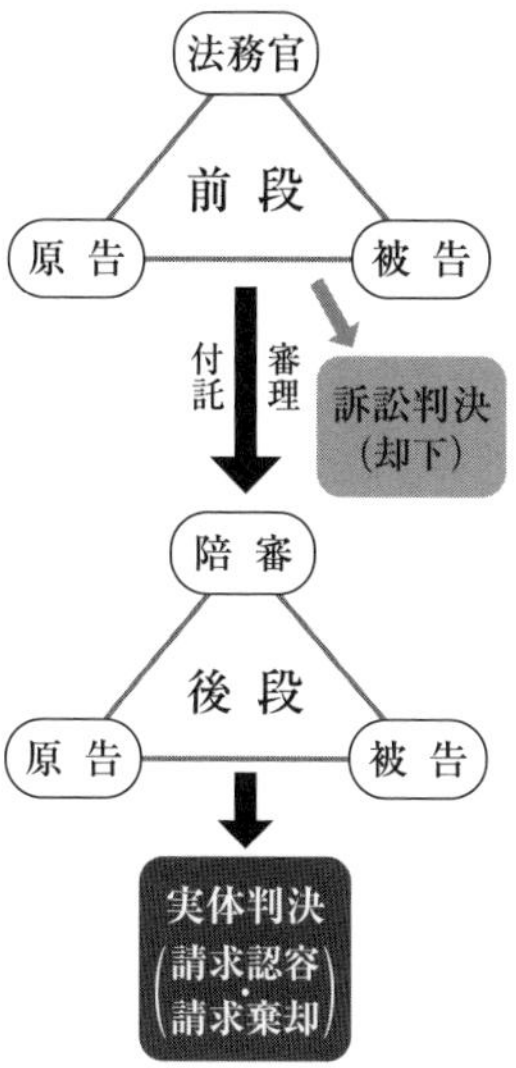

「古代末期」の世界観

南雲泰輔

一、「古代末期」と「世界」の表象

変容の時代──「古代末期」における心性の変化

「古代末期 Late Antiquity」とは、世界史上に幾度か起こった大いなる変容の時代のひとつを指す、比較的新しい時代区分の概念である。それは、長期的な時代範囲と、広い地理的・空間的パースペクティヴを特徴とする。論者によってその定義に違いはあるものの、おおむね三世紀から八世紀までの約五〇〇年間を対象とし、従来のいわゆる古典古代史が扱ってきた狭義の「地中海世界」に留まらず、中近東からイラン高原にかけて、さらには北方のスカンジナビアや南方のエチオピア、イエメン、そしてユーラシア大陸全体をも含む場合すらある。

三世紀以降の地中海圏では、最盛期を過ぎたローマ帝国がこれまでにない動揺を経験していた。軍人皇帝時代に繰り返された内紛と、フン人やゲルマン人など帝国外の諸集団による相次ぐ移動と帝国領土の侵犯は、ローマ帝国にさまざまなレヴェルでの再編を強いた。皇帝を頂点とする中央集権的な国家制度が構築され、統治・徴税の効率を高めるべく地方行政区分が細分化された。社会的・経済的活動の中心であった都市は、特に帝国西部においては全般的な衰退傾向を示していたが、人口の大多数が居住していた農村では、北アフリカや帝国東部のシリアの村落がオリーヴの大規模栽培によって繁栄を享受するなど、同じ帝国内でも都市と農村、そして地域間の差異が顕在化した。くわえて、キリスト教の教父たちが認識したような「富者」と「貧者」の格差が拡大し、貧富のあいだで厚みを増しつつあった中間層と帝国外から移動してきた諸集団とによって、垂直・水平の両方向に激しい社会流動が引き起こされた(ブラウン 二〇一二)。

視野を広くユーラシア大陸全体に向けると、ローマ帝国よりも東の地域では、アルシャク(アルサケス)朝(パルティア)の後継国家としてイランからイラクに及ぶ地域を支配したサーサーン朝ペルシアが成立する一方、極東では漢帝国崩壊後の分裂時代に突入し、北方のステップ地帯に遊牧民による国家が形成された。六世紀半ばには、地球規模での気候変動とそれに伴う飢饉や疫病の発生といった環境上の変化を背景として、ゲルマン・スラヴ・ブルガール・アヴァールといった諸集団の移動・建国、とりわけ七世紀におけるアラブ・イスラーム勢力の台頭が、既存の世界秩序を大いに揺るがした。もっとも、ユーラシア全体を支配下に置くような普遍帝国の形成へと向かうことはなく、やがてビザンツ人、イラン人、中国人がそれぞれに建設した複数国家からなる多軸的な世界構造が現出してゆくことになる(Brown 2014; 南川 二〇一八)。

この時代を扱う歴史叙述においては、一八世紀の啓蒙主義的歴史観のなかに典型的にみられるように、かつて絶頂を極めた古典古代の高度な「文明」が、地中海を「我らが海」として統合し「人類史上最も幸福な時代」(エドワード・ギボン)を実現した巨大な古代国家ローマ帝国の衰退とともに、転がり落ちるように崩壊と破局へと向かってゆく不可逆的な過程として語られる場合がある。それは劇的な歴史ドラマとして極めて魅力的であり、帝国の過度な肥大化や「蛮族」による侵入など、それぞれの論者の生きた時代の空気を反映しながら、一説によれば二一〇以上にも上るという多種多様なローマ帝国衰亡原因論を生み出す素地となった。

これに対して、この時代の連続的進展による社会的・文化的・宗教的達成に独自の価値を見出し、それ自体に固有の意義が語られる場合がある。短期的な衰退や崩壊ではなく、より長期的な観点から変容、変化、継続、移行、発展といった積極的側面を照射しようとする立場である。オーストリアの美術史家アロイス・リーグル(一八五八―一九〇五年)による「古代末期」美術の再評価がその嚆矢となり、その後もヨーロッパ各国学界で重要な研究が陸続と現れたが、とりわけ一九七〇年代以降、英米を拠点として学界を牽引するピーター・ブラウンは、二〇世紀後半の支配的思潮であった多文化主義や多元文化主義の影響を受けつつ、伝統的な衰亡論に対する批判を活発に展開した。彼の主著『古代末期の世界』(一九七一年)は、かかる変容の時代を文化と宗教の側面から活写して多数の支持を獲得し、単なる古代の衰退期や中世への過渡期ではなく、「それ自体独自の価値を持ち、他とは区別され、かつ極めて決定的な歴史の一時代」としての「古代末期」が学界内外に広く認識されることとなったのである。

現在の学界では、「古代末期」論の楽観性や「衰亡」概念の忌避に対する厳しい批判を経て、「古代末期」を後期ローマ帝国時代と互換可能な概念と理解したり、従来の相対的に短期の枠組みのなかで論じようとする立場(これを「短い古代末期」論と呼ぶ)も出てきており、状況は流動化している。しかし、ブラウンらが当初想定した「長い古代末期」論の最も重要な主張は、この時代が長期間にわたる宗教的・思想的・文化的な多様性と変容の画期だったという点にある。「世界」のあらゆる側面において根本的な変化が継起した時代には、同時に、人びとの心性にもこれまでにない種類の変化が引き起こされたということに注意が促されたのである(南雲 二〇〇九、同 二〇二〇、Marcone 2020)。

そのような変化は、特にこの時代の宗教のあり方によく表れている。「古代末期」の世界においては、四世紀以降にローマ帝国内で支配的宗教としての地位を築き上げていったキリスト教とその「異端」のみならず、古代ギリシア・ローマの伝統的多神教と新プラトン主義哲学(いわゆる「異教」)、聖典「トーラー」を学ぶべく教徒がシナゴーグに集ったユダヤ教、キリスト教と密接なつながりを持った一神教であるマニ教、そしてサーサーン朝で広く信仰されたゾロアスター教といった多様な諸宗教が、長期間にわたって概して平和的に併存し、かつ相互に交流する多元的な宗教世界が立ち現れてきた(Sessa 2018)。

かつてイギリスの宗教史研究者エリック・ドッズは、こうした「古代末期」における変化を、物質的・精神的な不確実性に着目して「不安の時代」(ドッズ 一九八一:一七頁)と呼んだが、「古代末期」を提唱したブラウンは、ローマ帝国の最盛期という「均衡の時代から野心の時代への移行」(ブラウン 二〇〇六:八〇頁)であったとして肯定的に読み替えた。状況を否定的・肯定的のいずれと捉えるにしろ、「古代末期」が、既存の秩序に安住しえなくなった人びとの心を大きくかつ深く揺さぶり、新たな精神を萌芽させた時代であったことは間違いない。そして、このような心性の変容が出来した「古代末期」にあっては、人びとの抱いた「世界」に対する見方も変化したであろう。実際、フランスの古代史研究者エルヴェ・アングルベールは、二世紀から六世紀にかけて、時間と場所にかんする学知、すなわち歴史、民族、天文、地理にかんする知に、深甚な変化が認められることを指摘している(Inglebert 2001)。

では、大いなる変容の時代である「古代末期」の人びとは、自らの生きる「世界」をどのようにして認識していたのであろうか。

「世界」の表象と主観性

現代世界に生きる私たちにとって、「世界」の表象は、ほぼすべて所与のものとして存在する。二次元の平面上に描かれた世界地図や立体的な地球儀、インターネット上で利用可能なデジタル地図のように媒体は多様だが、そのなかに表現された、地球・大陸・海洋の形状、自然環境・資源・都市の配置などにかんする情報は、通例、正確で客観的な事実として受容され、その内容について疑念が抱かれることはほとんどない。今、私たちの手元にあるこのような「世界」の表象は、「世界」のあり方について絶えず好奇心を抱き続けた人びと、あるいは権力欲に突き動かされ、地図を権力の道具として用いようとした人びとと、彼らがそのために案出した測量技術、図法、観測気球、航空機、人工衛星、そして地理情報システム(GIS)といった近代以降の技術発展の賜物(たまもの)である(ウィルフォード 二〇〇一)。

しかし、いかなる地図も、現実世界のすべてを表現することはできない。地図は常に「現実の選択的表示」であり、その「製作と理解の中心になるのは主観」である(ブラック 二〇〇一：一二、二三六頁)。主観的な表現である地図のなかには、伝達したい内容が表現されるだけでなく、意図的な強調や無視、沈黙、欺瞞、歪曲、あるいは無知や誤解に起因する誤記や混乱が含まれることもある(モンモニア 一九九五)。若林幹夫が、地図は「世界に関するテクスト」であり、「世界像の生産の場」だと述べた(若林 二〇〇九：六三―六四頁)ように、地図の製作と使用は、単なる情報の伝達であるのみならず、知識の構築プロセスそのものなのであり、したがってその基礎をなす地理学もまた、主観的で構築的な性格を持つ。すなわち、地理学と地図の成果は、自らの周囲の環境にたいする把握の仕方やその変化を反映しながら、主観的に生み出された構築物であると同時に、「あらゆる意味で客観的でないからこそ、それを生み出した文化の中心的かつ重要な産物」(ウィットフィールド 一九九七：viii頁)として理解し解釈することが可能な素材だということができるのである。

それゆえ、「古代末期」において、「世界」がどのように把握され、どのように表象されたのか、という問題を考えることは、「古代末期」という時代の特質を、当時の世界観を通じて明らかにする作業となるはずである。以下では、「古代末期」という時代の時間的・空間的な広がりを念頭に置きつつ、豊かな史料が残るローマ帝国の事例を主たる参照軸として、当時の世界観について考えてみたい。

二、「世界」を把握する

「世界」へのまなざし

西洋古代世界においては、その歴史のごく早い時期から、「人間の住む世界」(ギリシア語でオイクメネ οἰκουμένη、ラテン語でオルビス・テラルム orbis terrarum)をどう理解するかという問題に意識が向けられてきた。たとえば、ギリシア神話のなかでペルセウスやヘラクレスなどの英雄たちが「世界」各地やその果てを旅して回ったことや、哲学者ソクラテスが「大地はなにか非常に大きなものであり、パシス川(現ジョージアのリオニ川)からヘラクレスの柱(ジブラルタル海峡)までの間に住むわれわれは、大地のなにか小さな部分に住んでいるのである。われわれは池のほとりの蟻や蛙のように、海(地中海)の周辺に住んでいるのだが、他にも似たような場所が沢山あって、そこには他の多くの人々が住んでいるのである」(プラトン『パイドン』一〇九B。岩田靖夫訳、岩波文庫、一九九八年)と述べていることなどは、古代ギリシア人の地理学的な想像力を抜きにして理解することは困難であろう。

そのような想像力の根底には、自らの生きる世界に存在する山野河海や動植物、あるいは自らと共通点や異質な点を持つ人びとに接したとき、それらの存在を認識し、理解しようとする根源的な知的欲求を想定することができる。地中海や黒海だけでなく、大西洋、北海、バルト海へと漕ぎ出したギリシア人、アフリカ沿岸を航海したフェニキア人やエジプト人、遠く東の果てを目指したアレクサンドロス大王(前三五六—前三二三年)、さらに広大な帝国領域の隅々まで街道を敷設したローマ人らの営みは、各々の関心や目的の方向性は異なってはいても、いずれも知的領域としての地理学を、情報の収集とその意味の理論化という作業を通じて形成していくことになった。しかも、彼らの生み出した世界認識の学問としての地理学のなかには、自然哲学、地質学、天文学、地誌学、民族学などのさまざまな構成要素が混然一体となっていた。古代における知の分類体系は、現代とは異質なものだったのである。このことは歴史学と地理学の関係についても同様に該当する。一般に、時間と過去を叙述する歴史学に対して、空間と現在を描写するのが地理学だといわれる。しかし、古代世界において歴史学と地理学は密接に結び付いていた。その限りでは、地理学を文学の一領域とみて、描写的というよりも叙述的な性格を見出そうとする研究者の立場にも一理ある。実際、ポリュビオス、カエサル、サルスティウス、タキトゥスらの史書や、ローマ帝国時代に特徴的に観察される百科事典主義 encyclopedism を体現する存在として知られる大プリニウスらの著作は、現在の学界では狭義の地理書に分類されていないが、そのなかに数多くの地理的記述を含んでいる(Romm 1992; Clarke 1999; Lozovsky 2000; Merrills 2005; Roller 2006; Dueck 2012; 竹下 二〇二一:一八九–二一二頁)。

このように複合的な性格を持つ地理学は、さらにまた、同時代の政治とも不可分であった。西洋古代世界において政治的成功は、領土の拡大や境界の物理的な拡張という観点から評価される傾向にあったからである。征服活動によって増大した地理学的な視野と知識は、知的好奇心を満たすと同時に新たなそれをも喚起し、さらなる軍事的拡大へと結びついた。したがって、政治的拡大と地理学的知見の増大という循環するプロセスのなかで生み出される地図は、地理学の本質的な副産物であり、権力の道具でもありえたわけである。

西洋古代世界で最初の「世界地図」とされるのは、紀元前七世紀に発生したイオニア自然哲学の時代に、哲学者アナクシマンドロスやヘカタイオスによって考案された「地図板」であり、ミレトスの僭主アリスタゴラス(不詳–前四九六/四九七年頃)はこれを携えてスパルタ王クレオメネスと会談したという(ヘロドトス『歴史』五、四九。ストラボン『地誌』一、一、一一)。また、エジプト王ネコ二世(前六〇〇年頃)がアフリカ大陸周航を命じたこと(ヘロドトス『歴史』四、四二)、同時代史としてペルシア戦争を記述したヘロドトス(前四八四–前四二五年頃)が、敵であるハカーマニシュ(アカイメネス)朝ペルシアの地理・地誌について可能な限り詳細に見聞し叙述しようと試みたこと、アレクサンドロス大王の東方遠征が「人間の住む世界」の地平を遥か遠く東のインダス川まで広げ、続くヘレニズム時代には、アレクサンドリアの図書館長を務めたキュレネのエラトステネス(前二七六—前一九四年頃)による緯度・経度の導入や地球の円周の計測など数学的・科学的な世界の把握が促されたこと、さらにはローマ帝国初代皇帝アウグストゥスの腹心アグリッパ(前六四/六三—前一二年)が土地測量と世界図製作を命じたこと(大プリニウス『博物誌』三、一七)など、すべて地理学・地図製作と政治権力の密接な結びつきを示している。それゆえ、「地図製作は、権力を獲得し、統治し、正当性を得、体系化するための特別な知的武器のひとつ」(Harley and Woodward 1987: 506. 引用は、ハーリー 二〇〇一:四〇一頁を改変)として理解することができるのである(Dueck 2012: 10-16)。

ところで、ギリシア人は星によって、ローマ人は里程標石によって地球を計測したとしばしばいわれる。地理学的把握にあたって科学的・数学的知見を重視したギリシア人とは対照的に、ローマ人は実用性・合理性を重視し、街道網に基づき「世界」を認識したというのである(織田 一九七四:四五頁、ウィルフォード 二〇〇一:八五頁)。しかし、ギリシア人とローマ人の世界認識の相違を、過度に対比し強調することは適切でない。ローマ帝政初期のギリシア人地理学者ストラボン(前六四—後二一年以後)は「ローマの史家はギリシアの史家をまねるに止まり、それ以上に出ることがない。前者の語るところも後者からの借り物であり、自分たちの手で知識愛の成果を補足するところは少ない」(『地誌』三、四、一九。飯尾都人訳、龍渓書舎、一九九四年)と述べたが、このことは地理学にも同様に該当する。ローマ地理学は、ヘレニズム地理学の強い影響下に成立したのである。アメリカの地理学史研究者デュアン・ロラーは、ローマ人の地理学者によるラテン語地理書は、古代地理学史上では極めてわずかな貢献しか認められないと述べる。彼によれば、エラトステネス以後、ギリシア・ローマ時代の地理学者として約二五〇名の名前が伝わるが、ラテン語地理書としてまとまった作品が現存するのはポンポニウス・メラ『地誌 *Chorographia*』(一世紀)と、このメラを地理学的権威とみなす大プリニウス『博物誌』のみであり、しかも前者メラの描く「オイクメネ」の形状は、基本的にエラトステネスのそれを踏襲したものであるという(Roller 2015; Roller 2019)。

西洋古代世界最大の地理学者・天文学者プトレマイオス(二世紀)もまた、ローマ帝国時代のアレクサンドリアを拠点としたギリシア人であり、ヘレニズム地理学の影響下にあった。彼は、地理学(ゲオグラフィア γεωγραφία)を数学的に「地球の人知の及ぶ部分の全体と、あわせて、通常そこに結びつけられるものとを図形化して表現するもの」と定義し、「部分的なアプローチ」によって「それぞれの場所を切り離し、ひとつひとつ独立的に描写する」地誌学(コログラフィア χωρογραφία)と明瞭に区別した(『地理学』一、一。織田武雄監修・中務哲郎訳、東海大学出版会、一九八六年)。プトレマイオスの登場によって、狭義の地理学と、地誌学を含む広義の地理学との区別が明確化されたことは重要であるが、西洋古代の地理学・地誌学を取り巻く同時代的な文脈に照らすとき、その意義と影響とを過大に評価しないよう注意が必要であろう。事実、ローマ帝政期のカッシウス・ディオや「古代末期」のアンミアヌス・マルケリヌス、オロシウス、ヨルダネスらの著作のように、プトレマイオスの規定した厳密な学問領域の区分にもかかわらず、以後も歴史叙述のなかに地理学的・地誌学的な記述が入り込むことは普通にみられたからである。

ローマ街道と旅程表的伝統

西洋古代世界における人の移動は海路と陸路に大別されるが、一般に輸送コストは海路のほうが安価であり、移動速度も速かった。しかし、海路は基本的に物資輸送を主目的とし、航海には危険が伴ったので、人間の移動、とりわけ軍の移動には陸路が選択されるのが通常であった。ローマ人は、三世紀末までに総延長約四〇万キロメートル(うち舗装道路は約八万五〇〇〇キロ)と推計される長大な街道網を敷設し、一定区間ごとに里程標石を設置した。アウグストゥス帝によって導入された公共輸送制度「クルスス・プブリクス cursus publicus」により、街道沿いには宿駅が整備され、帝国各地が結びつけられ、人とモノの移動が活発化した。その移動は、ときに帝国国境地帯を越えて、『エ

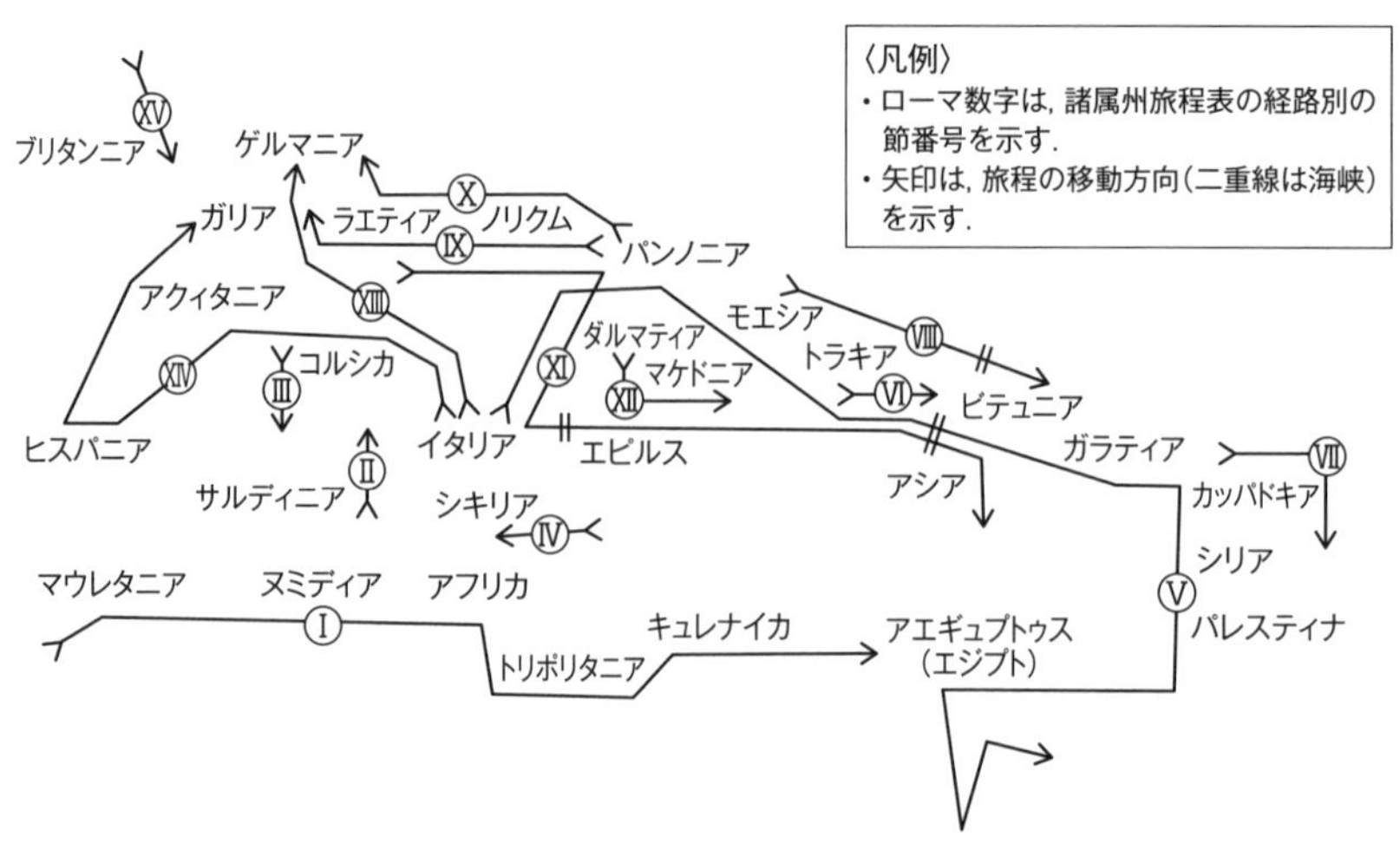

図 1 『アントニヌス旅程表』「諸属州旅程表」の構成(出典:Salway 2007: 183-184)

リュトラー海案内記』(一世紀)にみられるような海路による紅海・インド洋海域との接続を含め、東方世界へと及ぶこともあった。「古代末期」になると、五世紀以降も新規の里程標石設置や道路建設・修復の痕跡は見出されるものの、とりわけローマ世界西方においては四世紀末までに里程標石の数が全般的に減少したことが知られている。にもかかわらず、性別・身分・年齢・職業を問わず、軍役や商用、巡礼のために、あるいは戦乱や災禍、疫病から逃れるために、多くの人が旅したことは疑いない。彼らは街道を旅しながら、自らの生きる「世界」についても思いを巡らせたことであろう。

イギリスの古代史研究者ベネット・サルウェイは、このような街道を通じたローマ人固有の「世界」認識の方法を「旅程表的伝統 itinerary tradition」(Salway 2001)と呼ぶ。このローマ人の認識方法は、「古代末期」において特徴的な史料群である「旅程表 itinerarium」の形成をもたらした。その最も重要な例が、『アントニヌス旅程表 *Itinerarium Antonini*』である。『アントニヌス旅程表』は、「諸属州旅程表 Itinerarium Provinciarum」と「航海旅程表 Itinerarium Maritimum」の二部構成で、前者はローマ帝国全体を一五の主要経路で分け、メラの『地誌』と似た順に(地中海をジブラルタル海峡を起点として反時計回りに)並べたうえで、帝国領域内の二二五以上の街道および二〇〇〇以上の地名と都市間距離を、後者は地中海の港町と島嶼の距離を、各々一覧にしたものである[図1]。成立は三世紀末のディオクレティアヌス帝治世(二八四―三〇五年)と考えられているが、原史料はカラカラ帝治世(一九八―二一七年)もしくはそれ以前まで遡ると推測されている。『アントニヌス旅程表』に記録されているのは、文字通り町から町への旅程であり、その性格についてはさまざまに議論されてきたが、現在では、ローマ街道網に基づく公共輸送制度と関連するものの、公的なものではなく私的な編纂物と位置付ける見方が優勢である。他にも、コンスタンティウス二世治世(副帝三二四―三三七年、正帝三三七―三六一年)のペルシア遠征との関連で作成され、アレクサンドロス大王の東方遠征の行程を記した『アレクサンドロス旅程表 *Itinerarium Alexandri*』(三四〇年。おもにアリアヌス(一―二世紀)に依拠したとされる)や、ヘルモポリス(エジプトのナイル川西岸の都市)のテオファネスによるアンティオキアまでの旅行記録を記したパピルス文書(四世紀初頭)の存在が知られている(Drijvers 2018)。

この旅程表的伝統が「古代末期」の宗教変動と結びついた四世紀には、コンスタンティヌス大帝治世(副帝三〇六―三一一年、正帝三一一―三三七年)の聖地整備とも相俟って、キリスト教巡礼文学が増加した。宗教的動機による移動自体はそれ以前の多神教社会でも存在したが、「古代末期」には旅程表的な「世界」認識に宗教的要素が付加されたのである。旅程表のかたちをとった巡礼記としては、フランス南西部の都市ボルドー(古名ブルディガラ)から聖地イェルサレムへの巡礼記録『ブルディガラ旅程表 *Itinerarium Burdigalense*』(三三三/三三四年。著者不詳)が最初期の重要な事例である。また、コンスタンティヌス大帝の母ヘレナ(三二七年頃)をはじめ、大メラニア(三七三―四〇〇年)、エゲリア(三八一―三八四年)、パウラ(三八六年頃)らのイェルサレム巡礼、ポエメニアのエジプト巡礼(三八五/三九五年頃)、五世紀の小メラニア(四一七年)や皇妃エウドキア(四三八年)のように、高貴な女性たちの聖地巡礼の記録が数多く残されていることも注目に値する(足立 一九九四、同 二〇〇八)。

こうして、「古代末期」においては、人びとの移動に応じて、「世界」にかんする知識が共有され、蓄積され、さらにはそこに注釈が施された。すなわち、この時代には、地理学的知見を軸として、「世界」にかんする情報が組織化・体系化されたのである。こうした「古代末期」における「世界」についての知識の集成と解釈を、アメリカの「古代末期」研究者スコット・ジョンソンは「地図学的思考 cartographical thinking」と呼ぶ。ラテン語では旅程表のほか「要覧 notitia」や「土地記録 laterculus」、ギリシア語では「周航記 *περίπλους*」や「案内記 *περιήγησις*」と表現される史料群が、属州や都市のカタログ化を通じて、既知の「世界」をあたかも百科事典のように記述したのである。

地理情報のカタログ化への指向は、「古代末期」を通じて数多く見出される。たとえば、三世紀の地理学者ソリヌスの『世界地理奇聞集 *Collectanea Rerum Memorabilium*』は、大プリニウスとポンポニウス・メラによる地理的情報をほぼそのまま借用・要約した著作である。司教エウセビオス（二六〇／二六五―三三九／三四〇年）は、キリスト教関連地名をアルファベット順に配列した『地名集 *Onomastikon*』を編み、これはのちにヒエロニムスによってラテン語に翻訳された。『全世界と民族の記述 *Expositio Totius Mundi et Gentium*』（四―五世紀。原史料はギリシア語と推定）は、ローマ帝国領内の属州と主要都市の一覧であり、商業的・地理的性格を持つ史料と考えられている。ローマ共和政期から存在した土地測量官の手引書『ローマ土地測量集成 *Corpus Agrimensorum Romanorum*』（五―六世紀）が編纂されたことも、この時代における空間認識の重要性の高まりを反映するものとみてよいであろう（Humphries 2007; Johnson 2012; Id. 2015; Id. 2016）。

三、「世界」を描き出す

接続性と「世界」の図化――ポイティンガー図

イギリスの中世史研究者ペレグリン・ホーデンと古代史研究者ニコラス・パーセルが大著『汚れゆく海――地中海の歴史にかんする一考察』(二〇〇〇年)で論じたように、古代・中世において、相互に断片化した微小かつ多様な地域から構成される巨大な集塊としての地中海を取り巻く空間のなかで、その接続性 connectivity を支える重要な要素のひとつだったのは、コミュニケーションのネットワークであった。「古代末期」において、このネットワークの主要な基盤は、ローマ帝政前期と同様に街道網と公共輸送制度であったから、当時ローマ人が認識した「世界」は、旅程表的伝統に示されたように、街道によって接続された都市間のネットワークを基礎として形成されたものに相違ない。この旅程表によって形作られたローマ人の意識のなかの「世界」、すなわち「世界」のメンタル・マップは、イギリスの古代史研究者チャールズ・ウィタカーによれば、水平的かつ線形的な空間認識を重要な特徴とするものであった(Horden and Purcell 2000; Whitaker 2004)。

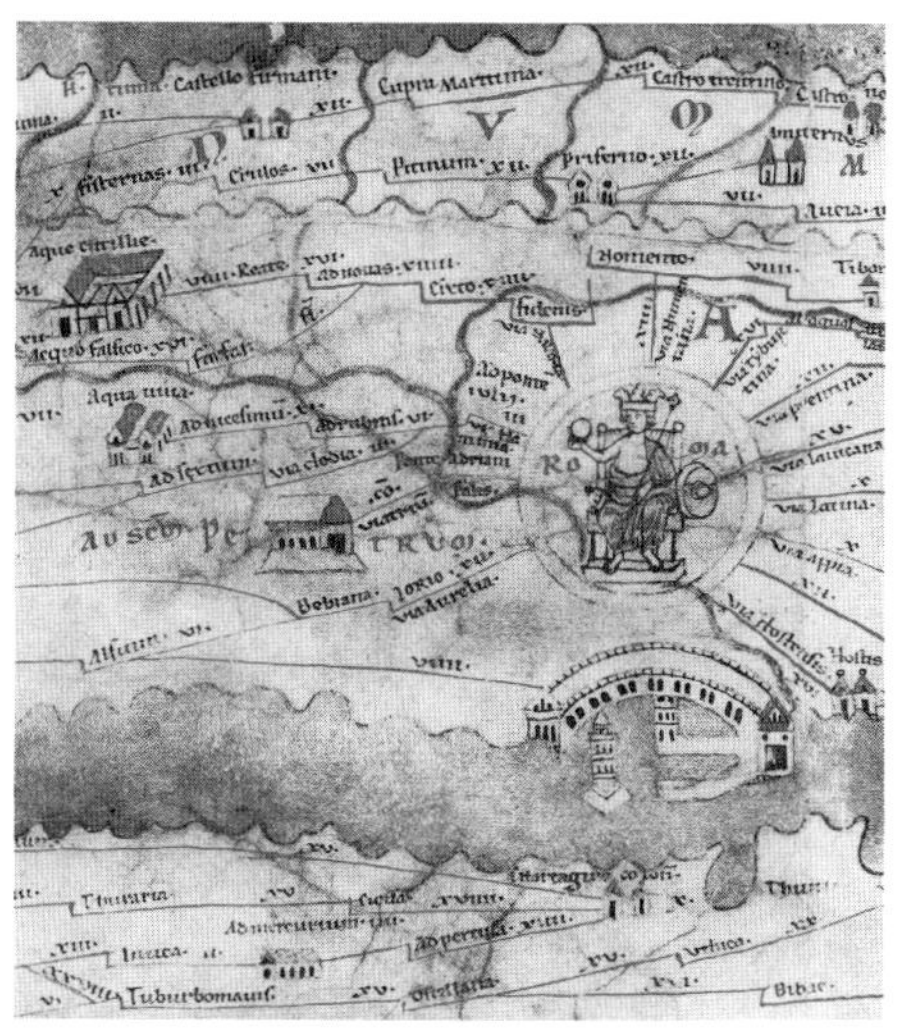

図2　ポイティンガー図　第4セグメント部分(出典：Rathmann 2018: 57)．女神テュケーによって表現された都市ローマ．11枚の羊皮紙を繋ぎ合わせたときの全体の大きさは，縦約33センチメートル，横約672センチメートルに及ぶ．

ところで、旅程表的伝統に基づく水平的・線形的なローマ人のメンタル・マップの表現としばしばみなされるのが、一六世紀初頭に発見されたポイティンガー図(Tabula Peutingeriana, Codex Vindobonensis 324.)と呼ばれる極めてユニークな図像資料である[図2](田中 一九九一、Rathmann 2018)。ポイティンガー図は、ローマ帝国時代に原型が製作された旅程図 itineraria picta と推定されるが、製作時期・製作者・製作目的などいずれについても不明な点が多い「謎に満ちた資料」(Salway 2005: 119)

として知られる。現存写本は、一二〇〇年頃、ドイツ南部で製作されたらしい一一枚の彩色羊皮紙(ヴェラム)からなる巻子本で、その名称はかつての所有者であるドイツの人文主義者コンラート・ポイティンガー(一四六五―一五四七年)にちなむ。そこに描写されているのは、ブリテン島南部・ガリアから、はるか東方のインド、スリランカにいたる広大な領域であり、東西方向に大きく引き伸ばされ、南北方向には著しく圧縮されて、イタリア半島が異常に大きく描かれるなど縮尺は一定せず、「世界」は帯状に歪んでいる。なお、ブリテン島、イベリア半島、北アフリカが描写されていたであろう西端部の羊皮紙は逸失している(在野の研究者コンラート・ミラー(一八四四―一九三三年)が、ポイティンガー図全体の模写とともに、失われた西端部の再構成図を作成したことがあるが、現在の学界では支持されていない)。

ポイティンガー図に描かれた「世界」には極めて多様かつ多元的な情報が含まれているが、その眼目は明らかに、旅程表と同様、ローマ帝国各地とそれを越えた領域を接続し統合する媒体であった街道網と都市である。赤色のジグザグ線で引かれた街道の経路に沿って二七〇〇以上の地名および都市間の距離がローマ数字で記入されており、都市間距離の総計は約七万ローマ・マイル(約一〇万四〇〇〇キロ)に及ぶという。また、都市は双塔型、神殿型、浴場型、倉庫型、港湾型などに分類される記号によって表現され(合計五五九)、そのうち六つの主要都市(ラヴェンナ、アクィレイア、テッサロニケ、ニカイア、ニコメディア、アンキュラ)は城塞、ローマ、コンスタンティノープル、アンティオキアの三大都市は女神テュケーの図像を伴って大きく描写される。灯台・トンネルのような人工物や、山・川・森・湖・海・湾などの自然環境の描写も興味深いが、文字情報として古典古代的伝承とキリスト教的伝承とが混在していることは、多宗教が併存する「古代末期」的な表現として見逃せない。たとえば、東方のインダス川付近には、アレクサンドロス大王が東方遠征時に設けたとされる祭壇の記号とともに「ここでアレクサンドロスは「アレクサンドロスよ、どこまで行くのか」という神託を受けとった Hic Alexander Responsum accepit Usq[ue] quo Alexander」とある一方、同一平面上に描かれたエジプトの砂漠には「モーセによって導かれたイスラエルの息子たちが四〇年間彷徨(さまよ)った砂漠

Desertum u[bi] quadraginta annis errauer[un]t filii isr[ae]l[is] ducente Moyse」との説明が記されている。さらに、四世紀初頭に建設されたコンスタンティノープルが描写されていることは、本図の原型が同市創建以降の製作物であることを推察させる根拠のひとつであるが、同時に、一世紀にウェスウィウス火山の噴火によって灰燼に帰し、消滅したはずの都市ポンペイやヘルクラネウムが描かれているのは時代錯誤であり、原型の製作時に参照された情報の継承に、時代的・地域的な相違あるいは混乱が存在した可能性を推測させ、図の多元性を一層深めている(Levi and Levi 1967; Dilke 1985: 114)。

ポイティンガー図の製作目的も難しい問題である。実用的な街道路線図として、古代の「ミシュラン・ガイド」(カッソン 一九九八：一八九頁)のようなものとみる説もあれば、オータンのエウメニウスが言及する修辞学校に掲げられた世界地図(三世紀末。『ラテン語称賛演説集』九(四)、二〇、二—二一、三)のように、公的な場での教育活動で利用された可能性を推測する説もある(Albu 2014: 35)。もっとも、地図が政治権力と不可分であるという大前提を想起するならば、アメリカの古代地理学・地図学史研究者リチャード・タルバートによる、ポイティンガー図はプロパガンダとして宮殿を飾るために製作されたものであるとの主張(Talbert 2010)が、現時点では最も妥当であろう(南雲 二〇一六)。

「古代末期」の世界観を規定するもの

近年、ドイツの古代史研究者ミヒャエル・ラートマンは、ポイティンガー図について興味深い学説を提示した。それによれば、ポイティンガー図は、エラトステネスやストラボンらにみられるヘレニズム的な「地誌的地図 chorographical map」と多くの共通点を持つという[**図3**]。すなわち、両者とも、「オイクメネ」はオケアノス(大洋)によって完全に取り囲まれている。カスピ海はオケアノス北方の湾、タウルス山脈は全アジアに連なる山脈として表現され、ドナウ・ライン両川の「上の」(北の)空間はほぼ欠落している。「オイクメネ」の東方の境界線は、アレクサンドロス

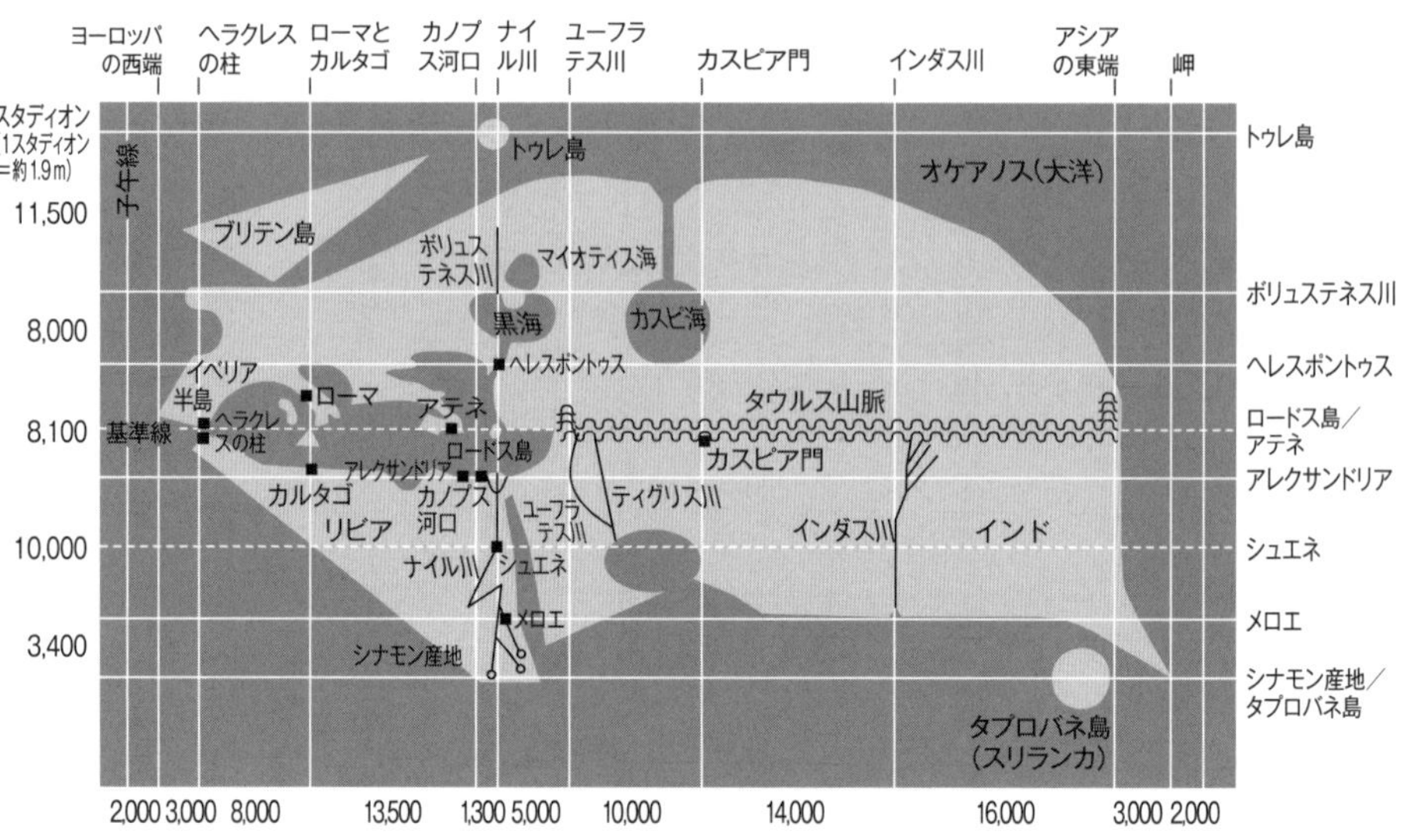

図3 エラトステネスによる「世界」(出典：Rathmann 2018: 12を一部変更)．ただし，このような再構成図はあくまでも近現代の研究者によるものであり，古代人が同様の地図を描写し利用したかどうかは不明である(Dueck 2012: 101)．

大王の祭壇によって画され、ヘレニズム時代と似た状況を示す。さらに、インドやアフリカの形状は、エラトステネスに帰されるそれと同一である。また、ポイティンガー図において地中海などの水域は緑色に塗られているが、古代エジプトでは地中海を「大いなる緑wAD-wr」と呼んでいた。これらの諸点から、ラートマンは、ポイティンガー図の原型はエジプトのアレクサンドリアに起源があり、ヘレニズム地理学の系統に属するものであると論じた(Rathmann 2013; Id. 2016; Id. 2018)。彼の考察によって、ポイティンガー図は、従来想定されていたような類例のない孤立した史料では決してなく、ローマ地理学が継承したヘレニズム的世界認識の系譜に属し、その枠組みに強く規定された世界観を表現したものであることが明らかとされたのである。

もっとも、ヘレニズム地理学の最も重要な発明でありかつ特徴でもある緯度・経度は、旅程表やポイティンガー図では使用されていない。また、「オイクメネ」が「人間の住む世界」を意味するように、ヘレニズム的世界認識の中心はあくまでも人間にあったが、ポイティンガー図はこの「人間の住む世界」の枠組みを継承しつつも、街道と都市の結びつきを第一義的な構成要素とすることによって「世界」の接続性を構築し描写した(Salway 2007)。それゆえ、ポイティンガー図に表現された「古代末期」の世界観には、ローマ人が継受したヘレニズム地理学の「オイクメネ」、ローマ人固有の世界認識の手段である百科事典主義と旅程表的伝統、さらには古典古代的伝承と「古代末期」における新しい宗教的要素という三者が同時に含まれていることになる。ウィタカーは、こうしたポイティンガー図の複層的な性格を、「地誌的伝統のなかの旅程地図」(Whitaker 2004: 64)と適切に表現している。

「古代末期」の世界観は、それに先立つギリシア・ヘレニズム時代からの継続性と、ローマ時代・「古代末期」における新規性をともに取り込みつつ、特異な形で変容を遂げたものと理解することができよう。「古代末期」において利用可能だった参照枠は、ヘレニズム地理学の生み出した「オイクメネ」であったが、都市とそれを接続する媒体である街道網がそのなかに組み込まれた結果、ユーラシアの東西が途切れのない「世界」として認識され、描写された。世界規模での政治的・社会的・宗教的な変容のなかで、街道網のようなインフラを維持管理する巨大権力は衰退・崩壊し、既存の「世界」は解体し断片化していった。にもかかわらず、権力者は自らの帝国の統合性を仮構の「世界」として描かせ、巡礼者は街道を歩き都市を伝うことによって「世界」を記録した。彼らの抱いた「不安」と「野心」の底流には、自らの置かれた環境のなかで、あるべき「世界」を具現しようとする強い「希求」の念が存在したのではないだろうか。「古代末期」とは、それぞれの「世界」を希う人びとの願望が発露する時代であった。

参考文献

足立広明(一九九九)「古代末期のキリスト教巡礼と女性――エゲリアの場合」歴史学研究会編『地中海世界史 四 巡礼と民衆信仰』青木書店。

足立広明(二〇〇八)「古代末期のキリスト教巡礼の諸相」「四国遍路と世界の巡礼」公開シンポジウム実行委員会編『巡礼と救済――四国遍路と世界の巡礼 公開シンポジウム・研究集会プロシーディングズ』愛媛大学。

ウィットフィールド、ピーター(一九九七)『世界図の歴史――人は地球をどのようにイメージしてきたか』樺山紘一監修、和田真理子・加藤修治訳、ミュージアム図書。

ウィルフォード、ジョン・ノーブル(二〇〇一)『地図を作った人びと――古代から観測衛星最前線にいたる地図製作の歴史』鈴木主税訳、河出書房新社。

織田武雄(一九七四)『地図の歴史――世界篇』講談社現代新書。

カッソン、ライオネル(一九九八)『古代の旅の物語――エジプト、ギリシア、ローマ』小林雅夫監訳、原書房。

竹下哲文(二〇二二)『詩の中の宇宙――マーニーリウス『アストロノミカ』の世界』京都大学学術出版会。

田中方男(一九九一)「「ポイティンガー図」について」『地図ニュース』二二五号。

ドッズ、エリック・ロバートソン(一九八一)『不安の時代における異教とキリスト教――マールクス・アウレーリウス帝からコンスタンティーヌス帝に至るまでの宗教体験の諸相』井谷嘉男訳、日本基督教団出版局。

南雲泰輔(二〇〇九)「英米学界における「古代末期」研究の展開」『西洋古代史研究』九号。

南雲泰輔(二〇一六)「クルスス・プブリクスとポイティンガー図――後期ローマ帝国時代の街道とその図示」『歴史学研究』九五〇。

南雲泰輔(二〇二〇)「西洋古代史の時代区分と「古代末期」概念の新展開」『思想』一一四九号。

ハーリー、ジョン・ブライアン(二〇〇一)「地図と知識、そして権力」D・コスグローブ、S・ダニエルス共編『風景の図像学』千田稔・内田忠賢監訳、地人書房。

ブラウン、ピーター(二〇〇六)『古代末期の形成』足立広明訳、慶應義塾大学出版会。

ブラウン、ピーター(二〇一二)『貧者を愛する者――古代末期におけるキリスト教的慈善の誕生』戸田聡訳、慶應義塾大学出版会。

ブラック、ジェレミー(二〇〇一)『地図の政治学』関口篤訳、青土社。

南川高志編(二〇一八)『三七八年 失われた古代帝国の秩序』山川出版社。

モンモニア、マーク(一九九五)『地図は嘘つきである』渡辺潤訳、晶文社。

若林幹夫(二〇〇九)『増補 地図の想像力』河出文庫。

Albu, Emily (2014), *The Medieval Peutinger Map: Imperial Roman Revival in a German Empire*, Cambridge, Cambridge University Press.

Brown, Peter (2014), "The Silk Road in Late Antiquity", Victor Mair and Jane Hickman (eds.), *Reconfiguring the Silk Road: New Research on East-West Exchange in Antiquity*, Philadelphia, University of Pennsylvania Museum of Archaeology and Anthropology.

Clarke, Katherine (1999), *Between Geography and History: Hellenistic Constructions of the Roman World*, Oxford, Oxford University Press.

Dilke, Oswald Ashton Wentworth (1985), *Greek and Roman Maps*, London, Thames and Hudson.

Drijvers, Jan Willem (2018), "Travel and Pilgrimage Literature", Scott McGill and Edward Watts (eds.), *A Companion to Late Antique Literature*, Hoboken, Wiley-Blackwell.

Dueck, Daniela (2012), *Geography in Classical Antiquity*, Cambridge, Cambridge University Press.

Harley, John and David Woodward (eds.) (1987), *The History of Cartography*, Vol. 1, *Cartography in Prehistoric, Ancient, and Medieval Europe and the Mediterranean*, Chicago / London, University of Chicago Press.

Horden, Peregrine and Nicholas Purcell (2000), *The Corrupting Sea: A Study of Mediterranean History*, Oxford, Blackwell.

Humphries, Mark (2007), "A New Created World: Classical Geographical Texts and Christian Contexts in Late Antiquity", David Scoufield (ed.), *Texts and Culture in Late Antiquity: Inheritance, Authority, and Change*, Swansea, Classical Press of Wales.

Inglebert, Hervé (2001), *Interpretatio christiana : les mutations des savoirs (cosmographie, géographie, ethnographie, histoire) dans l'antiquité chrétienne (30-630 après J.-C.)*, Paris, Institut d'études augustiniennes.

Johnson, Scott (2012), "Travel, Cartography, and Cosmology", Scott Johnson (ed.), *The Oxford Handbook of Late Antiquity*, Oxford, Oxford University Press.

Johnson, Scott (2015), "Real and Imagined Geography", Michael Maas (ed.), *The Cambridge Companion to the Age of Attila*, Cambridge, Cambridge University Press.

Johnson, Scott (2016), *Literary Territories: Cartographical Thinking in Late Antiquity*, Oxford, Oxford University Press.

Levi, Annalina and Mario Levi (1967), *Itineraria Picta: Contributo allo studio della Tabula Peutingeriana*, Roma, L'Erma di Bretschneider.

Lozovsky, Natalia (2000), "*The Earth in Our Book*": *Geographical Knowledge in the Latin West ca. 400-1000*, Ann Arbor, University of Michigan Press.

Marcone, Arnaldo (2020), "Late Anqiuity: Then and Now", Helena Trindade Lopes, Isabel Gomes de Almeida and Maria de Fátima Rosa (eds.), *Antiquity and Its Reception: Modern Expressions of the Past*, London, IntechOpen.

Merrills, Andrew (2005), *History and Geography in Late Antiquity*, Cambridge, Cambridge University Press.

Rathmann, Michael (2013), "The Tabula Peutingeriana in the Mirror of Ancient Cartography: Aspects of a Reappraisal", Klaus Geus und Michael Rathmann (hrsg.), *Vermessung der Oikumene*, Berlin / Boston, De Gruyter.

Rathmann, Michael (2016), "The Tabula Peutingeriana and Antique Cartography", Serena Bianchetti, Michele Cataudella and Hans-Joachim Gehrke (eds.), *Brill's Companion to Ancient Geography*, Leiden / Boston, Brill.

Rathmann, Michael (2018), *Tabula Peutingeriana: Die einzige Weltkarte aus der Antike*, 3 überarbeitete Auflage, Darmstadt, Philipp von Zabern.

Roller, Duane (2006), *Through the Pillars of Herakles: Greco-Roman Exploration of the Atlantic*, New York / London, Routledge.

Roller, Duane (2015), *Ancient Geography: The Discovery of the World in Classical Greece and Rome*, London / New York, I. B. Tauris.

Roller, Duane (ed.) (2019), *New Directions in the Study of Ancient Geography*, Florida, La Jolla.

Romm, James (1992), *The Edges of the Earth in Ancient Thought: Geography, Exploration, and Fiction*, Princeton, Princeton University Press.

Salway, Benet (2001), "Travel, Itineraria and Tabellaria", Colin Adams and Ray Laurence (eds.), *Travel and Geography in the Roman Empire*, London / New York, Routledge.

Salway, Benet (2005), "The Nature and Genesis of the Peutinger Map", *Imago Mundi*, 57-2.

Salway, Benet (2007), "The Perception and Description of Space in Roman Itineraries", Michael Rathmann (hrsg.), *Wahrnehmung und Erfassung geographischer Räume in der Antike*, Mainz am Rhein, Philipp von Zabern.

Sessa, Kristina (2018), *Daily Life in Late Antiquity*, Cambridge, Cambridge University Press.

Talbert, Richard (2010), *Rome's World: The Peutinger Map Reconsidered*, Cambridge, Cambridge University Press.

Whittaker, Charles (2004), *Rome and its Frontiers: The Dynamics of Empire*, London / New York, Routledge.

集点 Focus

内なる他者としてのキリスト教徒

大谷 哲

はじめに

ローマ帝国の東方に位置するユダヤの片隅でイエスが始めた教えは、その弟子たち数世代のうちに、伝道の対象をユダヤ教徒からローマ帝国とその周辺の住民全体へと広げ、一世紀前半には首都ローマまで届いたと伝承される。二世紀には、ローマ帝国西方に位置するガリアやアフリカにもキリスト教徒集団が確認でき、三世紀の初頭までには、キリスト教徒以外が残した史料にも、しばしば彼らの存在が言及されるようになる。

かつての歴史の描かれ方では、キリスト教は帝国内で迫害の対象となりつつも発展し信徒を増やし続け、コンスタンティヌス一世帝による公認を受けるに至ったと説明されてきた。マイノリティであったキリスト教は帝国の信仰地図を塗り替え、テオドシウス朝期のいわゆるキリスト教国教化をもって、信仰の戦いの歴史の画期となったと語られたわけである。こうした見方に対し、現在の研究者たちは複数の側面から疑問を投げかけている。それでは、ローマ帝国の住民たちにとってキリスト教徒は、実際はどのような存在であったのだろうか。キリスト教徒が、ローマ社会において「内なる他者」として生きた状況を、コンスタンティヌス一世帝によってキリスト教会が帝権の支持を受ける以前の時代を中心として描写することが本稿の目的である。

一、いつからローマ人はキリスト教徒を認識したか

ローマ帝国住民の宗教認識

『新約聖書』の『使徒行伝』第一四章第一一―一三節に、小アジアのリュストラという町で、使徒パウロと使徒バルナバがイエスの教えを広めつつ、生まれつき足の不自由な男を奇跡の力で癒し歩けるようにしたところ、ちょっとした騒ぎが起こったという記述がある。

群衆はパウロの行ったことを見て、声を張り上げ、リュカオニア語で言った、「神々が人間の姿をとって、私たちのところにお降りになったのだ」。そして彼らは、バルナバをゼウスと呼び、パウロをヘルメスと呼んだ。〔中略〕町の門前にあるゼウスの神殿の祭司が、数頭の雄牛と花輪を門のところに持って来て、群衆と一緒になって二人に犠牲を献げようとした。（荒井献訳）

このあと、二人の使徒は必死になって自分たちの信じる教えの説明をし、群衆が自分たちを神扱いして生贄を献げようとするのをくい止めたという。奇跡的な治療行為をした使徒二人が南プリュギア地方で盛んに礼拝されたゼウスとヘルメスの化身と思われたというこのエピソードは、紀元後三七年ごろのことと推測される。ここにはロバート・パーカーが指摘する、新たな信仰に出会った際に、例えば「オシリスはギリシア語ではディオニュソスである」（ヘロドトス『歴史』二、一四四、二）のように、自分にとって既知の神々や礼拝の文脈でそれを捉えようとする、この時代の地中海に広くいきわたっていた習合的な宗教理解の姿勢がよく現れている。それでは、キリスト教という新たな信仰が自らのかたわらに現れたとき、広大なローマ帝国の住民たちはどのようにしてその存在に気づき、認識し、反応し

ていったか、まずは確認したい。

未分化なアイデンティティ

使徒パウロに代表される最初期の伝道者たちは、ユダヤ人のシナゴーグを中心に伝道活動をしていたことが『使徒行伝』第一七章などから読み取れる。そもそも、最初期のキリスト教は、いったいいつからユダヤ教とは違う宗教となったのだろうか。

本節冒頭で取り上げた『使徒行伝』を含むキリスト教の正典『新約聖書』の多くの文書は、紀元後一世紀末ごろに書かれた文書である。イエスが磔刑に処されてから約七〇年がたち、イエスの教えを信じる者は世代を超え増えていたが、「キリスト教徒」というアイデンティティはようやくこのころ、ユダヤ教徒というカテゴリーから分化しつつあった。『使徒行伝』第一一章第二六節では、彼らは紀元後四〇年代にシリアのアンティオキアで初めて「Christianoi」(クリストゥス信奉者たち)という呼称で呼ばれたとされている。後にキリスト教徒を意味することになるこの言葉はしかし、イエスの教えを信じる人々の間で使用が確認できるのは、一世紀末から二世紀初頭にかけて成立した『第一ペトロ書』やアンティオキア司教イグナティオスの書簡まで待たねばならない。そのイグナティオスは、未だにユダヤ教の教えや慣習に従って生きる者たちを繰り返し非難している(『マグネシアのキリスト者宛書簡』八、一や九、一、『フィラデルフィアのキリスト者宛書簡』八、二)。一世紀の段階では、ユダヤ教とキリスト教は未分化な状態にあり、一世紀末から二世紀初頭にかけて、イエスの教えを信じる者たちは、朧気(おぼろげ)ながらようやくキリスト教徒というアイデンティティを持ち始め、ユダヤ教とたもとを分かち始めたと考えられよう。キリスト教徒が二世紀を通じてユダヤ教徒との思想的分離を深めていったことは、二世紀のキリスト教著作家たちの作品、とりわけユスティノスの『第一弁明』や『トリュフォンとの対話』、メリトンの『過越について』などからわかる。

ローマ人とキリスト教の出会い

このように考えると、従来信じられてきた、ローマ人がキリスト教徒を認識し始めた時期についても、見直しが必要となる。例えば、紀元後六四年、ローマ市を襲った大火に際して、ネロ帝は自らにかけられた放火の疑いをそらすため、民衆から嫌われていたキリスト教徒をスケープゴートとしたと言われてきた。

しかし近年ブレント・ショウは、この事件の詳細を記すタキトゥス『年代記』第一五章第四四節の記述は、二世紀初頭のローマ知識人がキリスト教徒についてようやく手にしえた情報によって構成された文章であるとして、ネロ帝当時、「キリスト教徒」として認識され迫害された集団がいたという想定自体を否定した。

実はタキトゥスの同記事を伝える第二メディチ写本（一一世紀作成）では、「Chr***i***stianos」（クリストゥス信奉者）と記された語は元々、「Chr***e***stianos」（クレストゥス信奉者）と書かれたものから修正された痕跡があることは古くから知られている。厄介なことに、タキトゥスと同じ二世紀のスエトニウス『クラウディウス伝』第二五章には、「ユダヤ人は、クレストゥスの煽動により年がら年中、騒動を起こしていたので、ローマから追放される」とある（スエトニウス『ローマ皇帝伝』下巻、国原吉之助訳、岩波文庫、一一〇頁。四一年ないし四九年の出来事）。キリスト教徒という呼称と自他の認識について考えれば、次の皇帝ネロの時代、首都で刑を受けた人々は、暴動首謀者クレストゥスに傾倒した、暴動ユダヤ人であった可能性、あるいは少なくとも、キリスト教徒ではなくユダヤ教徒の一部と認識されていた可能性もあながち否定できなくなる。加えて、この六四年のキリスト教徒迫害で使徒ペトロ、使徒パウロが首都で殉教したとする伝承は、三世紀以降に形成されたものであることも、デイヴィッド・イーストマンが指摘している。

一世紀のローマ帝国の当局者が、キリスト教徒という独立した集団を認識していたとは思えないことを裏付ける事例は他にもある。四世紀のキリスト教史家エウセビオスがその著作『教会史』第三巻第一七—二〇章で二世紀のヘゲシッポス著『記憶』にもとづいて伝えるところによると、パレスティナ地方にいたイエスの親族がドミティアヌス帝(在位八一―九六年)によって検分されたことがある。しかしそれは、ドミティアヌスは父ウェスパシアヌス帝にならい、ダビデ王の一族に連なる者を警戒していたからであるという。イエスが古代イスラエルの王ダビデの子孫であるとする伝承は『マタイ福音書』、『ルカ福音書』で系図まで示してキリスト教徒たちが主張したものであるが、ここでもやはり注目すべきは、ドミティアヌスが警戒したのは、ユダヤ人による反ローマの旗印になりかねないダビデ王の系譜に連なる者たちであって、キリスト教徒という集団を意識していたわけではない点である。

結局のところ、ローマ人、特に帝国政府の要職にあるレベルの高官がキリスト教徒という存在を認識するのは、小プリニウスが属州ビテュニア・エト・ポントゥスに総督として赴任し、彼のもとに訴えられたキリスト教徒を審問したことを記した、「トラヤヌス帝宛請訓書簡」(プリニウス『書簡集』一〇、九六。紀元後一一二年秋ごろ)で確認できるのが最初例ということになる。小プリニウスはこの書簡の冒頭で皇帝に対し「私はキリスト教徒に関する訴訟審理に一度も参与したことはありません。ですから、従来の訴訟審理では何がどの程度まで審問および処罰の対象となっていたのか分からずの状態にあるのです」と打ち明けている(保坂 二〇〇三:三六四頁)。小プリニウスは八〇年に一八歳で最初の官職について百人法廷の小法廷を担当し、のちに弁護人として首都で名をあげ、ローマ市長官の法律顧問や皇帝顧問もつとめた人物である。彼のような経歴の人物が、属州ビテュニア・エト・ポントゥスに赴任するまでキリスト教徒関連の訴訟審理について知識を得たことが一度もないということは、キリスト教徒がローマのエリートから認識される機会がどれほど少なかったかを物語っている。また、小プリニウスは皇帝宛請訓書簡のなかで、自分が審問したキリスト教徒たちに「flagitia」(悪行)が存在するかに関心を寄せているが、この用語は先述の、六四年のネロ帝治世下でのローマ大火を記したタキトゥス『年代記』でも採用されている。小プリニウス、タキトゥス、そしてスエトニウスに個人的な交流があったことはよく知られており、先に取り上げたタキトゥスが『年代記』に入れ込んだキリスト教徒情報は、小プリニウス由来で伝わった二世紀段階のものである可能性が高い。二世紀の初頭、ローマ人は、この新しい信仰にようやく出会いつつあったのである。

二、ローマ人はどんなときにキリスト教徒を意識したのか

迫害史観の否定

二世紀初頭、「キリスト教徒」としての自己認識を持ち、またようやく集団としてローマ人の視界に入ってきたと思わしきイエスの信奉者たちは、ローマ人たちにとっていかなる存在だったのだろうか。かつて初期キリスト教史は、ウィリアム・フレンドの研究に代表されるように、迫害史として記述された。一九六〇年代のジョフリー・ドゥ＝サント＝クロワやエイドリアン・シャーウィン＝ホワイトをはじめ、研究者たちはローマ帝国政府やローマ人がなぜキリスト教徒を迫害したのかという原因論や法的根拠をめぐって議論していたが、近年ではそもそも、三世紀の半ばに至るまで、迫害は散発的だったことがわかってきている。

こうした研究動向と並行して、キリスト教徒への迫害の歴史を物語るとされていた、いわゆる教父たちの護教文学や殉教者文学についても、より批判的な分析がなされるようになっている。たとえば、最初期の殉教者行伝として名高い『ポリュカルポス殉教伝』を挙げよう。一五〇年代にスミュルナ(現トルコのイズミル)の司教が殉教した様子を伝えるこの殉教伝を見てみると、第一九節では、ポリュカルポスが、スミュルナ東方の町フィラデルフィア出身の者も含め、スミュルナで生じた第一二番目の殉教者であったと記されている。凄絶な殉教伝の描写とは裏腹に、「迫害」の規模が意外に小規模であったことがわかる。そもそも、古代末期から中世にかけて、キリスト教殉教者への崇敬が強まるあまり、殉教者行伝文書は数千の写本を数えるほどに膨れ上がっていた。一七世紀以降、真に古代の殉教事件

を扱うものを精査しようとしたActa Sanctorum(『聖人伝』)編纂活動に始まる研究成果の蓄積によって、ローマ期に実際におきたと信頼できる殉教者行伝のテクストはかなり絞られている。

殉教希求者としてのイメージ

しかしながら、迫害自体が散発的で小規模であったとしても、二世紀中ごろ以降、キリスト教徒たちは常日頃から、周囲との軋轢が生じる可能性を感じながら生きていた。またその軋轢は周辺住民がローマ法廷にキリスト教徒を訴え出る形をとることが多く、その際ローマ法廷当局は、自分たちにとっては新奇なこの外来宗教よりも、伝統的に帝国民が奉じてきた神々への忠誠を要請したようである。二世紀中ごろから、「martus」(殉教者)という称号が法廷においてキリスト教信仰を放棄しなかった教徒に贈られ、称賛の対象となったことが、同時期におけるキリスト教諸史料における、この用語の急速な広がりから読み取れる。教徒が当局によって投獄された際は、地域を超えた教会ネットワークによって支援が行われた。二世紀の後半に活躍した作家ルキアノスは、属州シリア総督に投獄されたキリスト教徒をどのように教徒仲間が支援したか、克明に記している。

> キリスト教徒たちは、彼〔ペレグリノス〕が捕らえられたとき、この事柄を禍いであるとして、彼を救い出すためにあらゆる努力を惜しまなかった。そして、これができなかったので、ありとあらゆる他の世話を、単なるおざなりでなしに、熱心にやった。そして夜が明けるとともに年老いた寡婦や孤児が待ち受けているのが見られたし、キリスト教徒の役員たちは牢番を買収して彼とともに牢内に寝ることさえした〔中略〕。更にアジアの町々からさえ人々がやって来た。キリスト教徒たちがこの男を援け弁護し励ますために共同の費用で派遣したのだ。こういう公共の事柄が生じた場合には不思議に急速に行われるのだ。
>
> (ルキアノス『ペレグリーノスの昇天』一二―一三、高津春繁訳)

ただし、こうしたキリスト教徒の捕縛・投獄は、キリスト教徒自身による当局への自発的出頭に起因するものも少なくない。他教徒をも危険に巻き込む「voluntary martyrs」(自発的殉教者)の存在は古代教会にとって大問題であった。『ポリュカルポス殉教伝』の著者は、自分から殉教を志願して出頭するも野獣刑を前に意志を撤回し、総督の求める神々への犠牲を捧げた男の例を提示して、自発的殉教行為は「福音にも教えられていない」と念を押して禁止している(四)。

ローマ帝国当局側には、少なくとも二世紀には、基本的にキリスト教徒に対して積極的な捜索を伴う迫害などする意志はなかった。先述のペレグリノスも「彼の乱心」「これによって名誉を後世に残さんがために死を歓迎するだろうこと」を見て取ったシリア総督によって釈放されている(一四)。二世紀末、コンモドゥス帝治世下で属州アシア総督であったアリウス・アントニヌスは、キリスト教徒の一団が彼の前に出頭したとき、数名だけを処刑し、残りの者には「哀れな者どもよ。死にたいと言うなら、汝らには〔身を投げる〕崖も首を吊る縄もあるぞ」とすげない対応をしている(テルトゥリアヌス『スカプラへ』五、一)。キリスト教護教家であるテルトゥリアヌスは、キリスト教徒の処刑を避ける他の総督たちについても証言しており(四、三)、この総督たちについてはアントニー・バーリーが詳細にその存在を実証している。哲人皇帝マルクス・アウレリウスは『自省録』のなかで「進んで死ぬ覚悟ができている魂」を賛美する際、それは「キリスト教徒たちのように単なる反抗(あるいは強情さ)からではなくて、よく考慮された、品位のある仕方で、そして他人をも納得させるふうに、芝居がかったふうにではなく」と但し書きをする(一一、三、水地宗明訳)。キリスト教徒はこのように、殉教死を希求する、奇矯な集団として二世紀のローマ人に認識されていた。少なくとも私たちに残される史料では、キリスト教徒たちはローマ人からは理解しがたい「他者」と映っていたことが強調される傾向がある。こうした不信感から、民衆のキリスト教徒に対する攻撃が生じたのであろう。たとえばルキアノスは、二世紀に新興宗教を興して成功した人物が、キリスト教徒を社会と相容れない無神論者として排撃するよう、信者たちを煽動するようすを伝えている（『偽預言者アレクサンドロス』二五、三八）。しかし、時には周囲との軋轢が生じることはあっても、通常時のキリスト教徒たちは、同じローマ帝国の住民の一人として、帝国の日常生活に溶け込んでいた。そうした姿は、三世紀の史料により現れてくる。次節では、ローマ人たちと変わらぬ人間として帝国に生きたキリスト教徒たちの姿を探していこう。

三、意識されない隣人、意識される他者としてのキリスト教徒

皇帝家周辺に進出するキリスト教徒

三世紀の初頭、ローマ市のキリスト教会では派閥抗争があったらしく、ヒッポリュトスはライバル司教カリストゥスについて、ゴシップ的なことを書き連ねている。いわく、カリストゥスはカルポフォルスという人物の奴隷でいたとき、主人の金を使い込み、またキリスト教徒仲間から預かった金も失くしてしまった。進退窮まったカリストゥスは自らの命を絶たれることを期待して、ユダヤ教徒の安息日に、シナゴーグで騒ぎを起こした。怒ったユダヤ教徒によってローマ市長官のもとへ引き出され、騒擾の次第を訴えられたカリストゥスはサルディニア島へと追放になる。島には当時、他の理由で追放されたキリスト教徒たちもいた。たまたまこの時、コンモドゥス帝の愛人マルキアはキリスト教信仰に帰依していて、皇帝にこの島のキリスト教徒たちを釈放するよう求めた。カリストゥスはこのチャンスに、本来は赦免対象には挙がっていなかったのに、島から帰還できたという（『全異端論駁』九、一二、一―一三）。

もちろん対立派閥の人物を攻撃するこの史料を全て鵜呑みにはできないものの、カリストゥスにまつわる逸話からは、キリスト教徒が公然と商売を営み、騒擾を起こしたとしても追放刑を受けるにとどまり、さらには愛人の嘆願によって皇帝がキリスト教徒を赦免し得ると考えられていたことがわかる。またカリストゥスの主人カルポフォルスに

ついても、「キリスト教徒で、皇帝の家系に連なるものだった」(九、一二、一、大貫隆訳)とされている。ちょうどこのころ、二世紀末から三世紀の初頭、皇帝家や宮廷近くで、次第にキリスト教徒たちの姿が見え隠れしてくる。考古学的な史料にも、その姿の痕跡が残る。一八三〇年にローマ市郊外で発見された石棺の被埋葬者プロセネスという人物は、コンモドゥス帝治世下で奴隷身分から解放され、コンモドゥス死後も数名の皇帝に仕えながら最終的には侍従長まで昇り詰めた。彼はカラカラ帝治世下(二一七年)にその生を終えたようだが、その石棺は刻まれた「プロセネスは神(単数形)に受け入れられた」という碑文から、最古のキリスト教徒石棺とされている。

二一二年の後半にカルタゴの地で執筆された、前掲のテルトゥリアヌス『スカプラへ』でも、皇帝家と親しいキリスト教徒の存在が強調されている。

アントニヌス帝(=カラカラ帝)の父セウェルス帝も、キリスト教徒に恩義を感じていました。というのも、トルパキオンと渾名されるプロクルスというキリスト教徒がいて、この人はエウホドゥスの執事でしたが、ある時セウェルス帝に油を塗って病気を癒したのです。そこでセウェルス帝は、彼を探し出して、帝が亡くなるまで、自身の宮殿に住まわせました。アントニヌス帝もキリスト教徒の乳母の乳で育てられ、この人物を良く知っていました。(四、五)

セウェルス家周辺におけるキリスト教徒の存在は、非キリスト教徒側が残したと思われる痕跡からもうかがわれる。ローマ市、パラティーノ丘に残る、おそらくは宮廷に仕える奴隷・解放奴隷の宿舎跡の壁には、頭がロバで磔にされた人物、それを拝む人物、そして「アレクサメノスは神(単数形)を拝む」と書きつけられた落書きが残る。ローマ帝国ではユダヤ人の神はロバの姿をしているという誤った噂が広まり、それがキリスト教への誤解にも尾を引いていたことは、ヨセフス『アピオーンへの反論』第七章第八〇節、タキトゥス『同時代史』第五巻第三―四章、テルトゥリアヌス『護教論』第一六巻第一―三章、第一二章などから知られている(豊田 二〇〇八:二九五―二九八頁)。宮廷内には、次第に浸透してくるキリスト教徒とその信仰に対して、快く思わぬ(かと言ってそれを公然と攻撃はできぬ)者がいたようである。

マイノリティな隣人として生きるキリスト教徒

先述のテルトゥリアヌスは、宮廷のみならず、帝国社会のどこにでも、自分たちキリスト教徒が存在することを力説する。総督スカプラに対して、彼はカルタゴのあらゆる住民の縁者や仲間にキリスト教徒がいること、それは元老院議員階級や都市の貴顕、総督自身の友人縁者も同様であることを主張する(『スカプラへ』五、二)。

テルトゥリアヌスの主張する、キリスト教徒の遍在をどこまで信じるかに関連して、キリスト教徒のマイノリティ性にもここで言及しておきたい。ローマ時代のキリスト教徒の人口推移について、具体的で信頼のおける史料証言はかなり限られている。社会学の方法論で初期キリスト教の伝播にアプローチしたロドニー・スタークは、紀元後四〇年に一〇〇〇人、公認直前の三〇〇年初には帝国人口の一割となる六〇〇〇万人がいたと仮定し、一〇年で四〇%増加と見積もると、三世紀半ばにその増加のグラフが上昇の角度を増す、と論じた(Stark 1996: 3-27)。あくまでも推論にすぎないが、彼の行論は、史料上確認される教徒の存在や周辺住民との衝突への言及が二五〇年代前後に増す度合いと、一致しているようにも感じられる。しかし、ローマ帝国でマイノリティとして生きることを考察する際により重要なのは、絶対的な教徒人口よりも、社会における認知のされ方であろう。二世紀以降にローマ人に認知されだしたキリスト教徒は、後述するように、他の社会集団から容易に識別される存在ではなかった。そのためもあってか、普段から親しく接する機会のある隣人以外からは、すでに見たように、殉教死を希求する頑迷な者たち、ロバを拝む迷信者たちとして認知されていた。社会的少数者であることは、自分たちの存在について理解される機会が限られることを意味する。史料からは、マイノリティである隣人としてのキリスト教徒に、ローマ人がどのように接したかが浮かび上がる。

テルトゥリアヌスのテクストからは、彼が所属しているキリスト教徒共同体が集会場所をもっており、その場所は外部の者にも周知であったことが窺われる。当該期のキリスト教徒の集会所は、他の宗教組織の建物と区別できるような外見上の特徴はなかったのだろう(White 1996: vol. 1, 143-144)。彼は「毎日われわれは敵に包囲されており、毎日のように裏切られている。中でも、われわれの会食や集会は、よく捜索の対象となっている」と述べる(『護教論』七、四。以下、『護教論』は基本的に鈴木一郎訳、一部訳語を改めた)。しかしながら他方で彼は、日中に集会を行うことができないならば、夜に集まれば良い、あるいは少人数で集まることで、キリスト教徒への攻撃を避けることができるとも述べている(『迫害下の逃亡について』一四、二)。カルタゴの町に、キリスト教徒を絶滅させようと探し回る動きがあったかのような印象を与える、テルトゥリアヌスの物々しい言葉遣いだけを鵜呑みにすることは避けた方がよさそうである。キリスト教徒はいやがらせを受ける可能性もあったが、公然と集会場所を持てる立場でもあったようだ。テルトゥリアヌスは、自分たちを非難する人々の口ぶりを借りて、キリスト教徒が個々の隣人としてどのような扱いを受けたのかを示唆してくれてもいる。「「ガイウス・セイウスはいい奴だ。だが彼はキリスト教徒だ。」また、別の男は「利口な男だと思っていたルキウス・ティティウスが最近キリスト教徒になったというのであきれている」などという」(『護教論』三、一)。確かに三世紀にキリスト教徒は、ローマ帝国の住民たちにとって、しだいに既知の隣人になりつつあった。ただし、しばしば誤解される、気に食わない他者性をもった隣人である。

キリスト教徒であることを隠して生きる者も、存在したのだろう。テルトゥリアヌスは『妻へ』と題する著作の各所で、キリスト教徒女性が、信仰を同じくしない男性と結婚することの難しさを数え立てる。信徒としての集会や牢獄の仲間への差し入れ、信仰仲間と挨拶する際の接吻を許す夫はいないと述べ、次のように警告する。「あなたが寝台や自分の身体に十字を切ったり〔中略〕祈るために夜も起き出したりしても、気付かれないと思うのか。そして、何か魔術的なことを行っているように思われないだろうか」(二、四―五、木寺廉太訳)。テルトゥリアヌスの言葉を信じるならば、キリスト教信仰を持つ妻たちは夫にとって最大の「内なる他者」であったかもしれないが、それが家族と異なる信仰を持ったキリスト教徒女性の一般的姿と断ずることは性急である。家族という信頼関係から新たなキリスト信仰者が獲得されたこと、しばしば信仰が妻から夫へ伝播したことは、古くから論じられてきた。三世紀の著作家ケルソスは、キリスト教徒は女性や子供を騙して信仰に引きずり込むのだと誹謗している(オリゲネス『ケルソス駁論』三、四四、五五)。ピーター・ブラウンはむしろ肯定的に、キリスト教徒女性が家族にとって信仰の「入口」となったと解釈している(Brown 1988: 154)。またスタークは、初期教会組織内における(周辺社会と比較した上での)女性の地位の高さ、またギリシア・ローマの女児間引き慣習をキリスト教徒たちが忌避したことが、キリスト教の興隆に貢献したと論じている(Stark 1996: 95-128)。

エリック・ルビヤールは、キリスト教徒たちがローマ帝国の住民たちにとって、普段はいかにも目立たない隣人であったことを確認している(Rebillard 2012: 9-33)。一連の外見的指標、すなわち、容貌、衣服、口語、名前、そして職業の上で、キリスト教徒に固有とされるようなものはなかった。ようやく三世紀の半ばには、アレクサンドリア司教ディオニュシオスが、キリスト教徒がしばしばペトロやパウロにちなんだ命名をすると記してはいるが(エウセビオス『教会史』七、二五、一四)、個人の名前と宗教上の志向が必ずしも一致していないことは言うまでもない。そもそもディオニュシオスという彼の名自体、ギリシア神話の酒神ディオニュソスに関連している。

三世紀の前半、アレクサンドリアのキリスト教教理学校で教師として活躍したオリゲネスもまた、ローマ社会におけるキリスト教徒の在り方の実際を伝える人物である。一八歳から教理学校の長を務めていたというこの俊英は、ギリシア文学・哲学の文献研究の教師として身を立てていたという。つまり彼は、一方ではキリスト教徒に対する教理の教師をつとめ、他方では自身と信仰を異にする者に対して、ギリシア文学や哲学を教えることができていたわけである。彼自身もキリスト教徒を敵視する者たちから付け狙われ、居所は市内を転々とした時期があったようだが、オリゲネスは「迫害」のなかであっても、アレクサンドリアで活動を続けることができた(エウセビオス『教会史』六、二一三)。

「迫害」と相対したキリスト教徒のアイデンティティ

キリスト教徒を襲う「迫害」とはいかなるものであったのか。ローマ帝国の隣人として生きていたキリスト教徒が、他者として突如攻撃の対象となる状況を検証するのに格好の事例が、三世紀半ばのデキウス帝による布告である。二四九年にローマ皇帝となったデキウスは、帝国市民に対し、帝国の安寧のため神々に供儀を捧げることを要求する布告を発した。布告に従い各地で供犠執行委員会が組織され、市民が委員の前で供犠を行ったことを証明する供犠執行証明書が発行された。この布告は研究史上、「上からの」迫害が開始された画期とみなされ注目を集めてきた。しかし保坂高殿は、デキウス帝が布告を発する前に、帝国各地で民衆によるキリスト教徒迫害が発生していたことに注目し、デキウス布告は民衆迫害へ介入し、供儀執行証明書を発行することで、証明書保持者が民衆からさらなる迫害を受けることを防ぐ目的があったとする(保坂 二〇〇八：一四四―一八六頁)。災害や戦争、あるいは何らかの理由で社会に攻撃対象が求められたとき、住民の内なる他者としてのキリスト教徒が敵視されるのである。テルトゥリアヌスの「ひとたびティベル川があふれて、町の市壁に達したり、ナイル川が畠をうるおさず、天候がちっとも変わらずにいたり、地震が起きたり、飢饉やペストが流行ったりすると、すぐさま「キリスト教のやつらを獅子に喰わせろ」と叫ぶのである」(『護教論』四〇、一)という言葉は、この文脈で解釈されよう。供犠執行証明書はキリスト教徒を探し出すことを目的としたものではなく、深刻化していた市民間の暴力を停止させ、隣人関係を回復する機能を期待されていた。ダグラス・ボワンがその著作で示して見せたように、キリスト教徒と周囲の住民たちは、常日頃はローマ帝国の住民としての生活を共有していたのである。

この供犠執行命令布告に対して示された反応を通じて、キリスト教徒たちの信仰心とローマ帝国民としてのアイデンティティの関係をも確認できる。カルタゴ司教キプリアヌスは、多くの教徒がすすんで公共広場に駆け付け、待ちのぞんでいたかのように供犠を行ったと証言する(『背教者について』八)。供犠を行った教徒が大多数であったことについては研究者の見解が一致している。供犠執行者たちは、司教から見れば偶像崇拝をした背教者だったが、帝国に忠誠心を示し、帝国の安寧を祈念する機会に、帝国市民としてのアイデンティティを、教会規則の順守よりも強く意識したのである。

帝国市民として生きていたキリスト教徒たちは、教義上の論争の際にも、市民としての振る舞いを発揮していた。シリアのアンティオキアで司教となったサモサタのパウロスは、数度の教会会議の結果、二六八年に異端とされ罷免された。しかし彼が司教館を退去しなかったため、教会はアウレリアヌス帝に訴え出て立ち退きを実現してもらったという(エウセビオス『教会史』七、二七―三〇)。皇帝政府はキリスト教徒たちを全体として排撃などせず、教徒間の争議を市民間の問題として対処すべく介入し、また教徒たちもそれを求めていたという事実を確認しておきたい。

おわりに

ローマ帝国住民の「内なる他者」、また隣人として生きたキリスト教徒の実態を検証してきた本稿は、キリスト教史上の画期とされてきた最後の迫害や、「国教化」後の状況を概観することで結論に代えることとしよう。

四世紀初頭の四分治制時代、全帝国規模でキリスト教会に対する教会堂破壊、聖書没収などの措置が命じられた。いわゆる「大迫害」である。ローマ史上最後の、帝国政府からのこのキリスト教弾圧は、松本宣郎によれば、教会を外と内から崩壊させようと意図する宗教思想上の統制であった。こうした古代教会以来の見方に対して、「大迫害」に先行して、キリスト教徒兵士が帝国軍隊内の儀式に参加せずに処刑される事例が相次いだことに注目した保坂は、軍紀粛清を契機に、帝国にとって無視できない規模となっていた教会への弾圧が起こったと推測する(保坂 二〇〇八：四二四―四四〇頁)。いずれにせよ三一一年ガレリウス帝が寛容令を発することでこの迫害は停止された。またキリスト教会を支援するコンスタンティヌス一世帝が三二四年に単独帝として帝国を掌握することによって、キリスト教は全帝国で公然と活動することの可能な宗教集団に戻った。

ルーシー・グリーグが指摘するように、教会指導者たちはもはや迫害が遠い過去となった四世紀にこそ、コンスタンティヌス一世帝以前に生じた「殉教」にまつわる文書を量産し、迫害を耐え抜いた、殉教者の後継者としての教会というアイデンティティを確たるものとしていった。かつてローマ人たちがキリスト教徒たちに貼り付けた「他者」のレッテルを、教会指導者たちは自ら再生産し、強調したのである。その結果、もはや迫害のない時代に「信仰の戦い」を実践し、みずから殉教をも希求して他宗教への暴力行為に走る一部のキリスト教徒までも現れ、指導者たちは過激化する信徒を抑制せねばならぬ事態となった。四世紀のエルビラ教会会議は、他宗教の神殿や神像への破壊行為が原因で処刑された場合、その教徒は殉教者とは扱われないと決議している。

また四世紀には、ユダヤ・キリスト教徒以外の信仰をひとくくりに指す「paganus」(異教)という語が現れることが、ピエール・チューヴァンによって指摘されている。多くの信仰と礼拝をひとまとめに理解するこの思考法は、プルタルコスなどのギリシア・ローマの知識人に遡ると論じる研究者もいる(van Nuffelen 2011: 99-105)が、四世紀の教会指導者たちは、「キリスト教徒ではない」ことに対して貼り付ける、他者へのレッテルをも手に入れたと言える。ただし、帝国の礼拝全てがキリスト教指導者たちの望む色分けで塗りつぶされたわけではない。皇帝家の支援を受けたキリスト教会には、他の神々への礼拝慣行を捨てぬまま秘跡にあずかろうとする新参教徒がおしかけ、指導者たちはその教導に追われることとなる。テオドシウス朝の皇帝たちがアタナシウス派キリスト教のみを正統なる信仰と定めようとした時代においても、知識人たちの間では、キリスト教徒も非キリスト教徒も、ローマ人として必須とされた、古典文学の知識と文化的観念を共有していたことをアラン・キャメロンが論じている。そしてアウグスティヌスのような司教は、「異教徒」となんら変わらぬ振る舞いをする信徒たちに、キリスト教徒に相応(ふさわ)しい生活を送らせることに、相変わらず手を焼いていた(Rubillard 2012: 61-91)。新たな時代のキリスト教徒たちも、以前の教徒たちと同じく、信仰以外の多様なアイデンティティを保持して、隣人たちとともに生活していた。ただし今度はキリスト教徒が、他者というレッテルを、自在に貼り付ける側に立ったのである。

参考文献

荒井献・佐藤研訳(一九九五)『新約聖書Ⅱ ルカ文書』岩波書店。

小高毅(一九九一)「アンティオケイア教会会議(二六四―八)とサモサタのパウロスの異端」『カトリック研究』六〇号。

テルトゥリアヌス(一九八七)『護教論』〈キリスト教教父著作集〉14、鈴木一郎訳、教文館。

テルトゥリアヌス(二〇〇二)『テルトゥリアヌス 4』〈キリスト教教父著作集〉16、木寺廉太訳、教文館。

土岐正策・土岐健治訳(一九九〇)『殉教者行伝』〈キリスト教教父著作集〉22、教文館。

豊田浩志(二〇〇五)「紀元後3世紀初頭のM. Aurelius Prosenesの石棺を見、銘文をよむ」佐藤眞典先生御退職記念論集準備会編『歴史家のパレット――佐藤眞典先生御退職記念論集』渓水社。

豊田浩志(二〇〇八)「ローマ時代の落書きが語る人間模様――いじめ、パワハラ、それともセクハラ?」上智大学文学部史学科編『歴史家の散歩道』ぎょうせい。

ヒッポリュトス(二〇一八)『全異端論駁』〈キリスト教教父著作集〉19、大貫隆訳、教文館。

保坂高殿(二〇〇三)『ローマ帝政初期のユダヤ・キリスト教迫害』教文館。

保坂高殿(二〇〇五a)『ローマ史のなかのクリスマス』〈異教世界とキリスト教〉1、教文館。

保坂高殿（二〇〇五b）『多文化空間のなかの古代教会』〈異教世界とキリスト教〉2、教文館。

保坂高殿（二〇〇八）『ローマ帝政中期の国家と教会──キリスト教迫害史研究一九三─三一一年』教文館。

松本宣郎（一九九一）『キリスト教徒大迫害の研究』南窓社。

マルクス・アウレリウス（一九九八）『自省録』〈西洋古典叢書〉、水地宗明訳、京都大学学術出版会。

ルキアノス（一九四七）『ペレグリーノスの昇天』高津春繁訳、東京堂。

Bagnall, Roger S. (1982), "Religious Conversion and Onomastic Change in Early Byzantine Egypt", *Bulletin of the American Society of Papyrologists* 19.

Bagnall, Roger S. (1987), "Conversion and Onomastics: A Reply", *Zeitschrift für Papyrologie und Epigraphik*, 69.

Birley, Anthony R. (1992), "Persecutors and Martyrs in Tertullian's Africa", *Institute of Archaeology Bulletin*, 29.

Boin, Douglas (2015), *Coming Out Christian in the Roman World: How the Followers of Jesus Made a Place in Caesar's Empire*, New York, Bloomsbury Press.

Bowersock, Glen (1990), *Hellenism in Late Antiquity* (Thomas Spencer Jerome Lectures 18), Ann Arbor, University of Michigan Press.

Brown, Peter (1988), *The Body and Society: Men, Women, and Sexual Renunciation in Early Christianity*, New York, Columbia University Press.

Cameron, Alan (2010), *The Last Pagans of Rome*, Oxford, Oxford University Press.

Chaot, Malcolm (2006), *Belief and Cult in Fourth-Century Papyri* (Studia Antiqua Australiensia 1), Turnhout, Brepolis.

Chuvin, Pierre (2002), "Sur l'origine de l'équation paganus = païen", *Impies et paï ens entre Antiquité et Moyen Âge*, Mary Lionel and Michel Sot (eds.), Paris, Picard.

de Ste Croix, Geoffrey E. M. (1954), "Aspects of the 'Great' Persecution", *Harvard Theological Review*, 47-2, April.

de Ste Croix, Geoffrey E. M. (1963), "Why were the Early Christians Persecuted?", *Past & Present*, 26.

Eastman, David L. (2015), *The Ancient Martyrdom Accounts of Peter and Paul*, Atlanta, SBL Press.

Frend, William H. C. (1965), *Martyrdom and Persecution in the Early Church*, Oxford, Blackwell.

Gaddis, Michael (2005), *There Is No Crime for Those Who Have Christ: Religious Violence in The Christian Roman Empire*, Berkeley/Los Angeles/London, University of California Press.

Grig, Lucy (2004), *Making Martyrs in Late Antiquity*, London: Duckworth.

Lane Fox, Robin (1987), *Pagans and Christians*, New York: Knopf.

Mitchell, Jolyon (2012), *Martyrdom: A Very Short Introduction*, Oxford, Oxford University Press.

Moreau, Jacques (1953), "*Domitien* : A propos de la persécution de Domitien", *La Nouvelle Clio*, 5.

Moss, Candida R. (2010), "On the Dating of Polycarp: Rethinking the Place of the Martyrdom of Polycarp in the History of Christianity", *Early Christianity*, 1.

Moss, Candida, R. (2012), "The Discourse of Voluntary Martyrdom: Ancient and Modern", *Church History*, 81: 3, September.

Parker, Robert (2017), *Greek Gods Abroad: Names, Natures, and Transformations*, Berkeley/Los Angeles/London, University of California Press.

Rebillard, Éric (2012), *Christians and Their Many Identities in Late Antiquity, North Africa, 200-450 CE*, Ithaca/London, Cornell University Press.

Sherwin-White, Adrian N. (1964), "Why were the Early Christians Persecuted? An Amendment", *Past & Present*, 27.

Shaw, Brent D. (2015), "The Myth of the Neronian Persecution", *The Journal of Roman Studies*, 105.

Stark, Rodney (1996), *The Rise of Christianity: A Sociologist Reconsiders History*, Princeton, Princeton University Press.(穐田信子訳『キリスト教とローマ帝国——小さなメシア運動が帝国に広がった理由』新教出版社, 二〇一四年)

van Nuffelen, Peter (2011), "Eusebius of Caesarea and the Concept of Paganism", *The Archaeology of Late Antique "Paganism"*, Luke Lavan and Michael Mulryan (eds.), Leiden/Boston, Brill.

White, Lloyd M. (1996), *The Social Origins of Christian Architecture*, 2 vols. (Harvard Theological Studies 42-43), Valley Forge, PA, Trinity Press international.

焦点 Focus

三世紀の危機とシルクロード交易の盛衰

井上文則

一、三世紀の危機論争

ローマ帝国史において、三世紀は危機の時代とみなされてきた。古く四世紀の歴史家エウトロピウスは、ガリエヌス帝の治世(二五三—二六八年)において「ローマ帝国はほとんど破滅していた」と記しており(九、九、一)、一八世紀のエドワード・ギボンも、その『ローマ帝国衰亡史』において「フィリップス帝の催した大競技会からガリエヌス帝の死まで、二十年間にわたる汚辱と不幸との時代がつづいた。この不祥時代は、時々刻々、そして帝国内のあらゆる地方が侵寇蛮族と軍人僭帝によって傷めつけられ、衰退し切った帝国は最後の致命的崩壊に瀕するかにさえ見えた」と述べた(ギボン 一九七六:二七四頁)。ただし、三世紀に危機という言葉を最初に用いたのはレオン・オモの一九一三年の論文であり、学術的にこの言葉を三世紀に定着させたのは『ローマ帝国社会経済史』で名高いミハイル・ロストフツェフであった(Alföldy 2015)。

一九三九年刊行の定評ある『ケンブリッジ古代史』シリーズの第一二巻は一九三年から三二四年までの期間を扱っているが、この巻には「帝国の危機と克服」との副題が添えられている。一九三年は、セプティミウス・セウェルス帝が即位した年であり、三二四年はコンスタンティヌス大帝がディオクレティアヌス帝退位後の混乱した帝国を再統一した年である。そして、この中間は軍人皇帝時代(二三五―二八四年)であったと具体的に言えば、高等学校で世界史を習った人であるならば、三世紀のローマ帝国が危機的状態にあったと直ちに了解されるであろう。一九七四年にはゲザ・アルフェルディが、三世紀を生きた同時代人も危機の時代を生きているとの認識を有していたと主張した(Alföldy 1974)。

二〇〇五年に刊行された新版の『ケンブリッジ古代史』でも、ほぼ同じ期間を扱う第一二巻の副題は、「帝国の危機」となっている。そしてこの巻に含まれる、軍人皇帝時代の政治史を対象とする論考のタイトルにも「危機」という言葉がやはり用いられているが、しかし、その言葉にはカギカッコが付けられているのである(Drinkwater 2005)。このことは、三世紀が必ずしも危機の時代ではなかったとの認識を含意しており、この段階までに三世紀の研究に大きな転換があったことを示している。

伝統的な三世紀に対する見方に変化を迫るきっかけとなったのは、一九七〇年代にピーター・ブラウンによって提唱された「古代末期」の概念であった(Brown 1973)。それは、およそ二〇〇年頃から八〇〇年頃のイベリア半島からイランまでの世界を独自の価値ある一つの時代として認識しようとするものであったので、この枠組みの中では、何よりも三世紀の危機に始まるローマ帝国の衰退という暗い歴史像が取り払われなければならなかったのである。

しかし、実証的なレベルで三世紀の危機の見直しが行われたのは、九〇年代になってからで、それはカール・シュトローベル(Strobel 1993)とクリスティアン・ヴィッチェル(Witschel 1999)によってなされた。前者は、アルフェルディの見解への反論を行うことで、同時代的な危機意識の存在を否定し、後者の研究内容は以下で紹介するが、現在、三世紀の危機を否定する論者に有力な根拠を与えている。これらの研究に対しては、ジョン・リーベシュッツやアルフェルディのように否定的な立場をとる者も少なからずおり(Liebeschuetz 2007; Alföldy 2015)、アルフェルディなどは危機否定論を「シュトローベル・ヴィッチェル異端」とまで呼ぶほどである。

そこで本稿では、このような論争を踏まえつつ、三世紀の実像を再考し、その上で当時のローマ帝国をユーラシア規模の視点、具体的には東西をつないだシルクロード交易の盛衰とのかかわりで捉えなおしたい。そうして、最終的には、五世紀の西ローマ帝国の滅亡に至るまでのローマ帝国史の見通しを提示する。

二、「三世紀」の実像

ヴィッチェルは、『危機、景気後退、景気停滞?――三世紀におけるローマ帝国西方』において、三世紀における西方各地域、すなわちイタリア、ヒスパニア、北アフリカ、ガリア北部・ゲルマニア・ラエティア、ブリテン島の状況を最新の考古学調査に基づきながら精査し、その結果、各地域の状況は一様でなく、したがって帝国規模での危機の存在は認められないと主張した。現時点での最新の論集『ローマ時代の集落と三世紀の「危機」』においても、考古学の知見に基づきながら、「危機」の影響は、地域差が非常に大きかったことが示されている(Auer and Hinker 2021)。なお、北アフリカにおける「危機」については、これを批判的に検討した大清水裕の一連の論考がある(大清水 二〇一〇、二〇一二a、二〇一二b)。

しかし、三世紀において各地域の状況に大きな違いがあることは、ヴィッチェル以前からもしばしば指摘されてきたことであった。例えばブリテン島は三世紀において外敵の侵入をほとんど受けなかったため、安定しており、むしろウィラの建築や増改築が二七〇―二七五年に行われていたことが知られている。対照的に外敵の侵入で被害を被ったガリアの北東部ではウィラが放棄され、都市は城壁で囲まれるようになった。両地域のウィラの状況の対照的なあり方の背景には、英仏海峡の両側に所領をもっていた有力者がガリアからブリテン島へ逃避した可能性があったことが指摘されている（サルウェイ 二〇〇五：六九―七〇頁）。この点に明らかなように、問題は、地域ごとの状況の違いを強調することで、帝国規模の危機の存在を否定することではなく、各地域の関係性、さらに言えば各地域における危機の現れ方なのであり、ヴィッチェルの危機否定論には疑問を感じざるを得ない。

筆者は、三世紀、とりわけ軍人皇帝時代と呼ばれる一時期において帝国が少なくとも政治的、軍事的に危機に直面していたことは、その社会経済的影響については議論の余地があるとしても、否定できないと考える。

軍人皇帝時代は、その時代呼称が示す通り、軍隊によって擁立された、時に自身も兵卒上がりの皇帝が次々と帝位に昇った時代である。そのわずか半世紀ほどの間に、正統と認められる、すなわち元老院によって地位を承認された皇帝だけで二六名を数えた。加えて、元老院の承認を得ることができず、僭称帝として倒れた者も多くいた。そして、僭称帝はもちろんのこと、正統帝といえども、そのほとんどが天寿を全うすることはできなかったのである。軍人皇帝時代の只中を統治したガリエヌス帝は、父親のウァレリアヌス帝との共同統治期（二五三―二六〇年）を含めて在位は一五年に及んだが、しかしその単独治世期において帝国は三つに分裂していた。ガリアとブリタンニアとヒスパニアは、僭称帝ポストゥムスの支配下に入って、「ガリア帝国」を形成し、シリアを中心とする東方は、隊商都市パルミラの手に事実上落ちていたのであり、ガリエヌスが支配し得たのは、イタリア、アフリカ、バルカン半島、エジプト、小アジアなどの帝国中央部にすぎなかったのである（井上 二〇〇八：二〇―二八頁）。

さらに当時のローマ帝国は、ライン川、ドナウ川、ユーフラテス川の三方面から強力な異民族の攻撃を受けており、これが政治的危機の大きな要因ともなっていた。

ユーフラテス川方面では、二二四年に興ったサーサーン朝がアルシャク（アルサケス）朝パルティアを滅ぼし、旧ハカーマニシュ（アカイメネス）朝の領土の回復を主張して、ローマ帝国に積極的な攻勢に出てきた。とりわけ二代皇帝シャーブフル（シャープール）一世は、二四四年に会戦でゴルディアヌス三世を戦死させ、その後継者フィリップスに多額の賠償金を支払わせた。さらに二五二年からは、シリアに侵入し、アンティオキアを落とし、その軍はカッパドキアにまで進んだ。二六〇年にシャープフル一世は再びローマ帝国との戦端を開き、エデッサの戦いでヴァレリアヌス帝の軍を破り、ついには皇帝自身を捕虜とした。ヴァレリアヌスが捕虜となったことは、西方に共同皇帝として残っていたガリエヌスの権威を著しく損ね、ポストゥムスらの僭称帝を生み出すことになった。ガリエヌスの単独帝治世は、「三十人僭主の時代」と呼ばれるほど、多くの僭称帝が出たが、そのほとんどはヴァレリアヌス帝が捕虜になった直後に現れたのである。

一方、ライン川とドナウ川の方面では、ローマ帝国はゲルマン系諸民族の攻撃に苦しんだ。前者の方面ではフランク人とアラマンニ人の動きが活発化し、主にガリアに大きな被害が及んだが、より深刻であったのは、後者の方面におけるゴート人の動向であった(井上 二〇一三)。

ゴート人が最初にローマ帝国に攻撃を仕掛けたのは、軍人皇帝時代が始まって間もなくの二三八年である。しかしその侵入が激化するのは、フィリップス帝の治世(二四四―二四九年)においてであった。フィリップス帝治世には、二度、ゴート人がドナウ川を越えて、バルカン半島に侵入し、二度目の勢力は三万に及んだとされている。続くデキウス帝の治世には、ゴート人の侵入はいっそう激しくなった。王クニウァに率いられたゴート人は、二五〇年から二五一年にかけて、バルカン半島中北部を荒らし、最後にはデキウス帝を戦死させた。デキウス帝の死後、下モエシア総督であったガルスが皇帝となり、クニウァと和議を結び、ゴート人はドナウ川以北へ一旦撤収したが、その侵入が止むことはなく、今度は、これを食い止めた下モエシア総督アエミリアヌスが軍の支持を得て皇帝となり、イタリアに入り、二五三年にガルスを倒した。このようなフィリップス帝治世末年からアエミリアヌス帝の即位までの出来事は、異民族の侵入が僭称帝を生み出し、正統帝との内乱に至るという軍人皇帝時代によく見られた典型的な悪循環を示している。

二五四年以後、ゴート人は、ドナウ川北方から陸路でバルカン半島に侵入することを止め、代わって黒海北岸を本拠地にして海路、船団を組んでバルカン半島や小アジアを襲うようになる。海路による攻撃は、二五四年以後、五回に及び、二六二年には有名なエフェソスのアルテミス神殿が焼き払われた。最大の侵入は二六九年に起こり、伝えられるところでは三二万の軍勢が六〇〇〇隻の船に乗り込み、バルカン半島東岸を南下し、エーゲ海にまで入った。

軍人皇帝時代には帝国は疫病にも襲われた。この疫病は、その流行を記録したカルタゴの司教の名にちなんで「キプリアヌスの疫病」と呼ばれ、二四九年から断続的に一五年以上にわたり、帝国規模で流行した。正確な病名は同定されていないが、ローマ市ではデキウス帝の息子ホスティリアヌス帝がこの疫病で命を落とし、ガリエヌス帝の治世には、日に五〇〇〇人の死者が出たとされる。疫病による総死者数は、二世紀後半の「アントニヌスの疫病」によるそれを超えたとの推定もある(マクニール 二〇〇七：一九三頁)。

リーベシュッツによれば、三世紀には、以上のような大規模な対外戦争や多数の僭称帝の出現、疫病の流行に加えて、激しいインフレ、さらには公共建造物と公的碑文の建立が帝国全土でほぼ停止するという事態も起こっていた(Liebeschuetz 2007)。このような危機が引き起こされた要因には、当然、ローマ固有の問題もあったに違いないが、実は三世紀において危機の様相を呈したのはローマ帝国だけではなかった。したがって、この疑問に答えるためには、ユーラシア世界全体に目を向ける必要があるだろう。

三、三世紀のユーラシア世界

ユーラシア大陸の東の端、中国では二二〇年に、前後四〇〇年以上にわたって続いた漢帝国が滅んだ。その後、旧漢帝国領は、魏、呉、蜀の三つに分裂した。三国の分裂は魏の後を受けた西晋によって二八〇年に終止符を打たれるが、西晋の統一は短命であり、二九〇年に勃発した八王の乱を経て、華北の地は、異民族の政権が興亡を繰り返す五胡十六国時代に入った。ローマ帝国も、三世紀に一旦、三つに分裂し、その後再統一されたものの、ディオクレティアヌス帝の四分治制以後は、ほぼ恒常的に複数の皇帝によって統治されることが常態となったため、事実上の分裂状態が続き、最後には帝国の西半分がゲルマン系の異民族の占拠するところとなったのであり、三世紀以後、中国では、ローマと軌を同じくする現象が見られたのである。

中国とローマの間には、アルシャク朝とクシャーナ朝があったが、前者が二二四年にサーサーン朝によって滅ぼされたことは、先に言及した通りである。アルシャク朝は、前三世紀半ばに興ったので、漢よりも長い歴史を有した国家であった。サーサーン朝は、アルシャク朝の領域を越えて、東西への領土拡大を目指し、西方でローマ帝国に攻め入っただけでなく、東方では二二五年頃にクシャーナ朝にも壊滅的な打撃を与えた。

このように三世紀には、ユーラシアに長らく並び立っていた巨大国家である漢、アルシャク朝が滅び、クシャーナ朝とローマ帝国が大きく揺ぎ、一方でサーサーン朝という新たな勢力が勃興したわけであるが、この現象の背後にはいったい何があったのだろうか。

三世紀にはローマと中国では、気候変動が起こっていたことが知られている。ローマでは一五〇年頃に、前二〇〇年頃から続いていた温暖湿潤で安定した「ローマ最安定気候」が終わり、不安定な気候を特徴とする時期に入った。この時期は四五〇年頃まで続き、この間、三世紀半ばには寒冷化と乾燥化が顕著になったが、四世紀には温暖化したとされる。なお、四五〇年頃からは「古代末期小氷期」が始まり、この気候が七〇〇年頃まで続くことになる。三世紀は、「ローマ最安定気候」と「古代末期小氷期」の移行期に当たっていたのである(Harper 2017: 14-15)。一方、中国史の分野でも魏晋南北朝時代は、概ね寒冷化と乾燥化の時代として考えられており、ローマと同じく、一五〇年頃から変化が始まったとする説もある(佐川 二〇〇八)。東洋史家の岡本隆司は、ローマと中国で見られた寒冷化と乾燥化が農作物の不足や疫病の流行、あるいは北方の異民族の南下を促し、一方で元来温暖であったオリエントはその影響を受けることが少なかったとして、三世紀に認められたユーラシア規模での政治変動の背景を理解しようとした(岡本 二〇一八：六〇―六五頁)。

一方、クシャーナ朝衰退の要因としてしばしば指摘されてきたのは、ローマ帝国とのいわゆるシルクロード交易の衰退である。同時期には、インド中部で、やはりローマ帝国との交易で利を得てきたサータヴァーハナ朝が滅んでいるので、蔀勇造は両王朝の衰退、滅亡とローマ帝国との交易の不振を関係づけている(蔀 一九九九：一五四頁)。特にクシャーナ朝の交易は、その地理的位置から考えても漢とローマ帝国の中継貿易の性格が強かったことは明らかであるので、気候変動に加えて、シルクロード交易の不振も、クシャーナ朝とローマ帝国だけにとどまらず、中国にまで及び、三世紀にみられたユーラシア規模の危機の原因になったと仮定することも可能であろう。

四、ローマ帝国のシルクロード交易の盛衰

ローマ帝国とクシャーナ朝、さらにこの王朝を介しての中国とのシルクロード交易の結節点となったのは、インドであった。

インドにおけるローマの交易が本格化したのは、初代皇帝アウグストゥスの治世においてであった(1)。地理学者ストラボンは、『地誌』において、プトレマイオス朝の時代には、ほんの少数の船がインドでの交易に携わっていたに過ぎなかったが、アウグストゥスの治世には、エジプトの紅海の港ミュオス・ホルモスからだけで、毎年、インドへ一二〇隻もの船が送り出されていたと伝えている(二、五、一二)。このインドでの交易の本格化の背景にあったのは、アウグストゥスによる「ローマの平和」の確立が帝国の社会、経済の安定と発展を促し、東方の物産への購買力を高

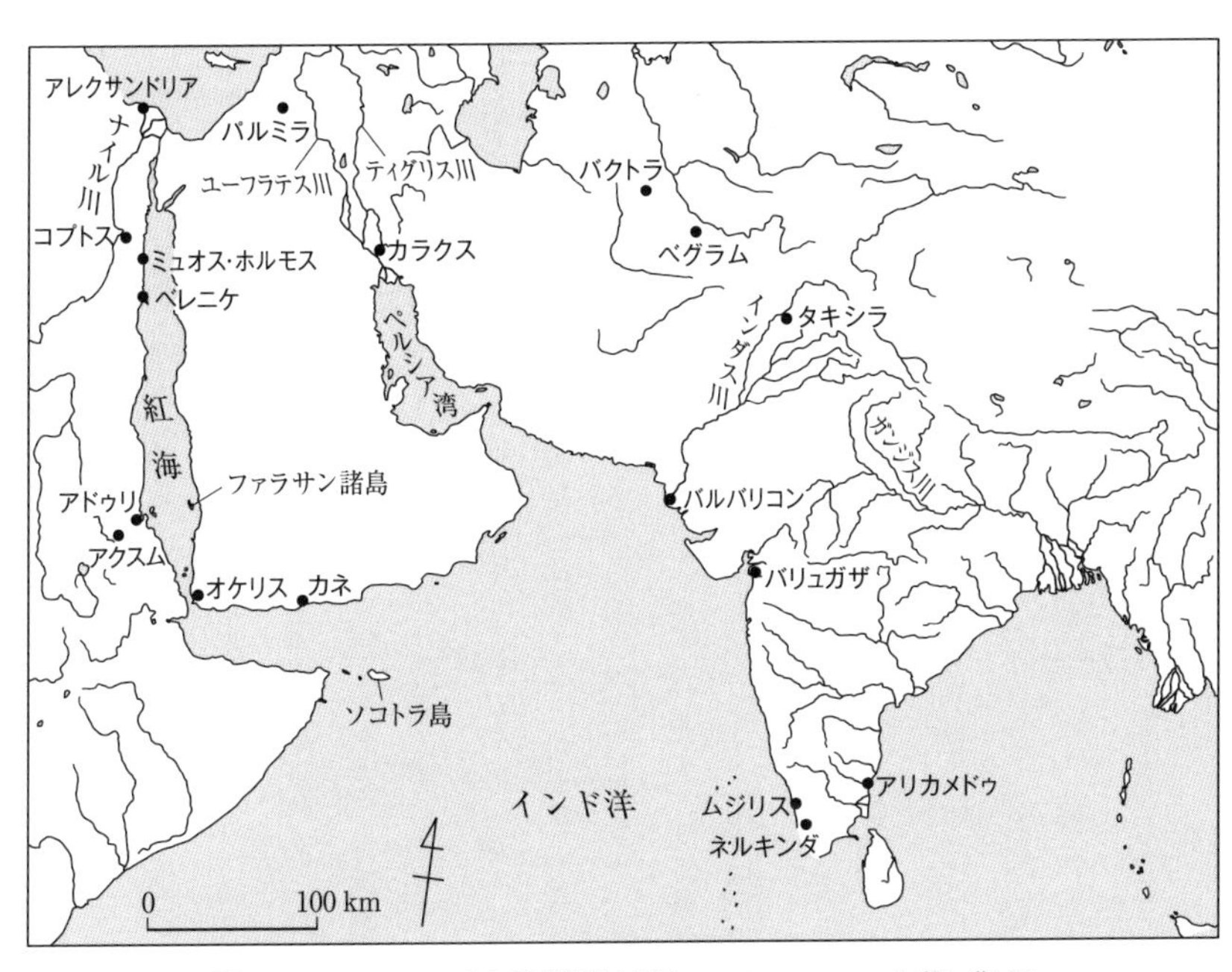

図1　シルクロード交易関係地図(Cunliffe 2015: 291を基に作成)

めただけでなく、エジプトがその支配下に収められたことで、紅海を通じたローマ帝国とインドとの直接の交易が可能になったことがあった。

紅海ルートのローマ側の起点となったのは、エジプトのアレクサンドリアであった。アレクサンドリアからは、船でまずナイル川を遡り、コプトスに至る。コプトスからはエジプトの東方砂漠を横断し、紅海の港ベレニケ、あるいはミュオス・ホルモスに出る。この間の砂漠には街道が建造され、一定間隔で小さな砦や給水所が設けられ、ローマ軍が警備に当たっていた(髙橋 二〇一八)。紅海の港からは再び船に乗って南下し、アラビア半島の南岸に回り、その港であるオケリスやカネなどから、「ヒッパロスの風」と呼ばれた貿易風に乗ることで、インド洋を一気に横断し、インド北西部のインダス川河口のバルバリコンやキャンベイ湾のバリュガザ、あるいは南西部のマラバール海岸のムジリスやネルキンダを目指したのである[**図1**]。

一世紀後半に書かれたとされる『エリュトラー海案内記』には、このルート上の諸港における交易の状況が克明に記録されている。詳細は省略せざるを得ないが、インドの諸港からは、胡椒をはじめとする香辛料、コストス、リュキオンなどの薬種、ラピスラズリや縞瑪瑙（しまめのう）などの宝石類、象牙、真珠、さらには中国の絹などがローマに輸入された。中国の絹は、バリュガザへは「バクトラを経由して陸路で」もたらされ、ムジリスとネルキンダへは「ガンゲースを通じて」運ばれた（六四、蔀勇造訳）。ここで言及されているバクトラは、アフガニスタンのバルクに比定される都市で、当時は、クシャーナ朝の支配下にあった。一方、ガンゲースは、ガンジス川の河口地域である。絹は、中国からガンジス川河口までは、チベットあるいは雲南を経由して輸送されたと考えられている（蔀 二〇一六：第二巻、二〇〇頁）。

これらに対してローマ側が輸出していたのは、銅などの鉱石、珊瑚（さんご）、衣類、ガラス器、ブドウ酒などで、特にムジリスやネルキンダへは「大量の胡椒」などの支払いのために、「極めて多量の」金貨と銀貨が輸出されていたという（五六、蔀勇造訳）。そして、インド側の記録であるサンガム文学の『エットゥトハイ』には、この『エリュトラー海案内記』の記述を裏付けるかのように、「チェーラの川ペリヤールの流れを泡立て、立派な造りの美しいヤヴァナの船が金を積んで来訪し、胡椒を満載して去っていく殷賑（いんしん）を極めるムジリ(Muciri)の町」と歌われている（蔀 二〇一六：第二巻、一三〇頁）。引用文中の「ヤヴァナ」はギリシア・ローマ人を指しており、実際に南インドからはローマの金貨が多数発見されている（Tomber 2012: 30-37）。

インドにおける交易はアウグストゥス以後もいっそう進展し、タキトゥスの『年代記』によれば、早くも二代皇帝ティベリウスは、贅沢品を手に入れるために「異国や敵国」にお金が流出していることを憂慮しなければならなかった（三、五四）。大プリニウスは『博物誌』において、さらに具体的に、「インドと中国とアラビア半島は、もっとも少なく見積もって、一億セステルティウスを毎年、われわれの帝国から奪っている」（一二、二六、八四）、あるいは「注目すべきことに、インドは、われわれの帝国から毎年、五〇〇〇万セステルティウス以上を吸い上げ、われわれのもとに一〇〇倍の値の付いた商品を送ってくる」(六、二六、一〇一)と嘆いたが、これは一世紀後半のネロ帝治世からウェスパシアヌス帝治世の頃のことであった。アラビアからは、主に乳香や肉桂などの香料が輸入されていた。そして、考古学資料は、大プリニウスがシルクロード交易の隆盛を嘆いたこの一世紀後半こそが、その最盛期であったことを示している(Cobb 2015a)。南インドのアリカメドゥやパッタナム(ムジリス)で発掘されているローマ製アンフォラの大部分は、前一世紀から後一世紀のものであり、ベグラムやタキシラなどから出土するローマン・グラスも同時期に属する。貨幣に関しても、インドから出土するそれの三分の二がユリウス・クラウディウス朝期(前二七―後六八年)に発行されたものである。東アフリカや南アラビアにおいても、ローマ製の出土遺物は、同じ時期に属するものが最も多い。インド交易のローマ側の重要な港であったベレニケとミュオス・ホルモスの最盛期も一世紀に認められており、これらの港とコプトスとを結ぶ道路における諸施設の建築活動もフラウィウス朝期(六九―九六年)に最も活発になるのである。

したがって、考古学資料を見る限りでは二世紀に入ると早くも、シルクロード交易の規模は縮小し始めたようなのであるが、しかし二世紀半ばのムジリス・パピルス、マルクス・アウレリウス帝とコンモドゥス帝の共同統治下に出されたアレクサンドリアの関税表、紅海南部のファラサン諸島に駐留するローマ兵の存在(一四四年)、そしてエジプトにおけるパルミラ商人の活動は、縮小の規模は不明ながらも、それなりの規模で二世紀のかなりの期間を通じてインドとの交易が継続していたことを示しているように思われる。ムジリス・パピルスについては後述するが、アレクサンドリアの関税表には、インド産の香辛料や鉄、宦官などについて言及があり、インドとの交易の継続を示しているし、ファラサン諸島にローマ兵が駐留していたことは、紅海を通じたインドとの交易ルートに守るべき価値が見出されていたことを推定させる。パルミラ商人は、従来、ペルシア湾頭からインドへ向かうルートで専ら活躍していたのであるが、二世紀後半から三世紀初頭にかけて、コプトスやソコトラ島に進出してきていたことが知られている。

このことは、紅海ルートに依然として交易の利があったことを示している。

さらに目を広げるならば、大秦王安敦の使者と称する者が後漢の宮廷を日南郡(現在のベトナム中部)経由で訪れ、象牙、犀角、瑇瑁を献上したのは、一六六年のことである。二世紀半ばに書かれたプトレマイオスの『地理学』は、『エリュトラー海案内記』よりも、インドの東海岸の地理についてより詳しくなっているが(蔀 二〇一六：第二巻、三一〇頁)、この事実は「ローマ人」が海路、中国にまで至ったことと符合する。また、クシャーナ朝の最盛期は、カニシカ王の時代に到来するが、それは二世紀前半のことであった。

しかし、二世紀後半になるとインドとの交易の縮小を加速させる事態がユーラシア各地で起こり始める。ローマでは、マルクス・アウレリウス帝治下の一六五年から「アントニヌスの疫病」が流行し始め、空前の被害を及ぼした。ベレニケの発掘調査に携わったスティーヴン・サイドボサムは、この都市が二世紀後半に衰退した原因を「アントニヌスの疫病」によって生じた人口減少に求めている(Sidebotham 2011: 64)。一六六年からはマルコマンニ戦争が勃発し、イタリア半島すら脅かされたが、このような事態は過去二〇〇年ほど絶えてなかったことであった。マルクス・アウレリウス帝治下の疫病と戦争は、実害もさることながら、人々に大きな先行き不安をもたらし、購買意欲をも奪ったに違いない。同時期(一六一―一八五年)の中国でも疫病の流行が見られたが、「アントニヌスの疫病」と同じものであったとする説もある。おそらく、ユーラシア規模での疫病の流行は、シルクロード交易を通した人の移動がもたらした負の側面であったのだろう。さらに、この疫病が流行していた一八四年には黄巾の乱が起こる。乱が猖獗を極めたのは、冀州、豫州、荊州、兗州であり、青州、徐州も被害が大きかった。これらの諸州は、概ね河北、河南、湖北、山東の省に当たるが、山東と河南は後漢時代の絹織物の主要産地であったので(佐藤 一九七七：三〇九―三三八頁)、絹の輸出にも障害が出たことは容易に想像される。後漢の都洛陽も高級絹織物の産地であったが、一九一年に董卓による長安への遷都に際して甚大な被害を受けた。絹は、クシャーナ朝の商人の手を介してインドへと流れてきていたので、中国の混乱はクシャーナ朝へも影響したであろう。

そして、先にみたように、三世紀に入って、サーサーン朝が興起すると、この王朝は東西で積極的な軍事行動に出たため、交易路の安定性は著しく損なわれることになった。とりわけ、ペルシア湾ルートは完全な機能不全に陥ったが、それは、パルミラの重要な交易拠点が置かれていたペルシア湾頭のカラケネ(カラクス)王国がサーサーン朝によって二二四年頃には滅ぼされ、さらに二五〇年代からはパルミラ自体がサーサーン朝と敵対したからであった。パルミラ人が紅海ルートに進出し、さらにゼノビアの下で二七〇年にエジプトに軍事侵攻するに及んだ要因の一つに、衰退したペルシア湾ルートに代わって、紅海ルートの支配を目指したことがあったのは疑いないであろう。しかし、その紅海ルートも、アウレリアヌス帝(在位二七〇―二七五年)とプロブス帝(在位二七六―二八二年)の治下では、その重要拠点であるアレクサンドリアとコプトスが政情不安に陥るなどしたため、十分に機能したとは考えられない。この前後の軍人皇帝時代には、ローマ帝国では東方のみならず、西方も混乱状態にあったので、帝国の購買力そのものが著しく低下していた。三世紀後半には、インドとの交易量はどん底に落ち込んだのである。

しかしながら、政治的軍事的混乱が引き起こすような交易の沈滞は、一時的なものにすぎないとも言える。現に、四世紀半ば以後、インドとの交易は相当程度回復したとされている(Tomber 2008: 161; Power 2012: 21)。

とはいえ、回復したインド交易の性格は、エチオピアのアクスム王国の台頭によって大きく異なるものとなっていた。アクスム王国は、一世紀半ばには紅海に面したアドゥリに進出してシルクロード交易に関係していたが、二世紀末以後、紅海を渡ってアラビア半島南部にまで勢力を伸ばすことで、紅海ルートを扼するようになり、アクスム王国の商人がローマ人に代わって紅海ルートで活躍するようになったからである(蔀 一九九九:一五〇頁)。アクスム商人が台頭した背景には、単にローマ人がアクスム商人との競争に敗れたというだけではなく、ローマ人が二世紀後半以後、シルクロード交易から自発的に手を引いていったという面も強くあったと思われる。シルクロード交易は、以下で見るように、一獲千金ではあったが、その分、リスクも高く、またそのリスクを軽減させる保険事業なども存在しなかったからである。そのうえ、ローマ帝国の商人独特の事情として、商人の社会的地位が高くなかったため、彼らは交易で一旦、利益を得たならば、その金で土地を買い、地主になろうとしたことも(坂口 一九九九：三八頁)、シルクロード交易からの撤退に拍車をかけたと思われる。こうして、ローマ帝国の商人は、四世紀には、インドまで直接赴かなくなり、アドゥリで東方の物産を買い付けるようになった。そして、このアクスム王国の商人とインド洋で商業上の覇権を争ったのは、サーサーン朝の商人であったのである。

以上、インドにおけるローマ帝国のシルクロード交易の歴史を通観したが、本稿の議論にとって重要な点は、交易の不振が三世紀より時間的に先行していることである。その時間差は正確には分からないが、三世紀の危機による帝国の社会的経済的混乱が交易の不振を招いたのではなく(Young 2001: 82-86)、事態はおそらく逆であり、交易の不振が三世紀の危機を引き起こしたのであろう。そして、シルクロード交易の不振が引き起こす帝国にとっての最大の問題は、関税収入の減少であった。

五、シルクロード交易衰退のローマ帝国への影響

文献史料や碑文史料から、ローマ帝国が外国から輸入される商品に二五%もの高額の関税(テタルテ)を課しており、この関税がアレクサンドリアとアンティオキア、そしておそらくガザでも徴収されていたことは学界では以前より知られていた。しかし、その具体的な徴収額は分かっていなかったこともあり、シルクロード交易がローマ帝国に有した経済的意義自体が長らく軽視されてきた。

しかしながら、一九八〇年代に始まるムジリス・パピルスの研究は、このような研究の状況を一変させることにな

った。ムジリス・パピルスは二世紀の半ばにギリシア語で書かれたもので、表裏の両面からなる。パピルスは一部失われているので、詳細については未だ議論が続いているが、表面には、ムジリスとアレクサンドリア間の海上交易に際しての資金貸し付けの契約が記されていたと推定されており、裏面にはこの船――その名をヘルマポロンと言う――に積まれたガンゲース産ナルドス（芳香植物の一種で、香料や薬種として利用された）、象牙、そしておそらく胡椒などの商品名と二五％の関税を支払った後の金額が記載されていた。驚くべきことに、その金額は、六九〇万（正確には六九一万一八五二）セステルティウスほどになり、課税前の額ではおよそ九二〇万（九二一万五八〇三）セステルティウスほどであった。つまり一隻の船からの関税だけで、ローマ帝国は二三〇万（二三〇万三九五一）セステルティウスほどの額を徴収できたことになるのである（Wilson 2015: 23）。仮にストラボンの伝える年間一二〇隻の船が輸入を行ったならば、アレクサンドリアからの年間の関税だけで、二億七〇〇〇万セステルティウスを超えたことになる。ただし、ヘルマポロン号は、最大級の大型船であったと考えられるので、この規模の船が一二〇隻出ていたとは想定できないが、一方で、一二〇隻という数字は、ミュオス・ホルモス一港から出ていた船にすぎないので、その他の紅海の港も含めるならば、二億七〇〇〇万セステルティウスと仮にしておいても問題はないだろう。ちなみに、スエトニウス『ローマ皇帝伝』「カエサル」第二五章によれば、カエサルが征服したガリアに課した税額は年間四〇〇〇万セステルティウスであったことを想起するならば、アレクサンドリアで徴収された税額がいかに莫大であったかは明らかであろう。それは数属州分の税収に匹敵したのである。

ローマ帝国は、輸入に際してだけでなく、輸出に際しても同率の関税をかけていた。輸出品の額を推定する手掛かりとしては、先に紹介した大プリニウスが原価の一〇〇倍でインドの物産がローマで売られているという言葉がある。ヘルマポロン号の場合は、輸入した商品価格が九二〇万セステルティウスであったので、これだけの額の商品を仕入れるにはその一〇〇分の一の九万二〇〇〇セステルティウス分の輸出商品が必要であったことになる。したがって、年間の輸出額は、その一二〇倍の一一〇〇万セステルティウスほどであったことになるが、しかし大プリニウスが一方で毎年一億セステルティウス以上がインド、アラビア、中国に流出していると嘆いていたことも考慮に入れると、原価の一〇〇倍を基にして推定できる一一〇〇万セステルティウスという輸出額はあまりに少ない。実際、この原価の一〇〇倍という言葉を疑わせる史料も存在する。『後漢書』「西域伝」第七十八には、ローマ帝国が「安息、天竺と海中にて交市し、利は十倍あり」(吉川忠夫訳)とあり、「利は十倍」であれば、輸出額は一億一〇〇〇万セステルティウスほどになり、大プリニウスのいう一億セステルティウス以上という数字に近くになる。したがって、原価の一〇〇倍との大プリニウスの記述は誇張とすべきであろう。輸出額が一億セステルティウスと仮定するならば、東方への輸出関税は、年間で二五〇〇万セステルティウスであったことになる。なお、大プリニウスの一億セステルティウスは、金貨と銀貨のみの額と考えられるが、金銀貨が積み荷として船倉に占める割合はごくわずかであったので、圧倒的多数の輸出品はその他の品物で占められていたはずである(Cobb 2015b)。とはいえ、金銀貨を除けばローマからの輸出品はブドウ酒や布類、ガラス器など、ローマではいわば日用品の類であったから、それほどの税額増加にはつながらなかったことも、また確かであろう。

さらに輸入商品を属州外に持ち出す際には、二・五%の属州間関税もかかった。仮にヘルマポロン号の商品をすべてエジプト外に持ち出したならば、二三万セステルティウスほどかかり、これもまた一二〇倍するならば、年間二七〇〇万セステルティウスほどになる。

以上のようにエジプトから上がる輸入関税と輸出関税、そして属州間関税の額を総計すれば、三億セステルティウスを優に超えたのである。輸出入の関税は、この点も先に言及したように、東方においては、アレクサンドリアのみならず、シリアのアンティオキアやガザなどでも徴収されていたので、ローマ帝国がシルクロード交易で東方諸属州から得ていた関税の額は、四億セステルティウスは下らなかったであろう。ラウル・マクラフリンは、輸出輸入関税のみで、三億九〇〇〇万セステルティウスを超えたと推計している(McLaughlin 2016: appendix D; マクラフリン 二〇二一)。では、四億セステルティウスがどれほどの額であったかといえば、それは先に見たガリアからの収入の一〇倍であり、またダンカン=ジョーンズの試算によれば、一五〇年頃のローマ帝国の国家予算が八億三〇〇〇万から九億八〇〇〇万セステルティウスほどであり、二一五年頃のそれが一四億六〇〇〇万から一六億一〇〇〇万セステルティウスほどであったので(Duncan-Jones 1994: 45)、四億セステルティウスは、予算額の増えた二一五年頃の段階でも、依然としてその四分の一近くが賄えるほどの額であったということになる。それゆえ、二世紀後半以後、シルクロード交易が衰退したとするならば、これはローマ帝国にとって大変な損失をもたらしたのである。

加えて、ローマ帝国の輸出品の大部分は、ブドウ酒やガラス器などの産業製品でもあったので、シルクロード交易の不振は、関税収入の減少のみならず、産業の衰退をも引き起こしたであろうことを忘れてはならない。実際、ブドウ酒はイタリア、コス島、クニドス、ロードス島、ガリア、ヒスパニアから、ガラス器はシリア・フェニキア地方からそれぞれインドへ輸出されていたことが知られており(Cobb 2015b: 199)、インドへの輸出品の産地は帝国全土に広がっていたのである。

六、関税収入減少への対応とローマ帝国の衰亡

二世紀後半以後、シルクロード交易の退潮に伴って、ローマ帝国の関税収入は減少していった。にもかかわらず、三世紀前半のセウェルス朝は、自らの権力基盤を維持するため、兵士の給与を増額するなど、この傾向と逆行する道を取ったため、国家財政は悪化の一途を辿った。しかし、財政悪化への対応として帝国がとりうる方策は限られていた。強制徴発するのでなければ、他には支出を切り詰めるか、増税を行うか、あるいは貨幣を改鋳して貨幣そのもの

を造り出すしかなかったのである。三世紀以後の帝国では、これらの方策がすべて実行され、このことが短期的には三世紀の危機に、長期的には西ローマ帝国の衰亡に繋がったように思われる。

増税と改鋳の両方を行ったのは、三世紀前半のカラカラ帝である。カラカラ帝は、周知のようにアントニヌス勅令によって、全ローマ帝国の自由民にローマ市民権を付与したが、これによって従来ローマ市民にのみ課されていた相続税と奴隷解放税を、税額を上げたうえで、全ローマ帝国の自由民に課し、税収の増加を図った。またカラカラ帝は、デナリウス銀貨に加えて、新たにアントニニアヌス銀貨を鋳造させた。アントニニアヌス銀貨は、二デナリウス銀貨に相当するとされたので、本来はアントニニアヌス銀貨の銀の含有量はデナリウス銀貨の倍あるべきであったが、実際には一・五倍ほどしかなく、明らかに悪貨であった。カラカラ帝の改鋳は、三世紀後半に頂点に達するインフレの重要な発端の一つとなったのである(Crawford 1975: 569-570)。

帝国は支出の削減も行った。当時の帝国の主たる支出は、人件費や賜金、建築費、異民族への年金などであったが、このうち圧倒的な割合を占めたのは人件費、すなわち兵士や官僚への給与であり、三世紀初めの段階で、これが国家予算の八割ほどを占めていた(Duncan-Jones 1994: 45)。しかし、いつの時代においても人件費を切り詰めることは難しい。そのためローマ帝国が手を付けたのは、異民族への年金であった。だが、これは異民族の侵入を招く危険な行為でもあった。例えば、フィリップス帝は、二四六年にゴート人への年金を停止したため、彼らの侵入を受けた。また異民族に対して新たに十分な年金を支払うことも財政の悪化に伴い、当然、難しくなる。ガルス帝は、デキウス帝の戦死後、ゴート人に年金を支払うことで和議に持ち込んだが、その額が十分ではなかったため、翌年にはゴート人が帝国に侵攻した。そしてこのような異民族の侵入が三世紀の危機の象徴とも言える皇帝の乱立を引き起こしたことは先に見た通りである。

ヴァルター・シャイデルは、ローマ帝国と漢の財政を比較した結果、この二つの帝国の歳入の額がほとんど同じであったにもかかわらず、漢では人頭税や地租が歳入に占める割合が極めて高かったのに対して、ローマ帝国においては、帝室領と鉱山、そして関税などから入ってくる収入の割合が高く、その分、人頭税と地租の割合が低かったと指摘した(Scheidel 2015)。したがって、関税収入が減少した場合、当然、最終的には人頭税や地租を上げざるを得なくなる。三世紀末のディオクレティアヌス帝は、「カピタティオ・ユガティオ」と呼ばれる人頭税と地租を結合させた新税制を帝国全土に導入したが、その背景には増大する兵士や官僚の人件費からくる財政難に加えて、関税収入の著しい減少もあったとみるべきであろう。なお、おそらく三世紀半ばに、関税の額は、交易の活性化を意図して、二五%から半分の一二・五%に引き下げられていたので(Jones 1970: 2)、四世紀に交易が回復したとはいえ、かつての税収は望むべくもなかった。カピタティオ・ユガティオは、続く時代のローマ帝国の財政的基礎をなしたが、一方で、この税制は、従来、この種の税が無税であったイタリアや、帝国東部に比して貧しかった西部の諸属州には重くのしかかり、続く時代の帝国西部の衰退を招く一因となったと考えられるのである。

注

(1) ローマ帝政期以前のインド洋交易については、池口守「古代世界の経済とローマ帝国の役割」(本巻、一四九―一五五頁)を参照。

参考文献

井上文則(二〇〇八)『軍人皇帝時代の研究――ローマ帝国の変容』岩波書店。

井上文則(二〇一三)「3世紀におけるゴート人の侵入」『西洋古代史研究』一三号。

井上文則(二〇二一)『シルクロードとローマ帝国の興亡』文春新書(本稿の内容を敷衍したもの)。

大清水裕(二〇一〇)「「危機」の時代の北アフリカ――ガリエヌス帝治世のトゥッガ市を中心に」『西洋史研究』新輯第三九号。

大清水裕(二〇一二a)「マクシミヌス・トラクス政権の崩壊と北アフリカ」『史学雑誌』一二一巻二号。

大清水裕（二〇一二b）「「マクタールの収穫夫」の世界――三世紀北アフリカにおける都市参事会の継続と変容」『西洋史学』二四六号。

岡本隆司（二〇一八）『世界史序説――アジア史から一望する』筑摩新書。

ギボン、エドワード（一九七六）『ローマ帝国衰亡史』第一巻、中野好夫訳、筑摩書房。

坂口明（一九九九）「ローマ時代の商業と商人のネットワーク」『ネットワークのなかの地中海』青木書店。

佐川英治（二〇〇八）「魏晋南北朝時代の気候変動に関する初歩的考察」『岡山大学文学部プロジェクト研究報告書』一一巻。

佐藤武敏（一九七七）『中国古代絹織物史研究』風間書房。

サルウェイ、ピーター（二〇〇五）『古代のイギリス』、南川高志訳・解説、岩波書店。

蔀勇造（一九九九）「インド諸港と東西貿易」『岩波講座 世界歴史 六』岩波書店。

蔀勇造訳註（二〇一六）『エリュトラー海案内記』全二巻、平凡社東洋文庫。

髙橋亮介（二〇一八）「エジプト東部砂漠のローマ軍と「蛮族」」『軍事史学』五四巻二号。

范曄（二〇〇五）『後漢書』第一〇冊、吉川忠夫訓註、岩波書店。

マクニール、ウィリアム・H（二〇〇七）『疫病と世界史』上巻、佐々木昭夫訳、中公文庫。

マクラフリン、ラウル（二〇二一）「ローマ帝国におけるインド洋交易の位置づけ」髙橋亮介・赤松秀佑訳『人文学報（歴史学・考古学）』五一七―九。

Alföldy, G. (1974), "The Crisis of the Third Century as Seen by Contemporaries", *Greek, Roman and Byzantine Studies*, 15.

Alföldy, G. (2015), "The Crisis of the Third Century from Michael Rostovtzeff and Andrew Alföldi to Recent Discussions", James H. Richardson and Federico Santangelo (eds.), *Andreas Alföldi in the Twenty-First Century*, Stutgart, Franz Steiner Verlag.

Auer, M. and Christoph Hinker (eds.) (2021), *Roman Settlements and the "Crisis" of the 3rd Century AD*, Wiesbaden, Harrassowitz Verlag.

Brown, P. (1971), *The World of Late Antiquity, AD 150–750*, London, Thames and Hudson.

Cobb, M. A. (2015a), "The Chronology of Roman Trade in the Indian Ocean from Augustus to Early Third Century CE", *Journal of the Economic and Social History of the Orient*, 58.

Cobb, M. A. (2015b), "Balancing the Trade: Roman Cargo Shipments to India", *Oxford Journal of Archaeology*, 34, 2.

Crawford, M. H. (1975), "Finance, Coinage and Money from the Severans to Constantine", *Aufstieg und Niedergang der römischen Welt*, II, Prinzipat, v. 2, Berlin, W. de Gruyter.

Cunliffe, B. (2015), *By Steppe, Desert, and Ocean: The Birth of Eurasia*, Oxford, Oxford University Press.

Duncan-Jones, R. (1994), *Money and Government in the Roman Empire*, Cambridge and New York, Cambridge University Press.

Drinkwater, J. (2005), "Maximinus to Diocletian and the 'Crisis'", *The Cambridge Ancient History*, 2nd ed., 12.

Harper, K. (2017), *The Fate of Rome*, Princeton and Oxford, Princeton University Press.

Jones, A. H. M. (1970), "Asian Trade in Antiquity", D. S. Richards (ed.), *Islam and the Trade of Asia*, Philadelphia, University of Pennsylvania Press.

Liebeschuetz, J. H. W. G. (2007), "Was There a Crisis of the Third Century?", in O. Hekster, G. de Kleijn and Daniëlle Slootjes (eds.), *Crises and the Roman Empire*, Leiden, Brill.

McLaughlin, R. (2016), *The Roman Empire and the Silk Routes: The Ancient World Economy and the Empires of Parthia, Central Asia and Han China*, Barnsley, Pen and Sword Books Ltd.

Power, T. (2012), *The Red Sea from Byzantium to the Caliphate AD 500-1000*, Cairo, The American University in Cairo Press.

Scheidel, W. (2015), "State Revenue and Expenditure in the Han and Roman Empire", W. Scheidel (ed.), *State Power in Ancient China and Rome*, New York, Oxford University Press.

Sidebotham, S. E. (2011), *Berenike and the Ancient Maritime Spice Route*, Berkeley and Los Angeles, California, University of California Press.

Strobel, K. (1993), *Das Imperium Romanum im "3. Jahrhundert": Modell einer historischen Krise?: zur Frage mentaler Strukturen breiterer Bevölkerungsschichten in der Zeit von Marc Aurel bis zum Ausgang des 3. Jhs. n. Chr.*, Stuttgart, F. Steiner.

Tomber, R, (2008), *Indo-Roman Trade: From Pots to Pepper*, London, Bristol Classical Press.

Witschel, C. (1999), *Krise-Rezession-Stagnation?: Der Westen des römischen Reiches im 3. Jahrhundert n. Chr.*, Frankfurt am Main, Marthe Clauss.

Young, G. K. (2001), *Rome's Eastern Trade: International Commerce and Imperial Policy, 31 BC-AD 305*, London and New York, Routledge.

Wilson, A. (2015), "Red Sea Trade and the State", F. De Romanis and M. Maiuro (eds.), *Across the Ocean: Nine Essays on Indo-Mediterranean Trade*, Leiden, Brill.

コラム｜*Column*

忘れられた西部ユーラシアの歴史像
――鈴木成高と宮崎市定

井上文則

今日、鈴木成高(一九〇七―八八年)は、西洋史学者としてではなく、哲学者西田幾多郎門下の高坂正顕、西谷啓治、高山岩男らとともに大東亜戦争の正当化に努めた京都学派の思想家として認識されているかもしれない。しかし、鈴木は、他の三人とは異なり、哲学ではなく、西洋史を専門とし、一九四二年から、四七年にいわゆる公職追放に遭うまでは京都帝国大学の西洋史講座の助教授の立場にあり、一九五四年からは早稲田大学文学部で西洋史を教えていたのである。

この鈴木の著作の一つに『ヨーロッパの成立』がある。鈴木は、ここに収録された論考「ヨーロッパの形成」において、古代から中世にかけて西部ユーラシアで起こった歴史的過程を東洋と西洋の力関係で理解しようとした。すなわち、アレクサンドロス大王の東方遠征は東洋に対する西洋の優越を示し、地中海周辺域を統一したローマ帝国もやはり西洋が東洋に優越して成立した帝国であり、その特質を東洋と西洋の未分離に見た。しかし三世紀以後、ローマ帝国内ではオリエント化という形で東洋の勃興が始まり、東方キリスト教の発展を経て、最後には帝国東南部の領土の多くがイスラーム勢力によって奪われた。こうして、東洋と西洋が完全に絶縁分離したことで、古代地中海世界は崩壊し、中世ヨーロッパ世界が誕生したと鈴木は考えたのである。鈴木の著作は、一九四七年に筑摩書房から刊行されたものであるが、もとの原稿は弘文堂の「世界史講座」のために戦時中に執筆されたものであった。当時、弘文堂が「世界史講座」の刊行を企画したのは、まさに鈴木らが、日本の「勃興」を受けて、ヨーロッパ中心の世界史ではない、新しい世界史の必要性を説いていたことに呼応していたのである。

鈴木の京都大学での同僚であった東洋史学者宮崎市定(一九〇一―九五年)も、戦前に独自の世界史の構想を打ち立てていた。宮崎は、世界を西アジア、東アジア、ヨーロッパの三つの歴史的世界に分け、それぞれの地域が相互に影響を与え合いながら、その内実を同じくする古代、中世、近世、最近世の時代を相前後して歩んだとした。例えば、古代はバラバラに住んでいた人類が大帝国を形成するまでの時期とされ、西アジアではハカーマニシュ(アカイメネス)朝が、東アジアでは秦・漢帝国が、ヨーロッパではローマ帝国がその大帝国に当たり、時代の進展は西アジアが最も早く、ヨーロッパが最も遅れたと指摘した。宮崎は、西部ユーラシアの歴史においては、シリアの帰趨(きすう)を重視した。ローマはシリアを西アジアから奪うことで隆盛し、一方この地域を奪われた西アジアは、アカイメネス朝滅亡後の混迷をいっそう深めたのであった。宮崎は説いてはいないが、この議論を推し進めれば、シリアが西アジアの勢力、たとえばイスラーム勢力に奪われたならば、今度はヨーロッパが逆に衰退するということになるだろう。宮崎の考えは、ヨーロッパの理解に西アジアの動向が不可欠であるとする点において鈴木の西部ユーラシア史の理解に通じるものがある。

東洋と西洋、あるいは西アジアとヨーロッパの関係性を重視する鈴木や宮崎の見方は戦後の歴史学界では受け入れられず、一九六〇年代以後において主流となったのは、近代以前の世界史を独自性を持った小世界が併存する状態と捉えるものであった。このような見方は、一九六九年に刊行が始まった『岩波講座 世界歴史』の第一期で明快に打ち出されている。それによれば、近代以前には、古代オリエント世界、南アジア世界、東アジア世界、内陸アジア世界、西アジア世界、地中海世界、中世ヨーロッパ世界の小世界が併存していたのであり、これらの小世界は、一五世紀以後の近代ヨーロッパの進出によって一体化されていったのである。しかし、この歴史像の中では、近代以前の小世界間の関係性は希薄になり、個々の小世界の独自性と独立性が強まらざるを得なかった。戦後の日本を代表するローマ史家であった弓削達(一九二四―二〇〇六年)の研究は、このことをよく示している。弓削は、地中海世界の独自性を追求し、その独自性を地中海世界固有の市民共同体の運動法則に求めた。そのため弓削の研究においては、地中海世界と、並存した横の小世界である古代オリエント世界や西アジア世界との相互の影響関係が問われることはほとんどなかったのである。

一方、本巻の「展望」では、このような地中海世界という歴史的概念に疑義が呈され、ローマ世界と西アジア世界との関係が強く意識されている。後者の方向性は、鈴木、宮崎と同じであると言えるが、ここに見るべきは、一九七〇年代にピーター・ブラウン(一九三五―)によって提唱され、現在英米の学界を中心に定着している「古代末期」概念の影響であろう。この概念は、二〇〇年から八〇〇年頃のイベリア半島からイランまでの世界を一つの歴史的世界として把握しようとすると同時に、従来、衰退と退廃の時代として捉えられてきた三世紀以後のローマ帝国の歴史を見直すことも目指していた。しかし、この時代概念に基づく研究は、後者の点に関わる後期ローマ帝国東部の宗教や文化史に集中してきた観があり、前者のイランまでも含めた視野での西部ユーラシア史を再検討する試みは、日本はもちろん、欧米を広く見渡してもほとんど手つかずの状態にある。

宮崎市定(一九五九/一九九二)「世界史序説」『宮崎市定全集二』岩波書店。
弓削達(一九七七/二〇一八)『地中海世界とローマ帝国』岩波書店。

【執筆者一覧】

藤 井 崇(ふじい たかし)
1978年生．京都大学大学院文学研究科准教授．ヘレニズム時代史・ローマ史・ギリシア語刻文学．

三津間康幸(みつま やすゆき)
1977年生．関西学院大学文学部准教授．セレウコス朝史・パルティア史．

池 口 守(いけぐち まもる)
1968年生．久留米大学文学部教授．古代ローマ史・経済史・考古学．

春田晴郎(はるた せいろう)
1960年生．東海大学文化社会学部教授．古代イラン史．

髙橋亮介(たかはし りょうすけ)
1977年生．東京都立大学人文社会学部准教授．古代ローマ史．

田 中 創(たなか はじめ)
1979年生．東京大学大学院総合文化研究科准教授．古代ローマ史・初期ビザンツ帝国史．

南雲泰輔(なぐも たいすけ)
山口大学人文学部准教授．古代ローマ史・ビザンツ史．

大 谷 哲(おおたに さとし)
1980年生．東海大学文学部講師．ローマ帝国史・初期キリスト教史・熊の文化史．

井上文則(いのうえ ふみのり)
1973年生．早稲田大学文学学術院教授．古代ローマ史．

冨 井 眞(とみい まこと)
1968年生．京都大学大学院文学研究科助教．考古学・先史学．

中川亜希(なかがわ あき)
上智大学文学部准教授．古代ローマ史・ラテン碑文の分析．

桑山由文(くわやま ただふみ)
1970年生．京都女子大学文学部教授．古代ローマ史．

佐々木健(ささき たけし)
1978年生．京都大学大学院法学研究科教授．古代ローマ法学．

【責任編集】

大黒俊二(おおぐろ しゅんじ)
1953年生．大阪市立大学名誉教授．イタリア中世史．『声と文字』〈ヨーロッパの中世〉(岩波書店，2010年)．

林佳世子(はやし かよこ)
1958年生．東京外国語大学学長．西アジア社会史・オスマン朝史．『オスマン帝国500年の平和』〈興亡の世界史〉(講談社学術文庫，2016年)．

【編集協力】

南川高志(みなみかわ たかし)
1955年生．京都大学名誉教授・佛教大学歴史学部特任教授．古代ローマ史．『新・ローマ帝国衰亡史』(岩波新書，2013年)．

岩波講座 世界歴史 3　　第3回配本(全24巻)

ローマ帝国と西アジア 前3～7世紀

2021年12月3日 第1刷発行
2022年2月15日 第2刷発行

発行者 坂本政謙

発行所 株式会社 岩波書店 〒101-8002 東京都千代田区一ツ橋2-5-5
電話案内 03-5210-4000 https://www.iwanami.co.jp/

印刷・法令印刷 カバー・半七印刷 製本・牧製本

 ISBN 978-4-00-011413-4

岩波講座

世界歴史

A5 判上製・平均 320 頁（黒丸数字は既刊，＊は次回配本）

全㉔巻の構成

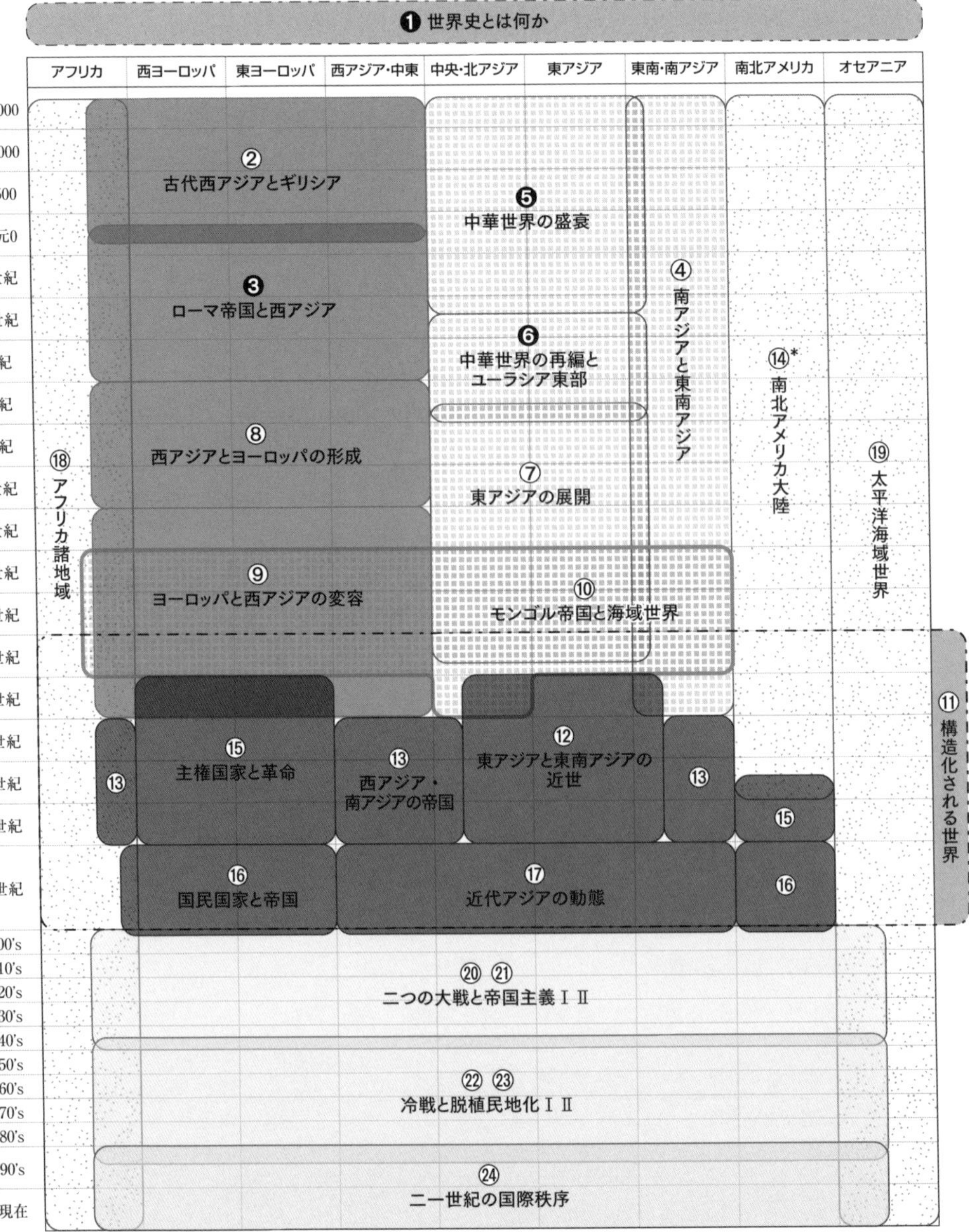

※本図は各巻の内容を厳密に反映したものではなく，便宜的に図示したものです．